TOM BUTLER-BOWDON

Lições inspiradoras dos grandes Mestres

São Paulo
2014

UNIVERSO DOS LIVROS

Diretor editorial: Luis Matos
Editora-chefe: Marcia Batista
Assistentes editoriais: Nathália Fernandes, Rafael Duarte e Rodolfo Santana
Tradução: Juliano dos Anjos
Preparação: Jaqueline Carou
Revisão: Mariano Genaro e Viviane Zeppelini
Projeto gráfico: S4 Editorial
Arte: Francine C. Silva e Valdinei Gomes
Capa: Cristiano Martins

Dados Internacionais de Catalogação na Publicação (CIP)
Angélica Ilacqua CRB-8/7057

B992c Butler-Bowdon, Tom.

Lições inspiradoras dos grandes Mestres / Tom Butler-Bowdown; tradução de Juliano dos Anjos. -- São Paulo: Universo dos Livros, 2014. (50 Grandes Mestres)
384 p.

Bibliografia
ISBN: 978-85-7930-727-0
Título original: 50 Self Help Classics

1. Autoajuda – bibliografia 2. Autoajuda - coletânea I. Título II. Anjos, Juliano dos

14-0366 CDD 158.1

Universo dos Livros Editora Ltda.
Rua do Bosque, 1589 – Bloco 2 – Conj. 603/606
CEP 01136-001 – Barra Funda – São Paulo/SP
Telefone/Fax: (11) 3392-3336
www.universodoslivros.com.br
e-mail: editor@universodoslivros.com.br
Siga-nos no Twitter: @univdoslivros

SUMÁRIO

AGRADECIMENTOS

A cada um dos autores: obrigado por escrever um clássico e por suas contribuições tão singulares para o desenvolvimento pessoal. Foi uma experiência fantástica ler essas obras e contar algo sobre eles a outras pessoas.

Aos editores: obrigado por seu compromisso com um campo de escrita que nunca, apesar de sua popularidade, recebeu muita atenção crítica. Espero que este livro consiga gerar ainda mais leitores para os seus títulos.

A Tamara Lucas: obrigado por seu amor e inspiração e por aguentar passar noites em claro na frente do computador.

A minha mãe, Marion Butler-Bowdon: obrigado pelos últimos 35 anos e por ser a maior divulgadora do livro.

A Noe e a Beatrice Lucas: obrigado pelo apoio e pelo interesse contínuo no que eu faço.

A Nick Brealey da Nicholas Brealey Publishing: obrigado por suas ideias, entusiasmo e pela extrema atenção dedicada ao trabalho, e a Sally Lansdell pela edição.

E aos outros que me deram *feedbacks*, palavras de encorajamento ou senso de perspectiva, recentemente e ao longo dos anos: Andrew Arsenian, Andrew Chang, John Melville, Giselle Rosario, minhas irmãs e irmãos Caroline, Teresa, Charles, Edward, Piers e Richard e seus parceiros e parceiras Charles, Will, Valerie, Kate, Tammy e Ruth, minhas sobrinhas e sobrinhos Celeste, Caleb, Jacob, Toby e Conrad, aos Pollocks Joy, Norman, Jane, Cathy, Adrian e Roger, aos Taylors Maurice, Barbara, Howard e Jessica, aos Misaks Sonia, Albert, Natan e Raphael, Sarah Ravenscroft, Humphrey Butler-Bowdon, Paul Goose, Fitzroy Boulting, Richard Koch, Ronnie Gramazio, Frazer Kirkman, Pria Mitra, Ian Hunter, Nick Harford, Tom Magarey, David Meegan e Yvette, Rosemary, Karen, e Isobel na OCC. Este livro também foi inspirado por meu pai, Anthony William Butler-Bowdon (1913-2001).

Introdução

"A maior descoberta da minha geração é que um ser humano pode alterar sua vida alterando suas atitudes." William James *(1842–1910)*

"Os hábitos de pensar não precisam ser eternos. Uma das descobertas mais importantes da psicologia nos últimos 20 anos é o fato de os indivíduos poderem escolher sua própria maneira de pensar." Martin Seligman – *Aprenda a ser otimista.*

Você já deve ter ouvido muitas vezes que pode mudar sua vida mudando seus pensamentos e hábitos mentais, mas já parou para pensar no que isso significa? Este livro identifica algumas das ideias mais úteis das escritas especificamente dedicadas à transformação pessoal – de dentro para fora.

Eu chamo esses livros de "clássicos da autoajuda". Você já deve ter uma ideia do que é a autoajuda, mas essa compreensão deve ser aprofundada pela variedade de autores e títulos abordados nas páginas deste livro. Se há um fio condutor que liga todas as obras, este fio é a recusa em aceitar "a infelicidade comum" ou "o desespero silencioso" como o destino da humanidade. Os livros reconhecem como reais as dificuldades e os retrocessos da vida, mas dizem que não podemos nos deixar definir por eles. Não importa quão adversas sejam as situações, sempre temos espaço para determinar o que vão significar para nós, lição esta dada em dois livros abordados aqui, *Em busca de sentido*, de Viktor Frankl, e *A consolação da filosofia*, de Boécio. Decidir conscientemente o que vamos pensar, não permitindo que os genes, ou o ambiente, ou o destino determine o nosso caminho – essa é a essência da autoajuda.

A visão convencional de autoajuda é de que esse tema de escrita lida com problemas, mas a maioria dos clássicos da autoajuda aborda as possibilidades. Esses clássicos podem ajudá-lo a revelar o seu verdadeiro caminho na vida, construir uma ponte entre o medo e a felicidade ou simplesmente inspirar você a ser uma pessoa melhor. Samuel Smiles escreveu o *Self-help* [Autoajuda] em 1859. Ele temia que as pessoas considerassem seu livro como um tributo ao egoísmo. Na verdade, o livro pregou a confiança em nossos próprios esforços, a busca incessante de um objetivo que não espera pela ajuda do governo ou qualquer outro tipo de patrocínio. Smiles foi originalmente um reformador político, mas chegou à conclusão de que as revoluções de verdade aconteciam dentro da cabeça das pessoas. Ele pegou a maior ideia do seu século, "progresso", e a aplicou à vida pessoal. Ao contar as histórias da vida de algumas das pessoas mais notáveis de sua época, ele tentou mostrar que tudo era possível se o indivíduo tivesse a ousadia de tentar.

Abraham Lincoln é por vezes mencionado nos textos de autoajuda porque ele incorpora a ideia do pensamento "sem limites". No entanto, ele não aplicou esse conceito nele mesmo – ele se considerava um depressivo desajeitado –, mas no potencial que viu diante de uma situação (salvar a União e libertar os Estados Unidos da escravidão). A visão de Lincoln não era presunçosa; ele viveu para algo maior.

Na melhor das hipóteses, a autoajuda não se trata de fantasias do ego, mas envolve a identificação de um projeto, objetivo, ideal, ou modo de ser em que você pode fazer uma grande diferença. Ao fazê-la, você pode transformar um pedaço do mundo e de si mesmo junto dele.

O fenômeno da autoajuda

> *"... os sinais do divino aparecem em nosso mundo primeiramente no nível inferior."*
>
> Philip K. Dick, Valis

O livro de autoajuda foi uma das grandes histórias de sucesso do século XX. É impossível calcular o número exato de exemplares vendidos, mas os 50 clássicos desta seleção já venderam entre eles mais de 150 milhões de exemplares, e se considerarmos os milhares de outros títulos, o número final chegaria a mais de meio bilhão.

A ideia de autoajuda não é nova, mas somente no século XX é que ela se tornou um fenômeno de massa. Livros como *Como fazer amigos e influenciar pessoas* (1936) e *O poder do pensamento positivo* (1952) foram adquiridos por pessoas comuns desesperadas por fazer algo com a própria vida e dispostas a acreditar que os segredos do sucesso podem ser encontrados em um livro de bolso. Talvez o gênero assumiu essa imagem vulgar porque os livros estavam sempre disponíveis, prometiam muito e continham ideias improváveis de serem ouvidas da boca de um professor ou ministro. Seja qual for a imagem, as pessoas, obviamente, tinham uma nova fonte de orientação de vida e elas a amaram. Pela primeira vez, não nos estavam dizendo que não deveríamos fazer, mas apenas que deveríamos mirar as estrelas.

Um livro de autoajuda pode ser seu melhor amigo e campeão, que expressa fé na sua grandeza e beleza essencial, o que às vezes é difícil que outra pessoa faça. Diante da ênfase em seguir uma estrela-guia e acreditar que os pensamentos podem refazer o mundo, um nome melhor para a literatura de autoajuda pode ser "literatura de possibilidade".

Muitas pessoas ficam impressionadas quando veem que as seções de autoajuda nas livrarias são gigantescas. Para muitos de nós isso não é nenhum mistério: o que quer que reconheça o nosso direito de sonhar e nos mostre como tornar o sonho em realidade é poderoso e valioso.

Os livros

Essa lista de clássicos é o resultado de minha própria leitura e pesquisa, e poderia ter sido bem diferente se outra pessoa tivesse realizado o mesmo projeto. O foco reside nos livros de autoajuda do século XX, mas outros trabalhos mais antigos também são incluídos porque a ética de autoajuda nos acompanha através do tempo. *A Bíblia*, *O Bhagavad-Gita*, *Meditações de Marco Aurélio* e *Autobiografia* de Benjamin Franklin são exemplos de obras que podem não ter sido vistas como autoajuda antes, mas espero ter conseguido defender a inclusão delas nesse rol.

A maioria dos escritores contemporâneos é norte-americana, e embora isso possa parecer imperialismo cultural, os valores de autoajuda são, na verdade, universais. Há uma série de temas de autoajuda que oferece orientação específica, por exemplo, sobre relacionamentos, dieta, vendas ou autoestima, mas os livros aqui abordados tratam do desenvolvimento pessoal mais amplo de autoconhecimento e do aumento da felicidade. Por meio das seleções, tento dar uma ideia da enorme diversidade do gênero. Muitos dos títulos foram facilmente selecionados porque são famosos e influentes. Outros são incluídos porque atendem a um nicho por meio de suas ideias. Cada livro tinha de ter um nível de legibilidade e uma "faísca" que desafiasse o tempo e o lugar em que foi escrito.

No final de *Mulheres que correm com os lobos*, Clarissa Pinkola Estés lista um conjunto grande de livros que podem interessar os leitores. Ela pergunta: "Como eles funcionam juntos? Em quê se complementam? Compare e veja o que acontece. Algumas combinações são explosivos puros. Outras criam estoque de sementes."

O mesmo pode ser dito a respeito dos clássicos da autoajuda. No entanto, para ajudar a especificar alguns temas, agrupei abaixo os livros por áreas que podem ajudá-lo a encontrar o que você está procurando. Há uma lista adicional, "Mais 50 Clássicos", no final do livro.

O poder do pensamento

Mude seus pensamentos, mude sua vida

James Allen, *O homem é aquilo que ele pensa*

Steve Andreas e Charles Faulkner, *PNL: a nova tecnologia do sucesso*

David D. Burns, *Feeling Good: The New Mood Therapy* [Sentindo-se bem: a nova terapia do humor]

Daniel Goleman, *Inteligência emocional: a teoria revolucionária que redefine o que é ser inteligente*

Louise Hay, *Você pode curar sua vida*

Ellen J. Langer, *Mindfulness: Choice and Control in Everyday Life* [Atenção: escolha e controle na vida cotidiana]

Joseph Murphy, *O poder do subconsciente*

Norman Vincent Peale, *O poder do pensamento positivo*

Florence Scovell Shinn, *O jogo da vida e como jogá-lo*

Martin Seligman, *Aprenda a ser otimista*

Seguindo os seus sonhos

Definição e realização de metas

Dale Carnegie, *Como fazer amigos e influenciar pessoas*

Deepak Chopra, *As sete leis espirituais do sucesso*

Paulo Coelho, *O alquimista*

Stephen Covey, *Os 7 hábitos das pessoas altamente eficazes*

Benjamin Franklin, *Autobiografia*

Shakti Gawain, *Visualização criativa*

Susan Jeffers, *Como superar o medo*

Maxwell Maltz, *Psicocibernética*

Anthony Robbins, *Desperte o gigante interior*

Segredos da felicidade

Fazer o que ama, fazer o que funciona

Martha Beck, *Finding Your Own North Star: How to Claim the Life You Were Meant to Live* [Encontrando a sua estrela-guia: como ter a vida à qual você foi destinado a viver]

Mihaly Csikszentmihalyi, *A psicologia da felicidade*

O Dalai Lama e Howard C. Cutler, *A arte da felicidade: um manual para a vida*

O Dhammapada

Wayne Dyer, *A verdadeira magia – criando milagres na vida cotidiana*

John Gray, *Homens são de Marte, mulheres são de Vênus*

Richard Koch, *O princípio 80/20: o segredo de se realizar mais com menos*

Philip C. McGraw, *Estratégias de vida: fazendo o que importa, fazendo o que dá certo*

Marianne Williamson, *Um retorno ao amor*

Ver a vida como um todo

Mantendo-se em perspectiva

Marco Aurélio, *Meditações*

Boécio, *A consolação da filosofia*

Alain de Botton, *Como Proust pode mudar sua vida*

William Bridges, *Transições: entendendo as mudanças da vida*

Richard Carlson, *Não faça tempestade em copo d'água*

Viktor Frankl, *Em busca de sentido*

Lao Tsé, *Tao Te Ching*

Alma e mistério

Apreciando o seu interior

Robert Bly, *João de Ferro*

Joseph Campbell e Bill Moyers, *O poder do mito*

Clarissa Pinkola Estés, *Mulheres que correm com os lobos*

James Hillman, *O código do ser: uma busca do caráter e da vocação pessoal*

Thomas Moore, *Cuide de sua alma*

Carol S. Pearson, *O herói interior: seis arquétipos que orientam a nossa vida*

M. Scott Peck, *A trilha menos percorrida*

Henry David Thoreau, *Walden, ou, A vida nos bosques*

Fazendo a diferença

Transformando-se, transformando o mundo

O Bhagavad-Gita
A Bíblia Sagrada
Ralph Waldo Emerson, *Autoconfiança*
Abraham Maslow, *Motivation and Personality* [Motivação e personalidade]
Ayn Rand, *Quem é John Galt?*
Samuel Smiles, *Self-Help* [Autoajuda]
Pierre Teilhard de Chardin, *O fenômeno humano*

Para você

> *"Em última análise, o essencial é a vida do indivíduo. Isso por si só faz a história, aqui e sozinhas é que as grandes transformações acontecem, e todo o futuro, toda a história do mundo, por fim, nasce como uma soma gigantesca dessas fontes escondidas nos indivíduos."*
>
> Carl Gustav Jung

Houve uma época em que vivíamos em grupos tribais que guiavam nossa vida e nos proviam com necessidades físicas, sociais e espirituais. Com o surgimento da "civilização", esses papéis podem ter passado para a Igreja ou para o Estado. Hoje, você pode depender da empresa para a qual trabalha para ter segurança material e um sentimento de pertencer a algo.

No entanto, a história mostra que cada tipo de instituição e comunidade eventualmente se desfragmenta, e quando isso acontece o indivíduo é exposto. Trata-se de uma mudança forçada, e conforme o mundo acelera, aumenta a probabilidade de isso acontecer com você. Portanto, é preciso se conhecer, estar ciente de como gerir da melhor forma a mudança e ter um plano para sua vida que não dependa de uma instituição. Independente de querer mudar o mundo ou a si mesmo, você tem razão em suspeitar que ninguém fará isso por você. No fim das contas, a responsabilidade é sua.

Outra pressão fundamental que sofremos, por mais estranho que pareça, é a expansão da escolha. A maioria de nós preza a liberdade, mas ficamos assustados quando realmente temos a oportunidade de trilhar o nosso próprio camilho. Muitas das obras abordadas neste livro, de *Estratégias de vida* (Philip McGraw), passando por *Finding Your Own North Star* [Encontrando sua estrela-guia] (Martha Beck) até *Walden, ou, A vida nos bosques* (Henry David Thoreau), lidam com o paradoxo de que, quanto mais escolhas temos, maior é a necessidade do foco. Qualquer um pode conseguir um emprego, mas você tem um propósito?

O século XX representou a inserção em grandes estruturas organizacionais – ao nos adaptarmos bem, obtemos sucesso. Entretanto, Richard Koch nos mostra em *O princípio 80/20* que o sucesso agora e no futuro vem do ser mais nós mesmos; se você estiver disposto a expressar sua singularidade, irá inevitavelmente contribuir com algo de valor real para o mundo. Há uma dimensão moral nisso (Teilhard de Chardin refere-se à "singularidade incomunicável que cada um possui"), mas também faz sentido no âmbito econômico e científico: a evolução acontece pela diferenciação, não por seguir algum padrão geral, e, portanto, as recompensas da vida sempre serão daqueles que não são simplesmente bons, mas excelentes.

O futuro da autoajuda

> *"Eu me contradigo. Sou amplo. Contenho multidões."*
>
> Walt Whitman

No coração da literatura de autoajuda se encontram duas concepções básicas de como devemos nos enxergar. Títulos como *A verdadeira magia,* de Wayne Dyer, *Cuide de sua alma*, de Thomas Moore, e *As sete leis espirituais do sucesso,* de Deepak Chopra, presumem a existência de um núcleo imutável dentro de nós (chamados diversamente de alma ou de eu superior) que nos guia e nos ajuda a cumprir um propósito único que temos. Nessa concepção, o autoconhecimento é o caminho para a maturidade.

E há também títulos como *Quem é John Galt?*, de Ayn Rand, *Desperte o gigante interior*, de Anthony Robbins, e *Autobiografia*, de Benjamin Franklin, que presumem que o eu é uma lousa em branco na qual podemos escrever a história de nossa vida. Não há ninguém melhor do que Friedrich Nietzsche para resumir esta atitude:

> *"As naturezas ativas e bem-sucedidas agem não de acordo com o ditado 'conheça a si mesmo', mas como se pairasse ali diante delas um mandamento: desejas um eu e tu tornar-te-ás um eu."*

O autoconhecimento e a pessoa autocriadora são, naturalmente, apenas abstrações; uma pessoa será sempre uma interessante combinação dos dois. Ambos os pontos de vista, todavia, contêm a suposição de que o eu é independente e unitário ("uno"). Entretanto, no século XXI temos diversos papéis, somos membros de muitas comunidades e expressamos uma variedade de *personas*, portanto nossa experiência é de complexidade. Onde é que a autoajuda se encaixa nesse contexto?

Em seu livro *The Saturated Self* [O eu saturado], Kenneth Gergen sugeriu que a velha ideia do eu uno teve de evoluir para considerar nossas muitas mentes, ou o que ele chamou de "personalidade multifrênica". Outro escritor, Robert Jay Lifton, diz em *The Protean Self: Human Resilience in an Age of Fragmentation* [O eu próteo: a resiliência humana na era da fragmentação] que, para evitar a sensação de ser arrastado em todas as direções, temos de desenvolver um eu mais resistente e sofisticado, ciente de todas as suas múltiplas dimensões; só esse "eu próteo" lidará com um mundo muito complicado. Para Lifton, o eu uno não está morto, mas em um momento de desafio.

No entanto, mesmo esse entendimento mais evoluído do eu será capaz de lidar com o avanço tecnológico? Que tipo de pessoas à surgir de um século XXI que tem a permissão de fazer uso da genética e de outras tecnologias para alterar a personalidade e aumentar a inteligência? Se tivermos a capacidade de mudar a nós mesmos a tal ponto, o que significa o "autoconhecimento" conforme imaginado por Platão?

Os cientistas estão confiantes de que muitas crianças que nascerão na próxima década terão uma expectativa de vida de mais de 100 anos, até mesmo de 140 ou 150. Viver tanto tempo assim tornará o seu senso de identidade mais coerente, ou quinze décadas de mudança – relacionamentos, famílias, carreiras, eventos mundiais – destroem qualquer sentimento de continuidade e segurança? Ainda mais assustadora é a possibilidade de que sejamos capazes de manter vivo o "software" de nosso cérebro por muito tempo depois de nosso corpo ter desistido; então talvez a possibilidade de transplantá-lo para um corpo novo.

Os aplicativos tecnológicos cada vez mais sofisticados voltados para o corpo e cérebro humanos vão certamente tornar a pergunta "O que é o eu?" ainda mais significativa. Neste futuro *Blade Runner: O caçador de androides*, a ideia de autoconhecimento pode acabar sendo a meta histórica do ser humano "pós-humano".

Os livros de autoajuda surgiram da evaporação da certeza e do colapso da tradição. Mas a literatura sempre presumiu que sabíamos o que era o eu. Como essa hipótese é questionada, os livros de autoajuda do futuro terão de ser guias para o próprio eu.

1 | James Allen

1902
O homem é aquilo que ele pensa

"De todas as belas verdades pertencentes à alma que foram restauradas e trazidas à luz nesta época, nenhuma é mais alegre ou proveitosa em divina promessa e confiança do que esta – que o homem é o mestre do pensamento, o modelador do caráter, construtor e forjador da condição, ambiente e destino."

"Bons pensamentos e ações jamais poderão produzir maus resultados. Maus pensamentos e ações jamais poderão produzir bons resultados. Os homens entendem essa lei no mundo natural e trabalham com ela. Mas poucos a entendem no mundo mental e moral (embora sua operação lá seja igualmente simples e inevitável), e eles, portanto, não cooperam com ela."

"Lei, não confusão, é o princípio dominante no universo. Justiça, não injustiça, é a alma e a substância da vida. E retidão, não corrupção, é a força que molda e faz mover no governo espiritual do mundo. Assim, o homem tem simplesmente de endireitar-se para compreender que o universo é correto."

Em poucas palavras

Não atraímos o que queremos, mas o que somos. Somente mudando os seus pensamentos é que você mudará a sua vida.

Na mesma linha

Joseph Murphy, *O poder do subconsciente* (p. 283)
Florence Scovell Shinn, *O jogo da vida e como jogá-lo* (p. 323)

Com o tema de que "a mente é o tecelão-mestre", criando o nosso caráter interior e as nossas circunstâncias externas, "o homem é aquilo que ele pensa" é uma análise profunda da ideia central do texto de autoajuda.

A contribuição de James Allen foi a de assumir a premissa de que todos compartilhamos uns com os outros – e que, como não somos robôs, controlamos, portanto, nossos pensamentos – e revelamos a falsidade presente nisso. Como a maioria de nós acredita que a mente é algo separado da matéria, achamos que os pensamentos podem ser ocultados e perder seu poder; isso nos permite pensar de um jeito e agir de outro. No entanto, Allen acreditou que o inconsciente produz ações tanto quanto o faz o consciente, e embora sustentemos a ilusão de controle por meio do consciente, no mundo real nos deparamos continuamente com a pergunta: "Por que não consigo fazer isso ou alcançar aquilo?".

Ao notar que o desejo e a vontade estão sendo sabotados pela presença dos pensamentos contrários a eles, Allen chegou à surpreendente conclusão: "Não atraímos o que queremos, mas o que somos". A realização acontece porque incorporamos a realização externa; não "atingimos" o sucesso, nós nos transformamos nele. Não há nenhuma lacuna entre a mente e a matéria.

Somos a soma dos nossos pensamentos

A lógica do livro é inegável: pensamentos nobres criam pessoas nobres; pensamentos negativos talham um ser triste. Para uma pessoa mergulhada na negatividade, o mundo parece ser feito de confusão e medo. Entretanto, Allen observou que, quando podamos nossos pensamentos negativos e destrutivos, "todo o mundo ao nosso redor fica mais suave e pronto para nos ajudar".

Atraímos não só o que amamos, mas também o que tememos. A explicação de Allen do porquê isso acontece é simples: os pensamentos que recebem nossa atenção, bons ou maus, vão para o inconsciente e se tornam o combustível para os eventos posteriores no mundo real. "Uma pessoa é o que ela pensa durante todo o dia", como bem observado por Emerson.

Nossas circunstâncias somos nós

Parte da fama do livro de Allen é a afirmação de que as "circunstâncias não criam uma pessoa, elas a revelam". Parece até um comentário extremamente cruel, uma justificativa para negligenciar aqueles que precisam de ajuda e uma racionalização da exploração e do abuso, da superioridade dos que estão no topo e da inferioridade dos que estão no fundo.

Isso seria, no entanto, uma reação automática a um argumento sutil. Cada série de circunstâncias, mesmo que más, oferece uma oportunidade única para crescimento. Se as circunstâncias sempre determinaram a vida e as perspectivas das pessoas, então a humanidade nunca teria progredido. De fato, as circunstâncias parecem ser criadas para trazer à tona o nosso melhor, e se tomarmos a decisão de que "erramos", é pouco provável que iniciemos um esforço consciente para sair dessa situação. Entretanto, como qualquer biógrafo já sabe, a juventude e as condições de uma pessoa são o maior presente que alguém pode receber.

O aspecto direto do livro de Allen é que não devemos culpar ninguém pela nossa condição atual além de nós mesmos. A vantagem está representada nas possibilidades contidas em saber que tudo depende de nós; onde antes éramos especialistas na variedade e medo das limitações, agora nos tornamos conhecedores do que é possível.

Mude o seu mundo mudando a sua mente

Mesmo que Allen não tenha negado que a pobreza pode acontecer a uma pessoa ou a um povo, ele tentou deixar claro que as ações defensivas, como, por exemplo, culpar o autor do crime, só vão fazer a roda continuar girando na mesma direção. O que nos mede e nos revela é a forma como utilizamos essas circunstâncias como uma ajuda ou incentivo para progredir. Uma pessoa ou comunidade bem-sucedida, em suma, é aquela mais eficiente em processar a falha.

Allen observou que "a maioria de nós anseia melhorar as circunstâncias, mas não está disposta a melhorar a si mesmo – e, portanto, permanece limitado". Prosperidade e felicidade não acontecem quando o antigo eu ainda está preso às antigas formas. As pessoas são quase sempre a causa inconsciente da própria falta de prosperidade.

Tranquilidade = sucesso

A influência do budismo sobre o pensamento de Allen torna-se óbvia na ênfase que o autor dá ao "pensamento correto" e também fica evidente na sugestão de que o melhor caminho para o sucesso é a calma da mente. As pessoas calmas, relaxadas e cheias de objetivos aparentam aos outros ser assim em seu estado natural, mas quase sempre isso é fruto do autocontrole.

Essas pessoas têm conhecimento avançado de como o pensamento funciona, vindos de anos de, literalmente, "pensar sobre o pensamento". De acordo com Allen, elas têm uma atração, como um ímã, porque não são levadas por cada pequeno vento do acaso. Voltamo-nos a elas porque elas são mestres de si. Almas "sacudidas pela tempestade" lutam para obter sucesso, mas o sucesso evita o instável.

Comentários finais

Mais de cem anos depois da primeira publicação, *O homem é o que ele pensa* continua recebendo críticas empolgantes de seus leitores. A prosa simples e a ausência de propaganda exagerada são atraentes em um gênero que contém afirmações e personalidades sensacionais, e o fato de sabermos tão pouco sobre o autor torna o trabalho de alguma maneira mais intrigante.

Para levar sua mensagem a um público mais amplo, foi publicada uma tradução de *As a man thinketh* que dá uma nova versão à especificidade de gênero do original: *Somos o que pensamos ser,* traduzido por Caroline Kazuo Ramos Furukawa e publicado pela editora Universo dos Livros.

James Allen

Allen nasceu em Leicester, Inglaterra, em 1864. Aos quinze anos, foi forçado a deixar a escola e começar a trabalhar; seu pai, que partira para os Estados Unidos após a falência dos negócios da família, havia sido roubado e assassinado. Allen foi contratado por diversas fábricas de produção britânicas até 1902, quando começou a escrever em tempo integral. Mudou para Ilfracombe, na costa sudoeste da Inglaterra, onde estabeleceu uma vida tranquila de leitura, escrita, jardinagem e meditação.

O homem é aquilo que ele pensa foi o segundo de dezenove livros que Allen escreveu em uma década. Embora considerado o melhor livro do autor, a obra só foi publicada por causa do pedido incessante de sua mulher. Outros livros do autor são *Da pobreza ao poder*, *Byways of Blessedness* [Atalhos para a boa-aventurança], *The Life Triumphant* [Uma vida bem-sucedida] e *Eight Pillars of Prosperity* [Os oito pilares da prosperidade]. Allen morreu em 1912.

2 | Steve Andreas e Charles Faulkner

1994

PNL (PROGRAMAÇÃO NEUROLINGUÍSTICA): A NOVA TECNOLOGIA DO SUCESSO

(Equipe de treinamento da NLP Comprehensive)

"Este livro vai mudar a sua vida. Nós sabemos. O que você vai ler agora já mudou a nossa."

"Você ficaria surpreso com as imagens interiores que muita gente usa para se motivar. Em seus olhos mentais, elas veem minúsculos e escuros slides *do próprio trabalho sendo feito, ou uma foto confusa em branco e preto da recompensa por ter terminado um projeto. Não é de estranhar que não se sintam motivadas. Agora, você tem de criar uma imagem rica e irresistível do que deseja e valoriza. Quanto maior, mais rica, colorida, tridimensional e definida, melhor."*

Em poucas palavras

"As pessoas funcionam perfeitamente". Programe novos pensamentos, ações e sentimentos e terá uma vida nova.

Na mesma linha

Richard Koch, *O princípio 80/20* (p. 235)
Philip C. McGraw, *Estratégias de vida* (p. 267)
Maxwell Maltz, *Psicocibernética* (p. 251)
Anthony Robbins, *Desperte o seu gigante interior* (p. 315)

O escritor de ficção científica Arthur C. Clarke disse uma vez que "qualquer tecnologia suficientemente avançada é indistinguível da mágica". Esta citação aparece no início de *PNL (Programação neurolinguística): a nova tecnologia do sucesso* e é também a conclusão de muitos que usaram a programação neurolinguística, uma ciência da mente que se espalhou pelo mundo em menos de 20 anos. Por meio das técnicas de PNL, as pessoas têm conseguido se livrar de fobias antigas em poucos minutos, ou rapidamente deixado para trás o peso de uma lembrança horrível que as atormentava há anos.

Estamos tão acostumados a acreditar que mudar leva tempo, tão confortáveis com a filosofia de que "sem dor, sem ganho", que, quando surge uma prática contrária, tendemos a não acreditar. Os autores desse livro admitem que "parece tão grandioso e é improvável que algumas pessoas vão utilizar isso como uma desculpa para nunca examiná-la de perto". Estamos presos em um túnel do tempo quando se trata de psicologia, acreditando que as ideias de Freud ainda são centrais mesmo que tenham sido publicadas um século atrás. No entanto, Andreas e Faulkner se perguntam quantas pessoas ficariam felizes em dar uma volta em um carro de cem anos de idade?

Graças aos avanços feitos na ciência cognitiva e no desenvolvimento de métodos de PNL, a mudança pessoal não é mais um mistério – ela pode ser rápida, confiável e até mesmo divertida.

PNL: o início

No início da década de 1970, Richard Bandler era um graduando em Matemática na Universidade da Califórnia e tinha um forte interesse pela ciência da computação e pela psicologia. Ele conheceu um professor adjunto no curso de Linguística, dr. John Grinder, e os dois começaram a fazer reuniões semanais de terapia que envolviam copiar o conteúdo e o estilo do fundador do movimento da Gestalt, Fritz Perls. Essa tentativa de reproduzir os resultados de outra pessoa pela adoção de seus comportamentos e métodos (o sotaque alemão, o bigode e o círculo de fumo foram eventualmente considerados desnecessários) levou à disciplina de "modelagem da excelência humana".

Pesquisas sobre fobias levaram Bandler e Grinder à descoberta de que pessoas que se afastam dos próprios medos (por exemplo, em sua mente, elas se veem tendo a fobia de certa distância) acabam por perdê-los. Outro leque de técnicas terapêuticas fluiu do trabalho de Bandler e Grinder com o famoso hipnotizador clínico Milton Erickson. A dissertação de mestrado de Bandler tornou-se o primeiro volume da obra inspiradora de PNL, *A estrutura da magia*.

Uma nova tecnologia de realização

Essencialmente, a PNL trata-se da alteração da forma como pensamos sobre o pensamento. "Neuro" refere-se ao sistema nervoso e às vias mentais dos cinco sentidos. "Linguística" refere-se à linguagem e ao uso de palavras, frases, linguagem corporal e hábitos para refletir nossos mundos mentais. "Programação" foi emprestada da ciência da computação. Juntando-as temos uma tecnologia que revela pensamentos, sentimentos e ações que se tornam programas habituais abertos à manipulação.

PNL (programação neurolinguística): a nova tecnologia do sucesso é uma das melhores introduções à disciplina, escrito por uma equipe de formação profissional que tem ligação com os fundadores da PNL. Tem peso intelectual, mas seu valor real reside nos muitos exercícios ou "experiências de pensamento" apresentados. Leia apenas os dois primeiros capítulos e conheça alguns métodos para mudanças instantâneas. Leia o livro inteiro e faça os exercícios e você terá um *kit* de ferramentas mentais para mudar seu humor, comportamentos e memórias, moldar seus pensamentos e ações e viver de acordo com seus valores mais profundos.

Os capítulos possuem os títulos:

- Motivando-se.
- Descobrindo a sua missão.
- Atingindo suas metas.
- Criando *rapport* [conceito da psicologia referente a uma técnica usada para criar empatia com outra pessoa] e fortes relacionamentos.

- Estratégias de persuasão.
- Eliminando seus medos e fobias.
- Criando autoconfiança.
- Criando autovalorização e autoestima.
- Garantindo uma atitude mental positiva.
- Conquistando o desempenho máximo.

Os princípios PNL

A seguir estão os princípios que sustentam a PNL:

1. *O mapa não é o território.* Não respondemos ao mundo da forma como ele é, agimos de acordo com o nosso próprio mapa mental dele. Temos uma chance maior de conseguir o que queremos se o nosso mapa for continuamente revisado para considerar o território. Fazer isso é muito melhor que tentar dobrar o mundo para que ele caiba no seu mapa.
2. *As experiências possuem uma estrutura.* Todos temos padrões ou estruturas na forma como pensamos. Ao alterá-los, literalmente mudamos a nossa experiência, incluindo a forma como pensamos sobre eventos passados.
3. *Se uma pessoa pode fazer algo, todos podem aprender a fazê-lo também.* Podemos modelar o pensamento e o comportamento das pessoas que já são bem-sucedidas para atingir resultados semelhantes.
4. *Mente e corpo são partes do mesmo sistema.* Nossos pensamentos afetam constantemente nossa respiração, músculos etc., que, por sua vez, afetam nosso pensamento. Controlar os pensamentos é controlar o corpo.
5. *As pessoas já possuem todos os recursos de que necessitam.* Do nosso banco de lembranças, pensamentos e sensações, podemos construir novos padrões mentais projetados para fornecer os resultados que queremos.
6. *É impossível não se comunicar.* Tudo em você – dos movimentos corporais e dos olhos, tons vocais aos hábitos – é uma forma

de comunicação. Não é difícil perceber quando uma pessoa diz algo que não condiz com quem ela é.

7. *O significado da sua comunicação é a reação que você obtém.* As pessoas recebem informações filtradas pelo seu mapa mental do mundo. A forma como se comunica deve ser constantemente ajustada para que a mensagem que deseja receber seja realmente aquela recebida.
8. *Todo o comportamento tem uma intenção positiva.* A violência mascara uma falta de aceitação ou medo, e gritar ou criticar pode expressar a necessidade de ser reconhecido. Olhe o que está por trás das atitudes das pessoas para encontrar a intenção positiva daquela ação.
9. *As pessoas sempre fazem a melhor escolha disponível para elas.* Fazemos escolhas com base na experiência. Mais e melhores experiências proporcionam mais escolhas.
10. *Se o que você está fazendo não funciona, faça outra coisa.* Faça todas as outras coisas. Você só obterá os mesmos resultados se continuar a fazer o que sempre fez.

PNL (programação neurolinguística): a nova tecnologia da realização amplia esses princípios incluindo os pontos a seguir:

- Todos têm uma "direção de motivação", tanto em direção ao prazer e aos objetivos quanto para longe da dor. A equipe de PNL descobriu que muitas pessoas são motivadas por esta última, mas com uma mudança na direção da motivação você conseguirá se concentrar nas possibilidades e não naquilo que teme. Isso não significa viver num mundo cor-de-rosa, mudando simplesmente a maneira como se comunica consigo mesmo. Por exemplo, depois de fazer o seu habitual comentário negativo, redefina o seu objetivo. Essa ordem – negativo primeiro, positivo por último – é um motivador simples, mas eficaz.
- Conhecer a diferença entre um trabalho e uma missão. Um trabalho é geralmente muito pouco para uma pessoa; uma missão precisa de uma vida inteira para se tornar realidade. Ao reco-

nhecer o princípio da PNL de que "*se uma pessoa pode fazer algo, todos podem aprender a fazê-lo também*", você conseguirá se ater a atitudes, decisões e comportamentos bem-sucedidos das pessoas que admira e usá-los para cumprir sua missão. O diretor de cinema Steven Spielberg, o artista Michelangelo, a campeã de corrida de cães em trenós Susan Butcher e o magnata dos meios de comunicação Ted Turner são tidos como exemplos de pessoas que deixam muito claro o propósito de suas vidas. Os exercícios de PNL podem revelar a paixão e os valores mais profundos da sua vida, a partir dos quais a sua missão será criada.

- A mudança ocorre em um instante e deve ser natural e fácil. Não importa quantas vezes tente obter um computador para fazer algo, o aparelho não o fará se não tiver o *software* adequado, ou se ele tiver, você precisará ter um manual para inserir os comandos e instruções necessárias. O cérebro humano é muito mais sofisticado, mas a PNL foi projetada para ser o seu manual de *software*, usando a linguagem do próprio cérebro para alterar e criar novas vias neurais. Com a PNL você não precisa se basear na força de vontade; com o conhecimento dos meios técnicos, a mudança se torna algo fácil.
- A premissa básica da PNL é a de que podemos mudar nossa cabeça não por simplesmente ter novos pensamentos, mas pela mudança da nossa forma de pensar, ou seja, escolhendo uma maneira diferente de processar a grande variedade de imagens, sentimentos e memórias que existe dentro de nós de uma forma que tudo isso nos sirva, em vez de nos sabotar. Podemos diminuir a memória negativa com bastante facilidade por meio de novas associações (apenas alguns exemplos: ouvir uma música feliz em nossa cabeça sempre que nos lembrarmos dela, transformando-a em um filme antigo e em preto e branco, vendo-nos sorrindo nesse filme em vez de tristes). Uma vez que essas novas associações são feitas, a maneira como você se sente em relação a uma memória muda não só de imediato, mas para sempre. Revisite-a a qualquer momento e a nova associação ainda ficará no mesmo lugar. Experimente antes de rejeitá-la.

- A PNL o afasta do pensamento "tanto/quanto". Há na PNL o seguinte ditado: "Se você tiver apenas um jeito de fazer uma coisa, você é um robô. Se tiver só dois, está num dilema. É preciso ter, pelo menos, três maneiras de fazer algo para começar a ter uma real flexibilidade". Acima de tudo, a PNL lhe dá a escolha de como gostaria de mudar; há algumas regras: somente as experiências bem-sucedidas.
- Todos têm vozes internas. Transforme-as em grandes encorajadoras em vez de sabotadoras. Você pode tocar uma música poderosa e edificante em sua mente sempre que precisar de confiança instantânea, por exemplo. Pode aprender a ouvir automaticamente um riso a qualquer momento que se deparar com uma dificuldade ou um desafio. Esses métodos o colocam no controle das reações e pensamentos a qualquer momento e permitem que você aceite as críticas e as use de uma forma construtiva.
- O cérebro não sabe pensar negativamente. Se disser continuamente a si mesmo "Quero perder peso", seu cérebro ficará mais impressionado com a palavra "peso" do que com a palavra "perder". Os profissionais da área aconselham as pessoas a terem um "peso-meta" no qual focar; é com essa meta que eles farão o corpo se adaptar, e não com o perder alguma coisa. A PNL sempre ensina a usar uma linguagem positiva, a focar no que você quer, não no que teme.
- Você pode aprender a habilidade de se tornar confiante em um instante para ser mais amoroso ou para "realizar" suas ambições antes de serem realizadas no mundo real. Muitos vencedores usam a PNL sem saber; eles ouvem, sentem, tocam e experimentam a vitória na própria cabeça bem antes de ela realmente acontecer. O sentimento de vencer atrai a vitória; projetar um futuro convincente o coloca no caminho das ações necessárias para realizá-lo. Aqueles que se tornam adeptos da visualização criativa apreciam a máxima da PNL de que "nem todos os sonhadores são empreendedores, mas todos os empreendedores são sonhadores".

Comentários finais

A Psicologia que vê a mente e o corpo como máquinas abertas à manipulação é apropriada para a cultura tecnológica em que vivemos, mas o efeito global da PNL é aumentar a intensidade e a qualidade de vida. Apesar de ter suas origens na computação e na linguística, a PNL trata, na verdade, da graciosa mudança humana.

A Psicologia Clínica tradicional resume-se a descrever e analisar os problemas e descobrir suas causas. A PNL, em contrapartida, concentra-se nas possibilidades e em como a mente funciona para produzir resultados. Se a PNL pudesse ser resumida em uma única frase, seria "As pessoas funcionam perfeitamente". Nossos pensamentos, sentimentos e ações específicas produziram o que somos hoje; alterar essas "entradas" gerará resultados diferentes – um você diferente.

Cada um de nós é um conjunto de emoções, comportamentos e potencialidades, os quais devemos aceitar e até mesmo amar a fim de alcançar o que na PNL é chamado de "congruência pessoal", o alinhamento perfeito dos nossos desejos e valores com as nossas capacidades.

Steve Andreas e Charles Faulkner

Steve Andreas foi químico industrial antes de se tornar um instrutor de PNL e de desenvolver novos métodos. Com sua esposa, Connirae, fundou a NLP Comprehensive no Colorado em 1979 (que ofereceu o primeiro treinamento de certificação PNL), e foi, com ela, coautor de dois livros, *Change Your Mind - And Keep the Change* (1987) [Mude o seu pensamento e atenha-se à mudança] e *A essência da mente* (1989). Escreveu numerosos artigos e produziu programas de áudio e vídeo, além de escrever uma biografia sobre uma terapeuta norte-americana pioneira em relacionamentos, *Virginia Satir: The Patterns of Her Magic* (1991) [Virginia Satir: os padrões de sua mágica]. É mestre em Psicologia pela Universidade de Brandeis e dirige há trinta anos a Real People Press, editora focada em mudança pessoal.

Charles Faulkner é pioneiro em uma série de métodos para a aprendizagem acelerada de línguas, mas é famoso por seus métodos de PNL na tomada de decisões financeiras e na modelagem de acordos comerciais bem-sucedidos. Entre seus programas de áudio estão *Metaphors of Identity* e *Success Mastery with NLP*.

Os outros autores que contribuíram com o livro *PNL (Programação neurolinguística): a nova tecnologia do sucesso* foram Kelly Gerling, Tim Halbom, Robert McDonald, Gerry Schmidt e Suzi Smith. O livro foi originalmente escrito como um programa de áudio em 1991.

3 | Marcus Aurélius

Século II

Meditações

"Começa cada dia por dizer a ti próprio: depararei hoje com a intromissão, a ingratidão, a insolência, a deslealdade, a má-vontade e o egoísmo – todos por causa da ignorância do ofensor sobre o que é o bem e o mal. Mas, por minha parte, já há muito percebi a natureza do bem e sua nobreza, a natureza do mal e sua mesquinhez, e também a natureza do próprio culpado, que é meu irmão (não no sentido físico, mas como meu semelhante, igualmente dotado de razão e de uma parcela do divino); portanto, nada disso me ofende, porque ninguém pode envolver-me naquilo que é degradante."

"Ame nada além daquilo que receberes tecido no pano do teu destino. O que mais poderia atender tuas necessidades?"

"Tudo — um cavalo, uma videira — é criado para um determinado fim. Não há nada para se admirar nisto: mesmo o sol dourado te dirá, 'Estou aqui para cumprir uma tarefa', assim como todos os outros habitantes do céu. Para qual tarefa, pois, fostes criado? Para o prazer? Tal pensamento poderá ser tolerado?"

Em poucas palavras

Não se prenda ao que é trivial ou mesquinho; aprecie a vida por um contexto maior.

Na mesma linha

Boécio, *A consolação da filosofia* (p. 65)
Richard Carlson, *Não faça tempestade em copo d'água* (p. 99)

César Marco Aurélio Antonino Augusto foi imperador de Roma de 161 d.C. até sua morte, dezenove anos depois. Quando subiu ao poder, Roma estava sob ameaça: em guerra constante com "bárbaros" na fronteira, doenças trazidas pelos soldados, peste e até terremotos. Tente imaginar o presidente dos Estados Unidos sendo filosófico em meio a tantas crises. Mas apesar das circunstâncias, depois de sua morte, Marco Aurélio viria a ser idealizado pelos romanos como o imperador perfeito, um verdadeiro rei-filósofo, que representou Roma com a nobreza real da regra antes da selvageria do reinado de seu filho Cômodo e da anarquia do terceiro século.

Estudante de filosofia estoica, Marco Aurélio se recusou a se entristecer e desistir frente às dificuldades da vida. O Estoicismo foi uma escola grega de pensamento originada por volta de 300 a.C. Em termos simples, essa escola ensinava que a submissão à lei do universo era como os seres humanos deveriam viver e enfatizava os deveres, a razão, evitar o prazer e não temer a morte. Os estoicos também teriam total responsabilidade por seus atos, independência de espírito e buscariam o bem maior sobre o próprio bem. O imperador teria estado de acordo com a atual Nações Unidas e outros órgãos mundiais que representam esforço cooperativo: os estoicos tinham uma perspectiva internacional e acreditavam na fraternidade universal.

Assim como o mundo, os pensamentos dos estoicos ultrapassaram o tempo, como este trecho de *Meditações* demonstra:

> *"Todas as coisas se dissolvem no passado lendário e em pouco tempo ficam envoltas no esquecimento. Mesmo para os homens cujas vidas foram de deslumbrante glória, esta passa; quanto aos outros, ainda mal acabam de dar o último suspiro e já, nas palavras de Homero, 'perdem de vista e de nome'. O que é, afinal, a fama imortal? Qualquer coisa vazia e oca. Ao que então devemos aspirar? A isto e só a isto: ao pensamento justo, ao ato desinteressado, à língua que não mente, ao caráter que acolhe cada acontecimento como uma coisa predestinada, já esperada e que emana de fonte e origem únicas."*

Isso foi escrito há mais de dezenove séculos, no entanto, é, de alguma, forma ainda mais relevante quando sabemos como é antigo. A própria vida de Marco Aurélio dá suporte à declaração; nem todo mundo terá um motivo para lembrar-se do autor por suas habilidades ou como líder, mas suas *Meditações*, pensamentos silenciosos escritos à luz de tochas no meio de campanhas, continuam em muitos corações e cabeças.

As *Meditações* estão vivas com a clarividência no que diz respeito à unidade básica de todas as coisas no universo, incluindo o seu povo. Elas nos contam que o esforço para enxergar as coisas por outros olhos é nada menos que uma expansão do nosso mundo – e é uma unificação dele. Desprezar, evitar ou julgar uma pessoa é simplesmente uma obstrução da lei da natureza. A percepção de que, para conduzir as relações humanas a um nível superior é necessário fazer o oposto dessas coisas, formou a base do pensamento do imperador.

Em todas as páginas de *Meditações* está presente o tema da aceitação das coisas e das pessoas pelo que elas são, não por como gostaríamos que fossem. Não há tristeza nessa visão, como sugere o seguinte e breve comentário: "Você pode ter o seu coração partido ao meio e mesmo assim os homens continuarão como antes". Tem-se a impressão de ler os pensamentos de um homem solitário, mas então a habilidade de Marco Aurélio em ver a vida de forma objetiva acabou por salvá-lo de qualquer desilusão real:

> *"Seja como o promontório contra o qual as ondas quebram repetidamente; mantenha-se firme até que, por fim, as águas tumultuosas à sua volta se rendam mais uma vez ao descanso. 'Que infeliz sou por isso ter acontecido comigo!' De modo algum; diga antes, 'Que feliz que sou por não ter ficado amargurado; inabalado pelo presente e sem receio do futuro.'"*

O grande valor da filosofia estoica é a sua capacidade de ajudar a pôr as coisas em perspectiva para que possamos lembrar as coisas que importam; *Meditações* é, se preferir, um antigo e nobre *Não faça tempestade em copo d'água*. A pessoa que consegue ver o mundo como ele realmente é também carrega a capacidade de ver além desse mundo. Estamos aqui e temos um trabalho a fazer, mas há um sentimento que veio de outro lugar e acabará voltando exatamente para esse local. A vida pode ser triste e solitária, supostamente uma coisa depois da outra, mas isso nunca deve ofuscar ou anular a felicidade fundamental de nossa existência no universo:

> *"Examine as estrelas que giram, como se tu próprio andasses em meio a elas. Observe com frequência a dança das mudanças dos elementos. Visões desse tipo expurgam as impurezas de nossa vida terrena."*

Comentários finais

A que conclusão chegamos sobre o fato de que Marco Aurélio foi o pai de Cômodo, cuja ascensão e reinado brutal quebrou a tradição de realeza não hereditária? Se o filósofo era um homem tão incrível, como ele poderia ter criado alguém tão desumano?

Meditações não se trata apenas de mais um livro de autoajuda com respostas fáceis – o tema do livro em si é a imperfeição. Nunca conseguiremos saber exatamente por que as coisas acontecem, por que as pessoas agem de determinada maneira, mas, de qualquer forma, não nos cabe julgar; há um significado maior para eventos e vidas que simplesmente nos falta. Esse conhecimento em si é um conforto.

Esse livro curto é uma fonte de sanidade em um mundo louco, e o leitor de hoje também vai amar a prosa bonita que faz a obra se sobressair em comparação às escritas filosóficas e de autoajuda modernas. Compre um exemplar e utilize-o por toda a vida.

Marco Aurélio

Quando Adriano, um dos mais bem-sucedidos imperadores de Roma, morreu em 138 d.C., ele nomeou como seu sucessor Antonino Pio, que, por sua vez, sob as instruções de Adriano, adotou Marco Aurélio, com dezessete anos de idade na época, como seu sucessor. O futuro do jovem Marco Aurélio foi confirmado quando ele se casou com Faustina, uma das filhas de Antonino Pio. Além de cumprir seus deveres na corte, ele também se dedicou ao estudo do Direito e da Filosofia. Subindo ao poder aos quarenta anos, Marco Aurélio voluntariamente dividiu seu reinado com seu irmão Lúcio Vero, que viria a falecer oito anos depois.

Embora pacífico por natureza, Marco Aurélio foi forçado a continuamente defender os territórios do Império contra as tribos germânicas, incluindo os marcomanos e os quados. Um único manuscrito, hoje perdido, é a fonte de *Meditações*. Marco Aurélio nunca teve a intenção de publicá-lo. O ano de 1559 testemunhou a primeira impressão da obra, quase quatorze séculos depois da morte do imperador, em 180 d.C. Embora o filme de Ridley Scott, *Gladiador*, retrate o imperador sendo assassinado por Cômodo, não há evidências históricas de tal feito.

4 | Martha Beck

2001

ENCONTRANDO A SUA ESTRELA-GUIA: COMO TER A VIDA À QUAL VOCÊ FOI DESTINADO A VIVER

"Ouça com atenção: a sua família de origem não sabe como guiá-lo em direção à sua estrela-guia. Ela não sabia quando você era pequeno, não sabe agora e nunca saberá... As pessoas cujas famílias foram compreensivas e incentivadoras precisam encarar o fato de que o amor familiar não pode guiá-las por todo o caminho em direção à vida correta para elas."

"Muitos dos meus clientes não conseguem descobrir o que querem fazer com suas carreiras até que voltem à saúde física por meio de um profundo descanso durante semanas, às vezes até meses. Independente do que o seu corpo lhe pedir para fazer, são muito boas as chances de que isso seja o próximo passo em direção à sua estrela-guia."

Em poucas palavras
O livro é feito para você que tem aquela sensação de que a sua vida tomou o rumo errado.

Na mesma linha
Joseph Campbell e Bill Moyers, *O poder do mito* (p. 91)
Wayne Dyer, *A verdadeira magia* (p. 159)
Clarissa Pinkola Estés, *Mulheres que correm com os lobos* (p. 173)
James Hillman, *O código do ser* (p. 221)
Susan Jeffers, *Como superar o medo* (p. 227)
Richard Koch, *O princípio 80/20* (p. 235)

Também conhecida como *Stella Polaris*, a Estrela Polar encontra-se no Polo Norte dos céus. Como ela não fica se movendo como outras estrelas, sempre foi usada por exploradores e marinheiros para descobrir a posição atual e verificar a direção. A autora viu na Estrela Polar a representação da estrela-guia e o símbolo perfeito do que ela chama de "vida certa", a realização da existência que é exclusivamente sua e está só esperando você reclamá-la.

Como vamos encontrar a nossa estrela? Bússolas internas, na forma de reações físicas, intuições e vontades e anseios peculiares estão lá para nos guiar e nos levar de volta para o caminho, quando as nuvens e as tempestades da vida nos fazem perder a direção. Beck diz que a chave para encontrar nossa vida certa é saber a diferença entre o eu essencial e o eu social. É nisso que focaremos aqui.

O eu essencial e o eu social

O que é o eu essencial? É aquela voz silenciosa que lhe pede para "seguir uma batida diferente" quando você prefere seguir a multidão. O eu social é a voz que pode ter determinado a maioria das decisões da sua vida até agora; esse eu o equipou com habilidades, criou uma rede para você e é, basicamente, o "responsável". A maioria das pessoas torna o eu pessoal em um mestre, mas, para que você consiga viver uma vida plena e realizadora, isso deveria ser totalmente diferente – tome as rédeas do seu eu pessoal e deixe o eu social fazer o que é necessário para levá-lo para onde você deseja ir.

Beck veio de uma formação acadêmica em que fazer algo "difícil" era respeitado. Optou por chinês como ênfase na faculdade porque soava admirável e inteligente – e odiou. Isso a fadigou mentalmente e foi algo realmente difícil. Qualquer coisa que você faça que provoque estresse e dificuldade, e não importa se você acredite ser algo extremamente válido, provavelmente não faz parte do seu caminho verdadeiro. Ao encontrar algo que lhe dê alegria e em que você consiga ser facilmente produtivo – o que na filosofia oriental é chamado de "não ação" –, provavelmente está perto de sua estrela-guia.

No passado, uma pessoa tinha muito mais chances de se dar bem economicamente por meio de um comportamento obediente e conformista do eu social, porque o indivíduo sempre fora parte de uma máquina maior. Mas no século XXI as coisas mudaram, o dinheiro verdadeiro está indo para as mãos das pessoas com uma personalidade, habilidade ou produto único. A singularidade nunca deixa de fazer parte dos indivíduos, ela emana de uma pessoa, vem do seu eu essencial.

Dando vida ao eu essencial

O eu essencial é como o *daimon* ou a imagem da alma de que James Hillman trata em *O código do ser*. Ele não consegue falar, por isso encontra todos os tipos de formas de ser reconhecido. Muitos dos clientes de Beck a procuram para reclamar sobre o fato de que eles praticam a "autossabotagem": eles cometem erros em exames ou entrevistas nos quais provavelmente iriam bem, sem saber realmente o porquê. No entanto, o que parece ser uma falha inexplicável pode realmente estar em harmonia com seus verdadeiros desejos a longo prazo.

Um dos aspectos mais vitais em recuperar o seu eu essencial é aprender a dizer "não" novamente. A palavra japonesa para não é "iie", mas, como o Japão é uma sociedade relativamente conformista, é realmente um tabu dizer isso. Aprendemos desde cedo que temos de cooperar e sempre deixamos o nosso eu essencial dar lugar ao eu social. Mas da mesma forma que um tigre enjaulado se lança sobre alguém que entra em seu precioso espaço, o eu essencial dentro de você sabe quando dizer não. Você deve permitir que ele faça isso, que ele estabeleça os limites, ou acabará com as neuroses causadas por ter de ser bom com todo o mundo o tempo todo.

Seu corpo e sua mente vão lhe dizer, com muito prazer, quando o eu essencial for ignorado, seja por doença, esquecimento, hostilidades, apatia, atos falhos ou vício. Ouça o seu corpo!

Alinhar-se com a sua estrela-guia, em contrapartida, pode liberar uma vitalidade reprimida experimentada pela última vez na infância. Você vai começar a se amar de novo, lembrar das coisas com mais facilidade, estar mais preocupado em ter uma saúde boa e transparecer alegria para o resto do mundo. Aos olhos das pessoas próximas a você, buscar seu verdadeiro propósito pode parecer algo egoísta – mas será que você prefere viver com os resultados de mantê-lo enterrado?

Dando o salto

Quando contemplamos a mudança (ter um bebê, demitir-se de um trabalho, tirar um ano de férias), os protestos que fazemos são contra nós mesmos com os famosos "todo o mundo vai me achar um idiota", "todo o mundo vai me odiar". É algo assustador – até que consigamos entender que "todo o mundo" é composto por apenas algumas pessoas, algumas que talvez nem estejam mais vivas. A Psicologia descreve isso como o "outro generalizado". Beck, por exemplo, levou muito tempo para perceber que só para obter a aprovação do pai é que ela estava escrevendo no estilo desnecessariamente científico de um periódico acadêmico, quando deveria estar usando a linguagem cotidiana.

Uma vez que enxergamos que existem de fato milhões de pontos de vista sobre tudo, não conseguimos mais nos apegar a um todo mundo imaginário, e ficamos livres para buscar o que sentimos ser o certo. Lembre-se sempre, Beck diz, de que o eu social está programado para evitar o perigo, mesmo que seja uma ilusão. Ao seguir seus sonhos, por outro lado, você desenvolverá uma relação nova e positiva com o medo.

Comentários finais

Finding Your Own North Star é um livro de autoajuda volumoso (380 páginas), abrangendo tudo, desde como apreciar a beleza, ser generoso, aceitar a mudança mesmo quando tudo está bom, diagnosticar o medo em si mesmo e nos outros, ter aflições e expressar ódio a raiva, até como seguir a própria intuição. O que tudo isso tem a ver com a sua estrela-guia? Não "ter um objetivo" afetará todas as áreas da sua vida e você precisará ficar mais consciente de suas emoções e aprendizados interiores para voltar a esse estado. A última parte do livro foca em quatro fases da vida pelas quais você pode buscar a sua estrela-guia, e o livro por si só já vale a pena. Há questionários e exercícios ao longo do livro, muitos deles feitos para "tirá-lo da sua redoma".

Martha Beck

Beck fez gradução, mestrado e doutorado em Harvard. Lecionou Desenvolvimento de Carreira em Harvard e na American Graduate School of International Management. Depois de sua vida acadêmica, tornou-se conselheira em "projeto de vida" e fundou a Life Designs Inc., uma prática para ajudar os clientes a atingirem o próprio potencial.

Seus outros *best-sellers* são *Expecting Adam: A True Story of Birth, Transformation and Unconditional Love* [Esperando Adam: uma verdadeira história de nascimento, transformação e amor incondicional] *e Breaking Point: Why Women Fall Apart and How They Can Re-Create Their Lives* [Ponto de impacto: por que as mulheres ficam arruinadas e como conseguem recriar as próprias vidas]. Ela também escreveu para uma série de revistas americanas.

Beck vive em Fênix, Arizona, com sua família.

5 | O Bhagavad-Gita

"Nascemos no mundo da natureza; o nosso segundo nascimento é no mundo do espírito."

"Mas aquele que, com um corpo forte trabalhando em favor da mente, emprega sua força em trabalho digno, sem visar ganhos, Arjuna! É uma pessoa honrosa. Terá seu trabalho recompensado!"

"Aquele cuja paz não é abalada pelos outros, e diante de quem outras pessoas encontram paz, além da emoção, raiva e medo, é caro para mim."

"Se não queres lutar a batalha da tua vida, porque no teu egoísmo tens medo dela, tua decisão é em vão: a natureza obrigar-te-á."

"Dei-te palavras de visão e sabedoria mais secretas que os mistérios ocultos. Pondere-as no silêncio da tua alma e, depois, em liberdade, faça a tua vontade".

Em poucas palavras

Busque a paz interior, faça o trabalho que lhe pertence e admire os mistérios do universo.

Na mesma linha

Deepak Chopra, *As sete leis espirituais do sucesso* (p. 115)
O Dhammapada (p. 151)

O *Bhagavad-Gita* é o registro de uma conversa entre um jovem e um Deus (na forma de Krishna). O jovem guerreiro Arjuna, da família real Pandava, está em estado de pânico na manhã de uma batalha. Os "inimigos" com quem se espera que ele lute são primos que ele conhece bem.

Nessa situação desesperadora, Arjuna volta-se para seu cocheiro, Krishna, em busca de ajuda. As respostas recebidas não são exatamente o que ele gostaria de ouvir, mas é a oportunidade que Krishna tem de contar a um mortal sobre como o universo funciona e qual a melhor abordagem para a vida.

O *Gita* é uma parte pequena mas muito amada do vasto épico hindu *Mahabarata*, uma crônica poética sobre dois grupos rivais de primos, os Kauravas e os Pandavas. O título significa "canção celestial" ou "canção do Senhor", e Juan Mascaró (que fez a tradução para a língua inglesa) descreveu-o como uma "sinfonia" que representa um pico de espiritualidade indiana.

A beleza desse trabalho está no fato de que ele opera em vários níveis – poesia, escritura, filosofia, guia de autoajuda – e aqui nos concentraremos neste último.

O significado da situação de Arjuna

Arjuna não quer se envolver na batalha, e por que o faria? O leitor não pode deixar de concordar que é loucura começar uma guerra contra um parente. Mas a história é alegórica; trata-se da ação e da não ação, e introduz os conceitos de *karma* e *dharma*.

Arjuna se pergunta, muito razoavelmente, por que ele deveria se preocupar em fazer algo bom – ou fazer qualquer coisa que seja – em um mundo tão ruim. Joseph Campbell diz, em *O poder do mito*, que parte da maturidade está dizendo "sim" ao abominável ou ao mal, para reconhecer sua existência no mundo. O que ele chama de "a afirmação de todas as coisas" não significa que não podemos lutar contra uma situação, só que não podemos dizer que algo não tem o direito de existir. As coisas existem por algum motivo, mesmo que o seja para que possamos combatê-las. Seria bom nos retirar da vida, estar acima de tudo, mas não podemos. Como estamos vivos, não podemos evitar a ação ou seus efeitos – isso se chama *karma*.

Se devemos nos lançar de vez na vida, o que deve ser nosso guia? Há uma ação motivada pelo desejo e ações tomadas a partir de um propósito.

O primeiro tipo parece mais fácil, porque nos permite viver sem questionar e requer pouco de autoconhecimento. Na verdade, esse tipo vai contra a lei universal, geralmente tirando o espírito de nossa vida. A ação com propósito parece mais complicada e obscura, mas é, na verdade, a maneira mais natural; é a salvação da nossa existência e até mesmo a fonte de alegria. A palavra para isso é *dharma*.

Razão

O *Bhagavad-Gita* é um livro incrível porque incorpora a mente racional, capaz de escolher o caminho de propósito em vez do automatismo de uma vida guiada pelo desejo. Se Arjuna simplesmente seguir o desejo de não lutar, não aprenderá nada. Em vez disso, Krishna diz a ele para "combater o bom combate" – este é o dever, propósito e *dharma* de Arjuna.

Livre da indecisão, Arjuna fica sabendo posteriormente que seus oponentes "passarão por isso" de qualquer maneira; Arjuna é meramente o instrumento do *karma* divino.

O leitor não deve se apegar muito ao motivo pelo qual Deus está recomendando a guerra. O foco da história é que o jovem guerreiro, ao questionar a própria ação e existência, mostra razão. Hoje em dia, tendemos a igualar razão com inteligência. Isso é um pensamento preguiçoso, porque significa que um rato ou um computador, mostrando a capacidade de "descobrir ou fazer algo", iguala-se ao ser humano.

A razão é, na verdade, o processo pelo qual descobrimos o nosso lugar no grande esquema das coisas, especificamente o trabalho ou as ações pelas quais nossa existência é justificada e realizada. É o que nos torna seres humanos.

O *Gita* não é uma fuga para o místico; ao mostrar o caminho da razão, ele revela a nossa capacidade mais desenvolvida e maior patrimônio.

Trabalho

O *Bhagavad-Gita* chama a atenção para os três "constituintes da natureza", *Tamas* (trevas), *Rajas* (fogo) e *Sattva* (luz). Um estilo de vida *Rajas* é cheio de ação e negócios infindáveis, com os dedos em muitas coisas, fome em demasia, pouco descanso e o desejo lascivo por coisas e pessoas. Trata-se de ganhar e alcançar, uma vida focada em "o que é meu e o que ainda não é meu".

Soa familiar? Isso é viver de acordo com o "resultado"e, embora possa estar em uma ordem superior ao estilo de vida *Tamas* (inércia, apatia, falta de cuidado, ignorância), ainda é algo medíocre. E a vida de luz, *Sattva*? Saberemos que estamos vivendo a vida de luz quando nossas intenções forem nobres e nos sentirmos em paz com as ações que tomamos. Nosso trabalho é o nosso santuário e o faríamos mesmo sem qualquer recompensa.

O ponto-chave desse livro sagrado em relação ao trabalho é que, a menos que o ser humano esteja fazendo o trabalho que ama, estará arruinando a própria alma. Se isso parece impossível, ame o que está fazendo. A liberdade – do medo e da preocupação e ansiedade com relação aos "resultados" – o seguirá. O sábio sempre tem um resultado em mente, mas seu distanciamento disso o torna ainda mais eficaz.

O *Gita* diz que maior ainda que a paz da meditação é a paz vinda da rendição ao fruto de nossas ações; nesse estado, estamos livres da rigidez das expectativas, permitindo o surgimento do inesperado e notável.

O eu estável

Imagine-se relaxando na frente da televisão quando aparece uma chamada sobre a premiação do Oscar daquele ano, mostrando o brilho e a glória da premiação e as exclusivas festas pós-cerimônia. Alguém fala:

– Este é o lugar onde todo o mundo gostaria de estar.

Por trás do gozo superficial daquela chamada, começamos, de repente, a experimentar um sentimento de inferioridade. "Quem se importa se as pessoas dizem que isso é superficial, eu gostaria de estar lá! O que fiz para não estar na lista dessa festa? Vou mesmo voltar a trabalhar na segunda-feira de manhã?".

Há uma frase em Psicologia para esse pensamento: "referência de objeto". Isso significa focar nos outros e buscar a aprovação deles. Hollywood é um santuário famoso para avaliações externas de valor, onde as pessoas estão sempre preocupadas com o que os outros vão pensar de sua próxima audição, apresentação ou negócio. Isso representa basicamente uma vida de medo e, quando as coisas não saem conforme o esperado, surge o desespero. O *Gita* ensina que podemos alcançar um estado no qual não precisamos de nenhum elogio externo para nos sentirmos bem; a pessoa conhece o seu valor.

Uma das principais rotas para esse nível do ser é a meditação, que proporciona o desapego de emoções como medo e ganância. Por meio dela descobrimos um eu que não está sujeito a alterações, isto é, nas palavras de Deepak Chopra, está "imune às críticas [...] não tem medo de nenhum desafio e não se sente inferior a ninguém". Isso é, com certeza, o poder real, em comparação com o que podemos adquirir no mundo da ação.

Em nossos desejos conscientes mais básicos somos como todos os outros; no estado de meditação percebemos nossa singularidade. O que fazemos praticando a meditação não gera normalmente um *karma* negativo porque estamos emergindo de uma zona de pureza e conhecimento perfeito. "Com a meditação perfeita vem ato perfeito", diz *O Bhagavad-Gita*.

O livro comenta repetidamente que a pessoa iluminada é a mesma no sucesso ou no fracasso, não é influenciada pelos ventos do evento ou da emoção. É um manual sobre como conseguir estabilidade, que, ironicamente, vem do ato de apreciar a natureza efêmera da vida e o movimento implacável do tempo. Embora o universo possa estar num constante estado de fluxo, podemos treinar nossa mente para ser um raro ponto fixo. O livro é um antídoto brilhante para os sentimentos de inferioridade e insignificância que podem destruir até a pessoa mais confiante na vida moderna.

Comentários finais

Aqueles que têm preconceito contra os livros religiosos e os consideram "bobagem mística" podem ficar chocados ao descobrirem que o *Bhagavad-Gita* é uma das grandes obras sobre a soberania da mente.

Deus diz a Arjuna:

> *"– Dei-te palavras de visão e sabedoria mais secretas que os mistérios ocultos. Pondere-as no silêncio da tua alma e, depois, em liberdade, faça a tua vontade."*

Mesmo que Deus seja o todo-poderoso, o homem tem o livre arbítrio. O *Gita* passou essa mensagem enfaticamente ao longo dos anos porque, talvez ironicamente, ele foi construído por meio da poesia, a linguagem do coração.

Este é um livro de autoajuda perfeito porque não é acadêmico ou complicado, mas permanece uma fonte de sabedoria mais profunda, oferecendo um caminho para a firmeza de espírito e alegria no trabalho, o que não poderia ser mais relevante frente à velocidade e à pressão da vida no século XXI.

6 | *Bíblia Sagrada*

"Determinarás algum negócio e ser-te-á firme, e a luz brilhará em teus caminhos." (Jó 22:28)

"O Senhor é meu pastor, nada me faltará. Deitar-me faz em verdes pastos; guia-me mansamente a águas tranquilas. Refrigera a minha alma." (Salmo 23)

"Quanto ao mais, irmãos, tudo o que é verdadeiro, tudo o que é honesto, tudo o que é justo, tudo o que é puro, tudo o que é amável, tudo o que é de boa fama, se há alguma virtude, e se há algum louvor, nisso pensai." (Filipenses 4:8)

"Tudo posso naquele que me fortalece." (Filipenses 4:13)

"Dá força ao cansado, e multiplica as forças ao que não tem nenhum vigor." (Isaías 40:29)

"Se Deus é por nós quem será contra nós?" (Romanos 8:31)

"Por isso vos digo que todas as coisas que pedirdes, orando, crede receber, e tê-las-eis." (Marcos 11.24)

Em poucas palavras
Amor, fé, esperança, glória de Deus, perfectibilidade do homem.

Na mesma linha
O Bhagavad-Gita (p. 45)
O Dhammapada (p. 151)

A forma como as pessoas veem a *Bíblia* geralmente se encaixa em uma das seguintes três categorias: um texto sagrado religioso; uma vasta obra histórica; ou uma coleção de grandes histórias. No entanto, o nosso apego a essas concepções desgastadas pode nos impedir de vê-la novamente como uma coleção de ideias, as quais ajudaram a criar o conceito do que um ser humano deve ser.

Progresso

É fácil esquecer quanto o Antigo e o Novo Testamento são responsáveis pelo mundo em que vivemos hoje. Em seu livro, *A dádiva dos judeus: como uma tribo do deserto moldou nosso modo de pensar*, Thomas Cahill escreveu:

> *"Sem a Bíblia, nunca teríamos conhecido o movimento abolicionista, o movimento de reforma das prisões, o movimento antiguerra, o movimento sindical, o movimento dos direitos civis, o movimento dos povos indígenas e despojado os povos de seus direitos humanos, o movimento antiapartheid na África do Sul, o movimento Solidariedade na Polônia, os movimentos de liberdade de expressão e pró-democracia em países do Extremo Oriente, como Coreia do Sul, Filipinas e até mesmo China. Esses movimentos dos tempos modernos estão todos descritos na linguagem da Bíblia."*

Talvez a mudança crucial em nossa maneira de pensar foi a ideia do progresso. Em tempos remotos, essa ideia era invariavelmente vista como cíclica; as grandes histórias da criação eram tão importantes para o autoentedimento dessas primeiras culturas que pouca atenção foi dada ao futuro. Era estranha a ideia de que o amanhã pode ser melhor que o hoje. Havia muitos deuses, mas eram impessoais e caprichosos, e nenhum teve qualquer visão particular para a raça humana.

Isso mudou com a revelação direta dos mandamentos por meio de Moisés no Monte Sinai. Enquanto esse novo Deus único devia ser temido, Ele era um Deus que não só sempre teve os melhores interesses para a raça humana, mas também uma visão de longo prazo para o Seu povo. Ele era o Deus que livrou os judeus da escravidão no Egito e os levou à Terra Prometida, que passaria pela história para atingir seus objetivos – ser o Deus do progresso.

Embora tenhamos como certo hoje, essa visão de mundo progressista definiu a cultura ocidental e também foi adotada por quase todas as culturas não ocidentais. É, como disse Cahill anteriormente, a força por trás de todos os grandes movimentos de emancipação que, muitas vezes utilizando a linguagem do Livro do Êxodo, cresceu a partir do pensamento de que "não precisa ser assim". Esse pensamento é também a luz que guia a maioria da literatura de autoajuda.

O poder do amor

Se o Antigo Testamento serviu como inspiração para grupos através dos milênios, o Novo Testamento se tornou um símbolo de salvação pessoal. O Velho Testamento era revolucionário porque dava nova ênfase ao indivíduo, mas o Novo Testamento colocou essa ênfase na lógica extrema ao dizer que os indivíduos não só podiam mudar o mundo como tinham o dever de fazê-lo. Seu desafio de transformar o mundo à imagem de Deus, usando Jesus como exemplo, criou um manual para o amor ativo. Mais uma vez, um amor que cura e cria – como o progresso – é algo totalmente tido como garantido agora. Mas, conforme a colocação de Andrew Welburn em *As origens do cristianismo*, "o amor é a revelação de Deus ao homem individualizado e autoconsciente, assim como o poder e a ordem sábia eram a revelação de Deus à humanidade autoconsciente antiga".

O tema da *Bíblia* com relação ao poder do amor marcou uma nova era da humanidade. Em seu caminho a Damasco para ajudar a extinguir os cristãos, Saulo de Tarso (que mais tarde se tornou São Paulo) foi "cegado pela luz". Essa história maravilhosa de transformação pessoal ilustrou a nova e estranha ideia de que o amor pode ser mais forte do que a posição ou o poder.

Fé

As coleções de divindades que precederam o conceito judaico de um Deus único eram, em sua maioria, reflexões do desejo humano. Se você não conseguiu o que queria, era óbvio que os deuses ficavam ofendidos ou descontentes com você. O Deus de Moisés era mais complicado, pois exigia que seu seguidor tivesse fé a fim de moldar Seus objetivos e demonstrar onipotência. O Deus judaico e cristão não se tornou um simples Deus de criação e destruição, mas um de cocriação.

Veja a história de Abraão: Deus pediu que ele fosse a uma montanha para fazer um sacrifício; ele assim o fez, mas percebeu que o sacrificado seria o seu único filho. Surpreendentemente, ele estava disposto a seguir em frente e fazê-lo. No último minuto, Deus fez Abraão substituir o menino por um carneiro preso em um arbusto próximo. O sucesso de Abraão nesse incrível teste de fé foi recompensado com as gerações de seus descendentes que vivem em prosperidade.

No entanto, não foi simplesmente um teste de fidelidade a Deus, e também não era algo que dizia respeito só a Abraão. A própria humanidade passou no teste: podíamos escolher não ser animais tremendo de medo, ligados ao mundo físico, e escolher refletir Deus ao nos tornarmos seres com uma fé confiante.

A *Bíblia* e a individualidade

Outras religiões e filosofias viam o mundo tanto como uma ilusão quanto como um drama no qual elas desempenhavam um papel, mas o cristianismo, ao tornar o indivíduo a unidade pela qual o mundo se desenvolveria e atingiria seu pleno potencial, tornou a história algo importante: ele se tornou a história dos esforços da humanidade em criar o céu na terra.

Acima de tudo, o cristianismo libertou os crentes de terem de aceitar sua sorte na vida. Foi profundamente igualitário: os seres humanos não eram mais prisioneiros de outros seres humanos, dos deuses caprichosos, do "destino" ou das "estrelas". Essa ênfase deu às pessoas a ideia inovadora de que o ser humano não poderia mais ser definido por fatores como classe, etnia ou falta de dinheiro.

A oportunidade revolucionária da *Bíblia*, particularmente do Novo Testamento, foi a de ver e compreender a "singularidade incomunicável do ser que tudo possui" (Teilhard de Chardin). Enquanto a mais ampla visão da *Bíblia* é a criação de uma comunidade da humanidade, ela pode ser apenas uma na qual cada pessoa tem a oportunidade de expressar essa singularidade ao máximo. Independente do que acharem, essa crença foi a que motivou o Papa João Paulo a ser tão fortemente anticomunista – um sistema que estava disposto a sacrificar a singularidade de uma pessoa em prol de uma comunidade mais ampla.

Comentários finais

A *Bíblia* merece ser vista com novos olhos. Não precisamos mais vê-la como algo sobre o pecado original e o sacrifício, ou como algo que gera uma hierarquia pesada da igreja e guerras santas. Devemos nos lembrar de suas mensagens mais simples de compaixão e realização, e da nossa purificação, uma moral que não requer nenhuma imposição sobre as outras pessoas. Embora fascinante enquanto livro histórico com grandes histórias, devemos honrar a Bíblia e lembrar que ela foi o manual original para a transformação pessoal.

7 | Robert Bly

1990

JOÃO DE FERRO: UM LIVRO SOBRE HOMENS

"O homem se tornou, no decorrer dos últimos vinte anos, mais inteligente, mais gentil. Mas, por meio desse processo, ele não se tornou mais livre. Tornou-se um bom garoto que agrada não só à mãe, mas também à jovem com quem está vivendo."

"A palavra especial é importante para o homem ingênuo, e ele tem relações especiais com certas pessoas. Todos temos algumas relações especiais, mas ele envolve a pessoa especial com um tipo enjoativo de boa vontade. A relação é tão especial que ele nunca examina o lado escuro de uma pessoa."

"A história em João de Ferro retém lembranças de cerimônias de iniciação para homens que voltam dez ou vinte mil anos no norte da Europa. O trabalho do homem natural é ensinar o homem jovem o quanto sua masculinidade é abundante, variada e multifacetada. O corpo do garoto herda as habilidades físicas desenvolvidas por antepassados há muito mortos, e sua mente herda poderes espirituais e de alma desenvolvidos há séculos."

Em poucas palavras

Por meio de histórias antigas podemos ressuscitar o antigo e profundo poder do masculino.

Na mesma linha

Joseph Campbell e Bill Moyers, *O poder do mito* (p. 91)
Clarissa Pinkola Estés, *Mulheres que correm com os lobos* (p. 173)
Thomas Moore, *Cuide de sua alma* (p. 275)

Robert Bly é um poeta norte-americano respeitado. Como ele acabou escrevendo um *best-seller* de autoajuda? Bly estava dando palestras sobre mitologia para complementar sua renda e descobriu que o conto *João de Ferro* dos Irmãos Grimm despertou questões nos homens. Seu livro, resultante dessa história antiga, ajudou a criar o movimento dos homens, e seus seminários inspiraram o esterióti-po alarmista desse movimento.

O homem moderno

Nos primeiros seminários, Bly solicitou que os homens reencenassem uma cena de *A Odisseia*, em que Ulisses é instruído a erguer a espada conforme se aproxima do símbolo da energia matriarcal, Circe. Os homens amantes da paz foram incapazes de levantar a espada, por se apegarem tanto à ideia de não ferir ninguém.

Eles eram homens que atingiram a maturidade durante a guerra do Vietnã e não queriam ter relação alguma com uma masculinidade que, para sentir vitalidade, precisava de um inimigo. No lugar da obstinação do homem da década de 1950, eles apresentaram receptibilidade a diferentes pontos de vista e agendas.

O mundo é um lugar muito melhor para esses "homens gentis" – eles são seres humanos adoráveis, Bly admite – mas essas pessoas harmoniosas também são distinguidas por sua infelicidade, causada pela passividade. Bly tentou ensinar a eles que erguer uma espada não significaria necessariamente que se tornariam fomentadores de guerras, mas que poderiam mostrar "uma feliz determinação".

João de Ferro leva o homem, por meio de mitos e lendas, à fonte de sua masculinidade e encontra um equilíbrio entre a grande consciência do "jovem sensível da nova era" e o poder e a vitalidade do guerreiro.

A história

A história de *João de Ferro* existe, de uma forma ou de outra, há milhares de anos. Em poucas palavras: um caçador obedece a um desafio imposto pelo rei de ir a uma parte da floresta da qual os homens não costumavam retornar. O caçador vai para a floresta e seu cachorro é levado por uma mão saída de um lago. Drenando lentamente o lago com um balde, ele encontra lá no fundo um homem peludo selvagem, que é levado para o castelo da cidade e é preso.

O filho do rei está brincando com uma bola dourada quando a bola rola acidentalmente para dentro da jaula onde se encontra o homem natural. Depois de um tempo, o príncipe faz um acordo no qual a bola lhe é devolvida, mas só depois de tirar o homem peludo da prisão. Esse acordo marca o início da masculinidade do menino: ele está disposto a separar-se de seus pais e recuperar sua "bola de ouro" (aquele sentimento vibrante da juventude) pela descoberta de seu poder masculino.

Quem ou o que é o homem natural?

Bly faz uma importante distinção entre o homem natural e o homem selvagem. O selvagem é o tipo que destrói o ambiente, abusa das mulheres e assim por diante; seu desespero interior é impelido ao mundo como desrespeito ou ódio direcionado às outras pessoas. O natural foi preparado para examinar de onde vem a dor; por isso ele se assemelha mais a um sacerdote Zen ou a um xamã do que a um selvagem. O homem natural é a mais alta expressão da masculinidade; o homem selvagem, a mais baixa.

Um homem civilizado tenta incorporar sua selvageria a um eu maior. Quando o príncipe na história arrisca tudo e vai para a floresta com o homem natural, os pais simplesmente acham que o menino foi levado pelo diabo; na verdade, é uma iniciação profunda, um despertar. A mensagem de Bly é que a obsessão moderna em transformar a infância num casulo de luz afasta as crianças de fontes de poder. Vícios e distúrbios psicológicos espelham a incapacidade da sociedade de domar o "lado negro".

Bly acredita que o pensamento da Nova Era sobre harmonia e consciência mais elevada tem uma atração perigosa para os homens ingênuos. A mitologia nos convida a viver plenamente, com todo o sangue e as lágrimas que isso pode vir a proporcionar; a forma de alcançarmos nossa plena realização é nos concentrar em "algo precioso" (uma ideia, uma pessoa, uma busca, uma pergunta) e a decisão de segui-lo a qualquer custo é o sinal de maturidade. Quando fazemos uma escolha clara, o nosso rei interior desperta e os nossos poderes são finalmente liberados.

O ressurgimento do guerreiro

A força do guerreiro, se não honrada ou canalizada, acaba sendo expressa na forma de brigas entre gangues adolescentes, espancamento de mulheres, pedofilia e sentimentos de vergonha. Se usada corretamente, pode se tornar uma fonte de prazer a todos em sua purificação. "De que outra forma podemos explicar a admiração inconsciente por um cavaleiro glorioso ou por um homem com um uniforme branco engomado cravejado de medalhas?", pergunta Bly. Essa imagem representa a civilização da força do guerreiro.

O autor também clama pelo uso do espírito guerreiro e pela "ferocidade" ocasional nos relacionamentos. Ele cita o psicanalista Carl Jung, que disse que os casamentos norte-americanos eram "os mais tristes porque o homem guardava toda a sua luta para o trabalho". Em casa, ele era um gatinho. A ferocidade envolve proteger o que é seu por direito, e as mulheres querem conhecer os limites de um homem.

Tomando consciência

Um homem pode passar vinte ou trinta anos agindo como uma espécie de "menino voador"; em sua imaginação, nada pode contê-lo. Mas, para ser um homem completo, tem de haver algo que o rasgue de dentro para fora, uma ferida que permita a entrada de sua alma. Em muitos mitos, um animal selvagem se aproxima o suficiente de um jovem para mordê-lo na perna; na história de *João de Ferro,* ele é um cavaleiro que persegue o príncipe e o apunhala na perna. Quando ele cai do cavalo, o cabelo dourado, que havia escondido de todos por baixo do capacete até aquele momento, é revelado. Até aquele momento, ele parecia bidimensional. Bly diz que a apreciação de dor e da tristeza é tão vital para potencialidade de um homem quanto a capacidade de voar.

A fome do masculino

As cerimônias de iniciação masculina de todas as culturas formam um aprofundamento, uma descoberta forçada do lado escuro. As mulheres não podem iniciar os homens. Em muitas culturas, um garoto é afastado das mulheres que, até então, cuidavam dele e levado para viver entre os homens mais velhos por um tempo. A sociedade moderna tem poucas estruturas de iniciação, e os meninos podem passar a adolescência prolongando a liberdade, manifestada no comportamento selvagem, grosseria com os pais (em especial com a mãe) e usando roupas e escutando músicas que chamam a atenção.

Milhões de homens cresceram em um ambiente de energia feminina – o que não é em si um problema, mas garotos também precisam da energia masculina. Os homens começam a pensar mais sobre seus pais conforme envelhecem, e a mitologia tem muito a dizer sobre o peso de "adentrar a casa do pai", deixando para trás a expectativa de leveza e conforto para enfrentar a realidade bruta e cruel. Bly diz que *Hamlet,* de Shakespeare, por exemplo, é uma metáfora elaborada para esse processo de mudar do lado da mãe para o lado do pai.

Cores de uma vida

Em *João de Ferro*, o príncipe, disfarçado de cavaleiro, cavalga em um cavalo vermelho, em seguida, em um branco e, depois, em um cavalo preto. Essas cores apresentam uma progressão lógica simbólica em relação à vida de um homem: A "vermelhidão" das emoções e da sexualidade desenfreada nos anos da juventude; a "brancura" do trabalho e de viver de acordo com a lei; e a "escuridão" da maturidade em que a compaixão e a humanidade têm a oportunidade de florescer.

Bly comenta que, nos últimos anos de presidência, Lincoln era um homem de preto. Ele tinha visto tudo. Não era mais governado por suas emoções (vermelho) ou por algum conjunto de princípios externos ou pela lei (branco), tinha deixado de se culpar e desenvolvido um senso de humor brilhante e filosófico. Você tende a conhecer um homem que começou a se mover para o preto porque ele é realmente confiável. Não há nada escondido nos cantos, porque ele incorporou totalmente sua sombra.

Comentários finais

Por que um conto de fadas recontado por Bly atraiu milhões de homens ocidentais?

A história presente em *João de Ferro* foi contada ao redor das fogueiras por milênios. Infelizmente, como uma herança que permanece não lembrada, muitos homens não sabem exatamente o que perderam, mas o impacto desse livro sugere que muitas reivindicações de masculinidade genuína há muito vencidas estão agora sendo feitas – o que também será bom para mulheres e para o resto da sociedade.

Homens que riem de um livro como esse são provavelmente aqueles que mais precisam dele. Os tipos mais destrutivos tendem a ser aqueles com os poderes do autoavaliação menos desenvolvidos, e as mulheres devem receber abertamente todos os esforços feitos para reviver um forte, mas não destrutivo, espírito de masculinidade. O que *João de Ferro* fez para os homens o que *Mulheres que correm com os lobos* (Clarissa Pinkola Estés) fez para as mulheres, e é altamente recomendado.

João de Ferro exige duas ou mais leituras, especialmente se você não estiver familiarizado com mitologia. Foi o primeiro livro de prosa de Bly, mas inclui uma boa seleção de seus excelentes poemas.

Robert Bly

Nascido em 1926 em Madison, Minnesota, em uma família de agricultores, Bly graduou-se em Harvard e fez o mestrado na Universidade de Iowa. Ele é um dos mais famosos poetas norte-americanos vivos e editou uma série de obras completas, orientou muitos jovens poetas e ampliou o alcance das poesias estrangeiras traduzindo-as para o inglês. Foi líder do movimento antiguerra do Vietnã.

Desde *João de Ferro*, Bly escreveu outros tipos de livros, incluindo *A sociedade de irmãos*, que argumenta que vivemos em uma cultura "adolescente", e *The Maiden King: The Reunion of Masculine and Feminine* [O rei virgem: o reencontro do masculino e do feminino], com o autor de literatura de autoajuda Marion Woodman. Seu trabalho mais recente é *Eating the Honey of Words* [Comendo o mel das palavras], uma coleção dos melhores poemas das últimas três décadas com algum material novo. Bly mora em Minnesota.

8 | Boécio

Século VI

A CONSOLAÇÃO DA FILOSOFIA

"Contemple a imensidão e a estabilidade dos céus e depois pare, pelo menos, para admirar coisas sem valor."

"...falta de autoconhecimento é natural em outros seres vivos, mas em seres humanos é um defeito moral."

"Portanto, embora o quadro geral possa parecer a vocês mortais algo de confusão e perturbação porque vocês são totalmente incapazes de visualizar essa ordem de coisas, todas as coisas, no entanto, têm o seu próprio padrão, que as ordena e as direciona para o bem."

"'É por isso', ela prosseguiu, 'que o homem sábio não deve se irritar sempre que estiver preso num conflito com a Fortuna, assim como é inconveniente para o homem corajoso ficar ressentido quando o estrondo da batalha ressoa. Para cada um deles a dificuldade oferece a oportunidade; para o homem corajoso, a chance de expandir sua fama; para o homem sábio, a chance de dar essência à sua sabedoria'."

Em poucas palavras
Independente do que acontecer, você sempre terá o livre-arbítrio.

Na mesma linha
Marco Aurélio, *Meditações* (p. 33)
Viktor Frankl, *Em busca de sentido* (p. 179)

É difícil superestimar o lugar de *A consolação da filosofia* no cânone da autoajuda. Embora Boécio não seja um nome muito conhecido hoje em dia, por mais de um milênio no Ocidente cristão sua obra ficava somente atrás da *Bíblia* em questão de popularidade.

A vida de Boécio foi incrivelmente privilegiada. Nascido Anício Mânlio Torquato Severino Boécio em uma família aristocrática nos últimos anos do Império Romano, foi adotado pelo estadista Símaco, com cuja filha Boécio se casou. Preparado para o poder, ele recebeu a melhor educação e tornou-se cônsul com seus vinte anos. Além de ser um pilar do Senado romano e da sociedade, era considerado um estudioso, fazendo traduções e comentários sobre Aristóteles, de forma a manter viva a tradição clássica até a Idade Média. Mas seu objetivo de traduzir todas as obras de Platão e de Aristóteles e harmonizar as ideias deles em uma única obra nunca seria cumprido. Boécio viveu em tempos interessantes.

O Império Romano tinha se metamorfoseado em "cristandade", dividido entre o Oriente (Constantinopla) e o Ocidente (Ravenna). Enquanto ele manteve a maioria das velhas instituições romanas, o governante da Itália não era mais um romano, mas um "bárbaro", o ostrogodo Teodorico. Boécio foi nomeado chefe de serviços governamentais na corte de Teodorico, uma espécie de chefe do Estado-Maior, que poderia facilitar as relações entre o Senado e o novo regime. No entanto, a corte presenciou Teodorico acusando Boécio de traição e, apesar das afirmações de inocência, ele foi condenado à morte por tortura.

A vida completa estava agora em ruínas. Como poderia sua Filosofia tão amada ajudá-lo agora? Essa terrível situação tornou Boécio singularmente adequado para responder a essa pergunta, e foi no corredor da morte que a obra *A consolação da filosofia* foi escrita.

A roda da fortuna

O livro começa quando um prisioneiro desesperado em sua cela (a quem tomamos como o próprio Boécio) recebe a visita de uma aparição, a Senhora Filosofia. Tendo ouvido as reclamações do prisioneiro contra a injustiça da situação, a Senhora Filosofia começa a tecer argumentos fundamentados sobre o motivo pelo qual ele não deveria culpar a fortuna.

A fortuna vem e vai sempre que quiser e, portanto, nunca devemos depender dela. O prisioneiro associou "felicidade" à sua alta posição, estima pública e riqueza, mas a Filosofia argumenta que essas coisas não podem ser a verdadeira fonte da felicidade se elas o levaram ao lugar onde estava agora. Se alguém quiser depender da fortuna, deverá esperar que ela parta da mesma forma que chega, assim como as estações vão e vêm. Em sua raiva, Boécio se esqueceu de como o mundo é ordenado.

E como é ordenado? A Filosofia leva o prisioneiro a concordar que o maior bem que podemos buscar é Deus, e que nossa busca por coisas externas, incluindo a fama, a riqueza ou o poder, são, de fato, ganâncias para essa fonte de verdadeira felicidade. Ao contrário da fortuna, Deus é imutável e é acessado por meio do olhar interno. Paradoxalmente, a pessoa que procura conhecer a Deus alcança o autoconhecimento.

Ainda um tanto desanimado, o preso reclama que o mal muitas vezes prevalece sobre o bem. Mas a Filosofia critica isso, observando que, se o mal atinge seus objetivos, o homem se torna um animal, enquanto que, se o bem sucede, ele transcende o ser humano ao nível dos deuses. Portanto, o mal nunca pode realmente vencer, uma vez que o "sucesso" no mal não leva a lugar nenhum, enquanto que todas as tentativas do bem levam a lugares mais altos.

Destino e Providência divina

O livro avança para perguntas ainda maiores sobre a Providência divina e o livre-arbítrio. Ao ouvir que não há chance no universo, que a Providência ordena tudo perfeitamente, o prisioneiro pergunta imediatamente:

– Como, então, os seres humanos têm livre-arbítrio?

A Filosofia explica que "Deus vê no presente eventos futuros que precedem o livre-arbítrio". Deus sabe o que vai acontecer se fizer uma determinada escolha, mas não interfere na escolha feita, a menos que você peça orientação a Ele.

O prisioneiro aprende que, enquanto a Providência, sem qualquer esforço, organiza o universo como um todo, o destino concentra-se no movimento dos seres individualmente dentro do tempo. Aqueles que estão mais perto de Deus vivem em maior harmonia com a Providência e podem, portanto, depender da ajuda Dela; aqueles que acreditam estar por conta própria estão totalmente ligados ao seu destino e possuem – de novo paradoxalmente – menor controle sobre o destino. Aqueles que apreciam quietude conhecem o pensamento da Providência; aqueles que não apreendem nada além da turbulência e do caos só conseguem ver a dureza do destino.

Significado da miséria

A Filosofia tenta mostrar a Boécio que não há pessoa melhor do que ele, que tinha se regozijado em riqueza, poder, fama e todas as vantagens do nascimento em berço de ouro, para ser forçado a considerar o valor final das coisas materiais. Estes não proporcionam e nem são qualquer tipo de proteção contra o que se abateu sobre ele e que, de fato, armou o destino de Boécio. Em seus últimos dias, escrevendo como "o prisioneiro", ele vê sua vida em perspectiva. Percebe que as conquistas não são tão importantes como o autoconhecimento que ganhava naquele momento.

Boécio percebe que sua vida até ali se tratava de poder do controle ou da autocriação intencional. No decorrer do ano passado na prisão, ele substitui a fixação pelo controle do adulto/adolescente por uma apreciação da unidade e singularidade do universo; ele passa de um político ganancioso a um sábio ancião. Confortado pela Filosofia, mesmo uma morte tão horrível como a dele é posta em perspectiva.

Impacto de *A consolação da filosofia*

A consolação da filosofia inspirou Dante, Chaucer e Tomás de Aquino, e foi traduzida para o inglês pelo rei Alfred (século IX) e

Elizabeth (século XVI). De forma geral, o livro ajudou a inspirar a piedade e a introspecção que agora associamos à Idade Média.

O desejo de Boécio de iluminar o público em geral é expresso na forma como a obra foi escrita, por meio do entrefolhamento da prosa e da poesia, conhecido como sátira menipeia, que, até então, tinha sido um estilo literário popular e despreocupado. O livro foi concebido para seduzir o leitor a aceitar seus argumentos por meio do fornecimento de prazer e consolo.

Comentários finais

Embora Boécio tenha sido um dos grandes intelectuais de seu tempo, seu livro é, acima de tudo, um trabalho pessoal que conversa diretamente com o leitor de qualquer idade, oferecendo conselhos, consolo e inspiração imediatos. A questão central do livre-arbítrio pode parecer, à primeira vista, intelectual demais, mas é na verdade fundamental para toda a ética de autoajuda; estar livre para fazer escolhas, mesmo quando não se está fisicamente livre – o que atinge Boécio –, é a essência da maturidade. *A consolação da filosofia* é provavelmente uma das discussões mais profundas que você lerá sobre a natureza da felicidade.

9 | Alain de Botton

1997
Como Proust pode mudar sua vida

"Embora Proust nunca tenha gostado, e se referiu à obra várias vezes como 'infeliz' [1914], 'enganosa' [1915] e 'feia' [1917], Em busca do tempo perdido *tinha a vantagem de apontar de forma direta o suficiente para um tema central do romance: a busca das causas por trás da dissipação e perda de tempo. Longe de ser um livro de memórias traçando a passagem de uma idade mais lírica, era uma história prática e universalmente aplicável sobre como parar de perder e começar a apreciar a vida."*

"Embora os filósofos estejam tradicionalmente preocupados com a busca da felicidade, sabedoria muito maior parece residir na busca por caminhos para se tornar adequada e produtivamente infeliz. A recorrência obstinada da miséria significa que o desenvolvimento de uma abordagem viável deve certamente superar o valor de qualquer busca utópica pela felicidade."

Em poucas palavras
Aprecie a rica experiência da vida, independente das circunstâncias. Baixas expectativas criam surpresas agradáveis.

Na mesma linha
Thomas Moore, *Cuide de sua alma* (p. 275)

O pai da família Proust era um respeitado professor de Higiene que escreveu inúmeros trabalhos acadêmicos e viajou muito. O filho também se tornou médico, bem-sucedido financeiramente e que gostava de esportes, tão robusto que tinha sido atropelado por um carro e por cavalos e ainda assim permaneceu vivo.

Depois, houve o outro filho, um esteta doentio que viveu do dinheiro dos pais e nem sequer conseguia manter um emprego simples em uma biblioteca. Em seus tempos saudáveis, era visto na ópera de Paris ou dando festas. Só depois da morte dos pais ele se sentiu preparado para fazer alguma coisa na vida e estava na metade dos seus trinta anos quando se estabeleceu para começar escrever, mas isso aconteceu anos antes que recebesse qualquer reconhecimento por seu trabalho. Conforme relação feita por Alain de Botton, Proust expressou à sua empregada o que deve ter parecido uma vã esperança:

– Ah, Celeste, se eu pudesse ter a certeza de ter feito o tanto por meus livros quanto meu pai o fez por sua doença.

Dada a fama que sabemos que mais tarde acolheria Proust, parece um pouco ridículo terem sido mantidas esperanças tão baixas. Ainda aos olhos de Botton, a observação engloba o significado da obra de Proust: o escritor procurou honestamente imitar o sucesso que pai obtera na medicina. O livro de De Botton vai além dos méritos literários de uma obra-prima (*Em busca do tempo perdido*) para desvendar o poder terapêutico, fazendo-nos ver que foi por isso que Proust acabaria por ter desejado ser julgado.

Os propósitos da dor

Proust estava interessado em fazer bom uso do sofrimento; para ele isso era "a completa arte do viver". Ao notar que os filósofos continuavam tradicionalmente na busca por teorias da felicidade, em Proust, De Botton encontra uma forma substancialmente mais útil de conselhos para a vida: em vez de tentarmos tornar nossas vidas em uma espécie de Disneylândia de aspirações realizadas, é melhor encontrarmos maneiras de sermos "produtivamente infelizes".

O sofrimento nunca deixa de nos surpreender, quando talvez não deveria. Muitas das personagens na obra de Proust são más sofredoras, empregando mecanismos de defesa contra o fato de terem de enfrentar seus "problemas", o que as torna pessoas insuportáveis. O bom sofredor vê a lógica amarga no que ele está sentindo, sabendo que importa inevitavelmente perder a intensidade emocional, deixando resíduos de sabedoria.

A arte de viver, conforme entendimento de Proust, não se trata de um ótimo estilo de vida, mas de encontrar valor e significado independente das circunstâncias – em vez de fazê-lo por meio delas. Visto dessa forma, a infelicidade produtiva acaba sendo uma forma boa de abordar a vida.

Como fazer amigos... e ainda manter o seu lugar na história

Proust tinha muitos amigos que o amavam muito, e vários deles escreveram memórias brilhantes do tempo passado com Proust. De Botton mostra-nos como o escritor chegou a desfrutar de tal veneração.

Em primeiro lugar, ele não acreditava que a amizade era uma oportunidade de se abrir uns com os outros, mesmo se a outra pessoa estivesse interessada em ouvir o que você tinha a dizer. De fato, para manter um amigo e tirar o máximo proveito da personalidade dele, era preciso deixá-lo falar. Proust era amado talvez porque era um ótimo ouvinte. Em segundo lugar, ele acreditava que as amizades deviam ser alegre e não intelectuais – conversa era uma oportunidade para divertir a outra pessoa e fazê-la sentir-se especial.

Tudo isso poderia ser tirado diretamente do livro de Dale Carnegie sobre relações interpessoais, e, de fato, os amigos de Proust inventaram o verbo "prostificar" para dar atenção abundante e louvor a algo. No entanto, há mais do que isso: De Botton mostra de forma perspicaz como Proust extirpou deliberadamente a "verdade" e o intelecto da equação da amizade, o que o permitiu expressar seus poderes de análise em sua escrita, mantendo, assim, seus amigos.

A mensagem que podemos aprender com este mestre da amizade é termos menos expectativas em relação aos nossos amigos e a não depender de outras pessoas para sermos felizes. Controlar nossa mais profunda paixão ou amor (que geralmente não é uma pessoa, mas algo que clama por busca ou realização – no caso de Proust a escrita) e viver de acordo com ela. A satisfação que isso nos proporciona colocará a amizade e outras relações na devida perspectiva.

Como ter uma vida (diferente da vida de todo o mundo)

Se o médico lhe disser que você tem uma semana de vida, o mundo parecerá maravilhoso, um milagre. O que é isso que nos faz, no estado normal das coisas, ficarmos facilmente deprimidos, entediados ou completamente fartos de algo? Proust acreditava que estes sentimentos, embora bastante normais, eram um erro de percepção. O narrador, em seu livro, vai para beira-mar na esperança de ver um litoral tempestuoso e escuro permeado da lamúria de aves marinhas, mas encontra uma cidade turística normal. No entanto, seu amigo pintor Elstir, ao apontar as coisas simples como a brancura do vestido de algodão de uma mulher ao sol, é capaz de recuperar a apreciação da beleza do narrador.

Para muitos, a palavra "Proust" evoca imagens de intelectualidade e refinamento intocáveis, uma escrita que pode nos levar a uma idade de ouro parisiense, quando a vida era, de alguma forma, maior e mais rica. De Botton nos diz o quanto tal ponto de vista está errado. A ironia de sua homenagem a Proust é que ela contém um aviso de não amar muito o escritor francês. Não devemos nos preocupar em visitar a cidade de Combray, onde Proust passou alguns dos verões de sua infância, tentar ver o que ele viu; em vez disso, o objetivo, ao ler Proust, é sair com um elevado senso de percepção que pode ser empregado onde quer que estejamos e em qualquer época em que vivemos ou de nossas vidas. Desejar que tivéssemos vivido no tempo de Proust, com bolos e banquetes da época, e carruagens com cavalos, é um crime contra as possibilidades do presente.

Tempo

Em um nível, a obra de Proust trata da apreciação do momento, dos pequenos detalhes da vida. Ele queria que sentíssemos a luxúria do tempo, que nos deleitássemos nela, e seu famoso estilo de escrita reflete sua obsessão. Se uma frase pudesse ser entendida como um momento em palavras, ele tentou prolongar esses momentos; se valesse a pena escrever sobre algo, também valeria a pena fazê-lo em profundidade. De Botton nos remete a uma frase que na fonte-padrão teria quatro metros, ou se esticaria em torno de uma garrafa de vinho dezessete vezes!

A outro nível, Proust viveu em uma tranquila desconsideração de tempo. *A la recherche du temps perdu* tem sido frequentemente traduzido como *Em busca do tempo perdido*, e de fato uma imagem popular da obra de Proust é que ela é uma ressurreição dos esquecidos em prol dos sentimentos. A impressão que nos é dada por De Botton, porém, é de que essa obra-prima não "se trata" definitivamente do passado; em vez disso, como todos os grandes romancistas, Proust usou o passado para descrever uma visão de como as coisas são separadas em tempos. Os acontecimentos estão no passado, mas o entendimento profundo das pessoas, do amor e da vida que Proust fornece não está ligado ao tempo. De Botton foi inspirado a escrever seu livro por causa dessa atemporalidade em Proust.

Comentários finais

Será que *Em busca do tempo perdido*, com seus sete volumes e mais de um milhão de palavras, considerado por muitos o maior livro do século XX, tem realmente algo a ver com autoajuda? A sugestão de que a obra realmente tem a ver com autoajuda enfureceu alguns devotos de Proust, porque a arte não deve ser banalizada por sugestões de valor terapêutico prático. Embora o livro tenha uma imagem elitista e cultuada, Proust disse uma vez que os leitores que buscava eram "o tipo de pessoa que compra um volume usado antes de pegar um trem". Como De Botton, Proust não escreveu com o intuito de ser reconhecido como um mestre literário, mas com o objetivo de atingir a própria redenção. Se isso o ajudasse, talvez ajudasse os outros também.

Como Proust pode mudar sua vida não é apenas uma homenagem a uma pessoa, mas um tributo – mesmo que ironicamente destinado – à ética da autoajuda. Seu ótimo trabalho é ter dado àquelas pessoas que nunca conseguiriam realmente ler sua a filosofia essencial no gênio francês. A compreensão proustiana da vida, em toda sua complexidade e sutileza, é agora uma opção para os leitores que talvez nunca tenham se dado ao trabalho de olhar além das respostas claras e enfeitadas de um Stephen Covey ou um Robbins Anthony.

De Botton, e através dele Proust, obterá sucesso se as pessoas que normalmente leem livros sobre "gestão de tempo" forem incentivadas a considerar a natureza do próprio tempo.

Alain de Botton

De Botton cresceu na Suíça, foi para a Harrow School da Inglaterra e se graduou na Universidade de Cambridge. Ele ainda está no começo dos seus trinta anos, mas sua obra já foi traduzida para dezesseis idiomas. Outros livros incluem *Ensaios de amor* (1993), *O movimento romântico* (1994), *Nos mínimos detalhes* (1995) e *A arte de viajar* (2002). *As consolações da filosofia* (2000) foi adaptado para um seriado televisivo do canal britânico 4, em que o autor aplicou o pensamento de Sócrates, Epicuro, Sêneca, Montaigne, Schopenhauer e Nietzsche aos problemas cotidianos.

De Botton vive em Londres, onde é pesquisador associado do Programa de Filosofia da Faculdade de Estudos Avançados da Universidade de Londres.

10 | William Bridges

1980

Transições: tomando conhecimento das mudanças da vida

"Em toda a natureza, o crescimento envolve acelerações e transformações periódicas: as coisas se movem devagar por um tempo e parece que nada acontece – até que de repente a casca racha, as flores desabrocham, a cauda do girino diminui, a folha cai, o pássaro perde as penas, o período de hibernação começa. Acontece o mesmo com todos nós. Embora os sinais sejam menos claros do que no mundo de penas e folhas, a função dos tempos de transição são as mesmas."

"Tendo escolhido ou não sua alteração, há possibilidades não vividas em você, interesses e talentos ainda não explorados. As transições limpam o terreno para um novo crescimento. Elas descem a cortina para que o palco seja preparado para uma nova cena. O que, neste momento de sua vida, está esperando silenciosamente nos bastidores para entrar em cena?"

Em poucas palavras

Todas as transições da vida têm um padrão, que, se reconhecido, tornará os tempos difíceis mais compreensíveis.

Na mesma linha

Martha Beck, *Encontrando a sua estrela-guia* (p. 39)
Robert Bly, *João de Ferro* (p. 57)
Joseph Campbell e Bill Moyers, *O poder do mito* (p. 91)
Clarissa Pinkola Estés, *Mulheres que correm com os lobos* (p. 173)
Thomas Moore, *Cuide de sua alma* (p. 275)

William Bridges começou a escrever este livro depois de muita relutância, quando estava passando por um período de mudança e descobriu que não havia manuais para transição. Para sua surpresa, *Transitions* encontrou um nicho imediato e vendeu mais de 250 mil cópias. E é passado silenciosamente de uma pessoa para a outra.

A profundidade do livro está no fato de que ele não é apenas um manual sobre "como lidar", mas acaba por mostrar que o processo de desorganização, morte e renovação é fundamental para a natureza configurar um tema central na mitologia. Em vez de estabilidade, este ciclo é o estado natural das coisas. Todos nós intuitivamente sabemos disso, mas Bridges diz que admitir para si próprio e olhar mais de perto o processo facilitará a passagem por tempos inevitáveis de mudanças.

A forma de transição

Uma das coisas interessantes sobre a transição é a maneira inesperada como ela recai sobre nós. Muitas mulheres e casais têm dificuldade em lidar com a perda de tempo e de liberdade que acompanha o ingresso de um bebê recém-nascido em seu cotidiano, por exemplo. Antes que eles possam desfrutar da maravilha de ter um filho, precisam lidar com o fim da vida antiga e com menos restrições.

Um homem, que recebera recentemente uma grande promoção, veio a uma das reuniões em grupo promovidas por Bridges sobre como lidar com as transições da vida. Sua família começava agora a ter tudo o que queria, mas psicologicamente ele estava achando difícil lidar com aquela situação. Por quê? Todos temos os nossos padrões de vida e, de certa forma, não importa muito se estávamos ou não felizes com eles – quando esses padrões mudam, há uma perda. Mesmo um músico que labutou em pequenos clubes por anos e de repente se vê uma estrela ou um ganhador da loteria precisará de um tempo para se adaptar à nova situação.

A moral é concentrar-se menos em se um evento é bom ou ruim, mas se ele implica ou não em uma importante mudança de vida. E não se preocupe se o evento parecer relativamente inconsequente; pode ser apenas o sinal mais evidente da mudança, quando há rumores profundos no terreno psicológico subjacente.

A única constante é a mudança

Pode ser útil enxergar a transição dentro do contexto de uma jornada de vida maior. Muitos cientistas sociais veem a idade de 30 anos como um momento decisivo, um movimento da juventude à idade adulta real, o que no passado era visto como a idade de 21 anos. Os homens procuram Bridges e dizem:

– Acho que estou ficando velho e mal saí da adolescência!

O fato é que as transições acontecem ao longo de nossa vida e não necessariamente correspondem a uma idade definida.

Bridges discute o mito de Ulisses e a longa jornada do personagem para casa passando por muitas provações e tribulações. Apesar de ser um grande líder, Ulisses descobriu que precisava desaprender muitas das formas utilizadas para lidar com a vida no passado. Uma das mensagens de transição é que não podemos ser a mesma pessoa fazendo as mesmas coisas por toda a nossa vida. Quando somos jovem imaginamos que a partir dos 30 anos de idade até a morte a vida será uma planície ininterruptamente estável. No entanto, isso raramente acontece, e se a vida parecer muito estável, optaremos por realizar mudanças ou nos veremos forçados a fazê-la.

A seguir está um esboço de três fases de transição apresentadas por Bridges, que seguem os "ritos de passagem" identificados por antropólogos e evidentes nos rituais tribais.

Término

Para ter um novo começo, precisamos reconhecer um término. É uma prática universal entre os povos tradicionais que, quando um dos seus está prestes a sofrer uma transição interna, ele é retirado de sua vida diária normal. Em nossos tempos de mudança podemos sentir essa necessidade de *retirada* de nossa experiência normal.

Isso pode ser seguido por uma sensação de *despersonalização*, quando não sabemos mais quem somos. As motivações antigas sumiram. Outro estágio é o *desencanto*, o momento em que percebemos que o modo como víamos o mundo não era afinal um reflexo muito bom da realidade. Este pode ser o primeiro estágio de transição, mas também o último, porque ele assenta o terreno para um novo começo e um novo modo de ver o mundo.

Todos temos estilos diferentes quando se trata de lidar com um fim, mas cada término pode despertar velhas mágoas ou sentimentos de vergonha. Se você foi criado de uma forma que o faz sentir-se indigno, cada fracasso na vida trará uma dor maior porque trará também as lembranças dessa indignidade percebida. Embora pareçam algumas vezes, os términos não representam o nosso fim. Em culturas tribais eles são ritualizados para que a pessoa veja o término não como algo final, mas como um estágio necessário para trazer uma nova vida.

A zona neutra

Nós geralmente queremos fugir o mais rápido possível do momento desconfortável que surge após o choque de um término. Mas tal momento poderia, no entanto, ser um dos mais importantes em nossa vida, porque ao sentir que fomos "rasgados e abertos", é quando estamos prontos para considerar outras formas de ser e de fazer. Bridges tem algumas sugestões para esse nosso tempo no limbo:

1. Separe um tempo para ficar sozinho. Bem-vindo ao vazio. Vá a algum lugar com poucas distrações onde você conseguirá fazer literalmente nada, mas não espere grandes revelações. O objetivo é prestar atenção nos seus sonhos e pensamentos.
2. Mantenha um diário ou registro das experiências vividas em sua zona neutra ou escreva sua autobiografia. Dê a si mesmo a chance de "reescrever" sua história de vida.
3. Tente descobrir o que realmente quer, qual o seu objetivo de vida. Se a sua vida acabasse hoje, o que acha que deveria ter feito até o presente momento?

Muitas das grandes personagens da história (São Paulo, Maomé, Dante, Buda) viram a necessidade de "adentrar a floresta" ou ir para o deserto. Sua intenção pode não ser salvar o mundo, mas tenha a certeza de que os seres humanos têm feito retiro, e precisam fazê-lo, há milhares de anos.

Novos começos

Como sabemos quando podemos deixar a zona neutra para trás? Quando faremos o nosso grande e novo começo? Os começos podem muitas vezes apenas ser vistos em retrospecto – eles não parecem impressionantes no momento. Conhecemos alguém que será o nosso cônjuge em uma festa que não queríamos ir, acabamos abrindo um livro na casa de um amigo e aquilo muda a nossa vida para sempre.

Quando estamos prontos para seguir em frente, as oportunidades aparecerão e será um momento emocionante. Mas vá com calma e mantenha pelo menos alguma forma de continuidade com a sua antiga vida. Renove-se com suas ideias dos tempos de limbo, não fique muito desanimado se as coisas não acontecerem tão rapidamente quanto você gostaria. Bridges recorda um ditado zen que diz "depois de uma ideia, mãos à obra".

Comentários finais

Se você passou por uma transição significativa, seja um divórcio, da volta para a universidade ou do começo em uma nova carreira, um sentimento comum é o de "voltar à estaca zero"; é uma sensação de que todos os anos anteriores foram desperdiçados. É provável que você pense: "Talvez eu deveria ter continuado a fazer o que estava fazendo – não era tão ruim, não é?"

Espero que o livro de Bridges consiga ser um apoio e uma motivação, porque nos mostra que a transição não é o fim de tudo, mas um processo cíclico cuja principal recompensa é um senso de direção muito mais claro do que o que tinha antes. O autor cita

Ralph Waldo Emerson, que disse: "O homem é grande não em seus objetivos, mas em suas transições". Se você conseguir se tornar uma pessoa hábil em passar por períodos difíceis, se sentirá muito mais confiante para lidar com a vida em geral.

Esse clássico pode não parecer atraente logo de início, mas tente lembrar disso da próxima vez em que começar a sentir que um período de estabilidade está chegando ao fim.

William Bridges

Ex-professor de inglês, Bridges passou para o campo da gestão de transição na metade dos anos 1970. Ele trabalha atualmente como consultor e palestrante, desenvolvendo estratégias de transição para grandes empresas como Intel, Apple e Shell.

Outros *best-sellers* de Bridges incluem *Um mundo sem empregos*, *Criando Você e CIA* e *Managing Transitions* [Gerenciando transições]. Seu trabalho mais recente, *The Way of Transition* [O caminho da transição], foi escrito em resposta à perda de sua esposa, Mondi. Ele mora em Mill Valley, Califórnia.

11 | David D. Burns

1980
SENTINDO-SE BEM: A NOVA TERAPIA DO HUMOR

"Você não precisa estar seriamente deprimido para tirar grandes benefícios desses novos métodos. Todos podemos nos beneficiar de uma 'sintonização' mental de vez em quando. Este livro mostra exatamente o que fazer quando se sentir deprimido."

"Qual é o segredo para libertar-se de uma prisão emocional? Simplesmente isto: seus pensamentos criam suas emoções e, portanto, suas emoções não podem provar que seus pensamentos são precisos. Sentimentos desagradáveis indicam simplesmente que você está pensando em algo negativo e acreditando nisso. Suas emoções seguem os seus pensamentos tão certos quanto os bebês patos seguem a mamãe pato."

Em poucas palavras
Sentimentos não são fatos. Questione sempre se as suas emoções refletem a realidade de forma precisa.

Na mesma linha
Daniel Goleman, *Inteligência emocional* (p. 201)
Martin Seligman, *Aprenda a ser otimista* (p. 329)

Feeling Good surgiu da insatisfação com o tratamento freudiano convencional para a depressão. Aaron T. Beck, mentor de David Burns, descobriu que não havia nenhuma evidência empírica para o sucesso da psicanálise no tratamento de pessoas deprimidas; na verdade, o paciente geralmente se sente como um perdedor. Freud acreditava que, se um paciente admitisse falhas profundas, ele provavelmente estava certo!

A experiência de Beck com a depressão mostrou uma contradição entre a opinião em voga e suas realizações; os protestos de "Não valho nada" simplesmente não fazem sentido algum para o observador. Ele concluiu que a depressão era o resultado do pensamento errado. Pensamentos negativos ou incorretos colocam a pessoa em um espiral coberto por conjuntos de sintomas depressivos, que depois tendem a agravar a condição dela. Esse *insight* deu base para a terapia cognitiva, que faz os pacientes "se convencerem" a sair da depressão, rejeitando seus próprios pensamentos até que se libertem de autopercepções distorcidas.

A pesquisa criou uma onda de interesse que transformou a abordagem cognitiva em um pilar do tratamento da depressão moderna, juntamente das drogas e de outras formas de psicoterapia.

A história em *Feeling Good*

David Burns fez parte da equipe do Centro de Terapia Cognitiva de Beck na Universidade da Pensilvânia, e *Feeling Good* foi o resultado popular de seu tratamento e pesquisa clínicas. Embora, obviamente, não tão novo agora, *Feeling Good* ainda é uma excelente introdução à forma como a terapia cognitiva espanta a tristeza, e continua sendo um *best-seller.*

Se você quiser uma abordagem mais clínica para o desenvolvimento pessoal e domínio do humor do que um livro mediano de autoajuda, *Feeling Good* não será uma decepção (profissionais norte-americanos de saúde mental classificaram-no como número um em uma lista de mil livros de autoajuda direcionados para o tratamento da depressão). Os gráficos, as tabelas e os diálogos imaginários entre médico e paciente podem ser um pouco desanimadores para alguns leitores, mas é só pulá-los.

Feeling Good não é, porém, apenas um manual antidepressão. Já foram vendidos três milhões de exemplares porque esse livro também nos ensina a navegar pelos mares mais mundanos do humor e das emoção diárias. Assim como o clássico *Aprenda a ser otimista,* de Seligman, deu origem à investigação sobre o desamparo aprendido, a busca dos doutores Beck e Burns pelo aprendizado sobre a melancolia da depressão resultou em um livro que mostra como cultivar o oposto dela: a alegria e o autodomínio que a edifica.

Abordamos mais detalhadamente a seguir alguns dos principais pontos do livro.

Desmistificando a depressão

- Ao longo da história da Psiquiatria, a depressão tem sido considerada um transtorno emocional. A visão cognitiva diz que um erro intelectual cria ou agrava a doença depressiva. A depressão é uma doença que não precisamos ter.
- Os pensamentos negativos possuem um efeito bola de neve. Só um deles já pode levar a um caso leve de melancolia, que, por sua vez, expande-se em uma névoa de percepção distorcida geral, em que tudo parece ruim ou perde o sentido. Quando alguém está deprimido, sua inutilidade – expressa nos termos dos quatro "Ds" (derrotado, defeituoso, desertado e destituído) – parece ser a verdade absoluta. Pacientes deprimidos realmente perdem a capacidade de pensar com clareza, e quanto pior a depressão, maior a distorção. Quando o pensamento está claro e tem um senso de perspectiva, é impossível não ter um nível saudável de autoestima e confiança.
- Burns faz uma distinção entre a tristeza genuína e a depressão. A primeira é uma parte do ser humano, aumenta nossa experiência de vida e fornece autoconhecimento. A última nos sufoca, fechando a nossa visão das possibilidades da vida.

Sentimentos não são fatos

- Tendemos a acreditar que nossas emoções refletem uma verdade autoevidente que está além da realidade. As emoções nos enganam fazendo-nos pensar que estão "certas", e os sentimentos ruins sobre nós mesmos ou nossas habilidades parecem incontestáveis. Somos instruídos a "confiar em nossos sentimentos". Mas, se os pensamentos que alimentam esses sentimentos não são racionais, ou são baseados em conceitos ou ideias equivocadas ou preconceitos, confiar em nossos sentimentos é algo bastante arriscado.
- Burns emprega esta analogia: "Suas emoções seguem os seus pensamentos tão certo quanto bebês patos seguem a mamãe pato. Mas o fato de os patinhos seguirem fielmente a mãe não prova que ela saiba aonde está indo". Emoções são quase a última coisa na qual devemos confiar, porque "os sentimentos não são os fatos".
- O "ótimo maravilhoso" prova que você é uma pessoa particularmente digna ou válida? Se a resposta for não, então não se sentir mal, logicamente, diz alguma coisa sobre o seu verdadeiro valor. "Seus sentimentos não determinam o seu valor, somente o estado relativo de conforto ou desconforto", disse Burns. Não surpreende, portanto, que ele aconselhe as pessoas a nunca se rotularem com termos como "inúteis" ou "desprezíveis". Não somos coisas que podem ser julgadas dessa forma; cada pessoa é um fenômeno em fluxo e evolução constantes que desafia julgamentos fáceis. Alguns aspectos de nosso comportamento podem ser bons, mas não faz nenhum sentido lógico pegarmos uma opinião sobre o nosso comportamento e transformá-la em um grande julgamento sobre o nosso eu verdadeiro.

Como desenvolver um QI ("Quociente de Irritabilidade") baixo

- As duas abordagens regulares para raiva e irritabilidade prendem e a armazenam internamente, onde ela corrói e leva à depressão e à apatia; portanto, expresse-se ou "ponha tudo para fora".
- Expressar-se às vezes pode ser eficaz, é simples e pode até causar problemas. A abordagem cognitiva transcende os dois casos eliminando virtualmente a necessidade de lidar com a raiva, porque, em primeiro lugar, há muito pouco dela por aí. No entanto, primeiro você deve ter a percepção de que são "pensamentos perigosos", em vez de eventos, que criam a raiva. Mesmo se acontecer algo que por qualquer padrão normal é ruim, você ainda deve ser capaz de fazer uma escolha, em vez de ficar preso a reações automáticas ou incontroláveis. Se estiver irritado, foi porque escolheu ficar assim.
- Você gostaria de superar o medo das críticas? Melhor ainda, gostaria de conseguir responder quando criticado, de uma forma não defensiva e política? Essa habilidade teria um enorme impacto sobre a sua autopercepção. A crítica pode ser algo certo ou errado, ou alguma coisa entre os dois, mas uma maneira de descobrir claramente é fazer perguntas críticas. Seja específico, mesmo que o que foi dito tenha sido duro e pessoal. Isso revelará tanto a verdade no que foi dito, dando-lhe a oportunidade de corrigir seu comportamento, quanto se a pessoa está falando tudo aquilo por causa da raiva, caso em que você saberá que a crítica era uma expressão de frustração em vez de uma crítica real sobre você. De qualquer maneira, não há a necessidade de uma reação emocional negativa da sua parte. Você fica na posição de usar a crítica ou rejeitá-la e seguir adiante. Também acalmará a ira do crítico.
- Muita raiva é uma forma de defesa contra a perda da autoestima. No entanto, ao aprender a controlar os sentimentos de raiva, a autoestima permanece em equilíbrio, porque nos recusamos a

transformar qualquer situação em algo emocional. Conforme Burns, "você raramente precisa da raiva para se tornar um ser humano". Controlar os sentimentos não nos transforma em robôs; pelo contrário, proporciona muito mais energia para viver e desfrutar da vida.

Restante do livro

- Há capítulos excelentes sobre culpa, superação, o trabalho com o "vício em aprovação" e o "vício em amor" ("Seu trabalho não é o seu valor"), o valor de ter objetivos medianos ("Ouse estar na média! Formas de superar o perfeccionismo") e "Como vencer o vazio".
- Talvez para a surpresa de muitas pessoas, o último capítulo do livro aborda o tratamento químico da depressão (por exemplo, Prozac). Usadas simultaneamente com a terapia cognitiva, as drogas muitas vezes funcionam porque permitem que uma pessoa pense de forma mais racional, e dessa forma a terapia cognitiva tem a probabilidade de ter mais efeito.

Comentários finais

Você pode acreditar que mudanças de humor e comportamento autodestrutivo são parte natural do ser humano. A coisa surpreendente em *Feeling Good* é que a obra não só desmitifica isso, mas também mostra a facilidade com que essas mudanças e o tal comportamento podem ser prevenidos por meio da aplicação de princípios e técnicas simples, mas eficazes. A maioria das depressões geralmente reflete casos em que a pessoa parece ter caído em um poço fundo e esquecido o propósito original. Onde antes poderíamos ter pensado "esses são sentimentos profundos importantes com os quais tenho de lidar", agora podemos enxergá-los como realmente são: uma perda de tempo.

Domínio emocional não quer dizer que tenhamos de nos tornar robôs, mas, sim, que devemos aumentar nossa humanidade. O significado de *Feeling Good* é que ele abriu caminho para os títulos de sucesso como *Inteligência emocional* e *Aprenda a ser otimista*, que coletivamente tentaram reinstalar a razão, como o monarca que une e governa o território emocional.

David D. Burns

Burns frequentou a Amherst College e fez mestrado na Universidade de Stanford. Ele completou sua formação psiquiátrica na Universidade da Pensilvânia, onde foi diretor interino de Psiquiatria no Centro Médico. Foi professor visitante na Faculdade de Medicina de Harvard e professor adjunto clínico de Psiquiatria na Faculdade de Medicina da Universidade de Stanford, onde recebeu o prêmio "Professor do Ano" dos residentes graduandos em 1998. Ele palestra para grupos profissionais em todo o mundo.

Assim como o bem-sucedido *Feeling Good Handbook* [Manual para sentir-se bem], Burns publicou *Love Is Never Enough* [O amor nunca é o bastante], sobre relacionamentos, e *Ten Days to Self-Esteem* [Dez dias para autoestima].

12 | Joseph Campbell e Bill Moyers

1987

O PODER DO MITO

"— Você já teve a sensação, como eu tenho às vezes, ao perseguir a sua bem-aventurança, de estar sendo ajudado por mãos invisíveis? — diz Moyers.

— O tempo todo. É milagroso. Tenho até mesmo uma superstição, que se desenvolveu em mim como resultado dessas mãos invisíveis agindo o tempo todo, a superstição, por exemplo, de que, pondo-se no encalço da sua bem-aventurança, você se coloca numa espécie de trilha que esteve aí o tempo todo, à sua espera, e a vida que você tem de viver é essa mesma que está vivendo. Quando consegue ver isso, começa a encontrar pessoas que estão no campo da sua bem-aventurança, e elas abrem as portas para você. Costumo dizer: persiga a sua bem-aventurança e não tenha medo, que as portas se abrirão, lá onde você não sabia que havia portas. — responde Campbell."

Em poucas palavras

Faça sempre o que ama e viva a sua vida como uma jornada esplêndida.

Na mesma linha

Martha Beck, *Encontrando a sua estrela-guia* (p. 39)
James Hillman, *O código do ser* (p. 221)
Thomas Moore, *Cuide de sua alma* (p. 275)
Carol S. Pearson, *O herói interior* (p. 295)

Este é um livro vermelho-sangue de um homem que viveu uma vida completa. Campbell era essencialmente um contador de histórias que passava os dias revelando e contando velhas histórias e mitos que achava que tinham o poder de absorver a alienação da vida moderna. Apesar de ser um mitólogo acadêmico respeitado, ele também desempenhou um papel fundamental na criação de um conto definitivamente moderno, *Guerra nas Estrelas*. O diretor George Lucas disse que *O herói de mil faces* (1949) de Campbell foi o catalisador do filme que sonhava, e que a inspiração para Yoda, o personagem ancião e sábio, foi o próprio Campbell.

No entanto, Campbell não deveria ter sido irônico demais acerca de sua vida a ponto de assumir proporções míticas, já que uma de suas ideias-chave era a de que a vida de qualquer um poderia se assemelhar a um grande mito. Sua ideia de "jornada de um herói" teve um impacto enorme, lançando muitas pessoas simples em uma grande trajetória.

O poder do mito é uma espécie de diálogo ao redor da fogueira entre Campbell e o escritor e jornalista Bill Moyers, cobrindo as histórias e os símbolos da civilização. A obra virou um seriado de televisão e foi filmada no rancho Skywalker, de George Lucas. O seriado acabou mexendo com a imaginação do público norte-americano e o livro se tornou um *best-seller*. Campbell não viveu muito tempo após a gravação e *O poder do mito* tornou-se um quadro final de sua sabedoria e conhecimento.

O poder do mito

A grande questão para Campbell era: "Como o mito pode ser poderoso para uma pessoa que vive na atualidade?" Nossa vida é realmente comparável aos gostos de Ulisses ou da deusa Ártemis?

Ele acreditava que os personagens míticos agem como arquétipos da possibilidade humana: eles são confrontados com problemas e sua ação seguinte nos dá uma ideia sobre como lidar com a vida. Identificarmo-nos com, por exemplo, o jovem guerreiro Arjuna no *Bhagavad-Gita* não significa elevar o nosso ego, mas, sim uma aceitação de que esse personagem tem alguma coisa a nos ensinar. Na mitologia, não conseguiríamos nunca nos sentirmos sozinhos, porque por dentro havia guias para o espírito humano que pertence a todos, fornecendo um mapa para cada ciclo de vida ou experiência pela qual podemos passar. Ele chamou a mitologia de "canção do universo", posta em sintonia por milhares de diferentes culturas e povos. Com o mito, toda a experiência pode ser enriquecedora; sem ele, a vida pode parecer meramente uma sequência sem sentido de altos e baixos.

Não olhamos para o mito a fim de encontrar o sentido da vida, Campbell disse, o propósito dele é fazer-nos apreciar "a aventura de estarmos vivos". Sem algum senso de nós mesmos inseridos numa grande história da imaginação e experiência humana, faltariam inevitavelmente em nossa vida o romance e a profundidade. As histórias e imagens que temos em nossa cabeça são apenas uma minúscula fração do que está disponível e, ao aumentar nosso conhecimento sobre culturas e artes passadas, a vida é enriquecida incomensuravelmente.

Seguindo a felicidade

Em *O poder do mito,* Campbell falou sobre a ideia medieval da roda da fortuna, uma metáfora da vida que tem nos escravizado por milênios. A roda tem um eixo central, irradiando-se até a ponta do arco. Conforme o tempo passa, vemo-nos pendurados na borda, seja indo para cima ou para baixo, vivenciando grandes altos e baixos. Em termos modernos, perseguindo recompensas como um salário mais elevado, poder ou belos corpos é estar pendurado no arco. Ficamos pendurados, às vezes pela vida inteira, nesse ciclo incessante de prazer e dor.

A ideia da roda da fortuna, no entanto, contém sua própria solução: a possibilidade de aprender a viver no eixo central, centrado, concentrando-se no que Campbell chamou de "bem-aventurança". Nossa bem-aventurança é uma atividade, trabalho ou a paixão com o poder de fascinar incessantemente. Ela é única para nós, ainda que possa surgir como uma completa surpresa e que possamos resistir a ela durante anos. Na fraseologia psicológica moderna, a bem-aventurança é o estado de "fluxo" (veja Csikszentmihalyi) que experimentamos quando estamos fazendo algo em que somos bons, o tempo parece parar e sentimo-nos criativos sem fazer qualquer esforço. Isso é alegria, distinta do mero prazer.

Campbell retratou a bem-aventurança como a trilha que sempre esteve esperando por nós, com "mãos invisíveis" parecendo ajudar-nos a atrair as circunstâncias corretas para a realização de nosso trabalho. Em termos mitológicos, a bem-aventurança é representada pela mãe cósmica, que guarda uma fonte inesgotável oferecendo consolo, alegria e proteção contra a vida mundana.

Em outro livro, *Mito e transformação*, Campbell falou sobre as pessoas que ele tinha visto passar o tempo subindo as "escadas do sucesso" apenas para descobrir que essa escada estava recostada sobre o muro errado. O personagem de Kevin Spacey no filme *Beleza americana* é um retrato de um homem cuja vida foi ditada pelas expectativas de outras pessoas e que então decide fazer o que quer. Ele ficou muito tempo na borda do aro da vida. A mensagem do filme, e da soma dos escritos de Campbell, é a de que a banalidade da vida atual de uma pessoa é sempre ficar esperando colher uma grande história.

A jornada do herói

A leitura volumosa de Campbell tornou-se lendária. Ele voltou da Europa para os Estados Unidos apenas algumas semanas antes da quebra da bolsa de valores de Nova York, em 1929, e ficou desempregado por cinco anos. Mesmo assim foi um tempo bom: "Não me senti pobre. Apenas senti que não tinha nenhum dinheiro". A felicidade de Campbell era basicamente a leitura diária, durante todo o dia, em um barraco alugado por praticamente nada.

O que começou como uma simples sede de conhecimento tornou-se uma busca pela "chave para todas as mitologias". Quanto mais ele lia histórias do mundo, mais claro ficava que existia um modelo subjacente seguido pela maioria das pessoas: "a jornada do herói", uma sequência de experiências que testa e prova a pessoa-com-herói.

Os mitos geralmente começam com o protagonista em sua terra natal, vivendo uma vida tranquila, mas não realizada. Então algo acontece e ele ou ela recebe o "chamado" para partir em uma aventura com algum objetivo ou busca específica. Na lenda arturiana, Arthur inicia uma busca pelo Graal; na *Odisseia*, Ulisses tenta simplesmente voltar para casa; em *Guerra nas Estrelas*, Luke Skywalker deve resgatar a princesa Leia. Após numerosas pequenas provações, o herói passa por uma suprema em que tudo parece perdido, seguida por um triunfo de algum tipo. Ele deve então tentar levar seu "elixir mágico" (algum conhecimento ou coisa secreta) de volta para casa, para a realidade. Há muitas sutilezas e variações no padrão, mas essas são as etapas básicas.

Qual é a relevância da jornada do herói da nossa época? Ou, como Moyers apresenta a Campbell, de que forma o herói se difere do líder? O líder, Campbell disse, é aquele que vê o que pode ser feito e o faz, geralmente pessoas boas em organizar uma empresa ou um país; um herói realmente cria algo novo. (Com o foco dos negócios atuais em inovação, viagens pessoais tornam-se claramente importantes.)

Comentários finais

Os mitos nos revelam o incrível potencial para uma vida mais plena, de qualquer forma que isso possa vir a acontecer. "Sempre me sinto desconfortável quando as pessoas falam sobre mortais comuns, porque nunca conheci um homem, mulher ou criança comum", afirmou Campbell. No entanto, ele reconheceu que muitos aceitam a tristeza e o desespero de vidas inautênticas, vivendo sem a bem-aventurança ou sequer sabendo que ela existe.

Campbell era um polímata, fascinado por tudo. Ele notou que a tendência da civilização ocidental era a especialização, mas estava orgulhoso de ser um generalista, capaz de ver o que havia em comum entre todas as histórias humanas e as experiências de vida. Sua ressurreição da ideia do herói deu um modelo para que as pessoas pudessem construir suas próprias experiências e sonhos; estar presente em todos os mitos humanos é não conhecer fronteiras nacionais. A ideia não envolve ganância ou pressa (a própria vida de Campbell é um bom exemplo), mas a apreciação da riqueza do momento. E concentra-se, significativamente, no autoconhecimento, em vez de focar-se no engrandecimento do ego.

O movimento do "potencial humano" dos anos 1960 e 1970 pode ter sido importante, mas fez Campbell lembrar-nos do que os mitos vêm dizendo há milhares de anos: que todas as pessoas têm o direito de se tornar algum tipo de herói.

Joseph Campbell

Nascido em Nova York em 1904, quando menino, Campbell amava a mitologia dos nativos norte-americanos. Quando tinha quinze anos, a casa de sua família foi incendiada, matando sua avó e destruindo sua coleção de livros indianos e relíquias. No Dartmouth College, estudou Biologia e Matemática, transferindo-se mais tarde para a Universidade da Columbia, onde escreveu uma tese de mestrado sobre as lendas arturianas. Destacou-se como atleta, batendo o recorde da cidade de Nova York para meia maratona, e tocou saxofone em bandas de jazz.

Em 1927, uma bolsa de estudos o levou a estudar línguas antigas da Universidade de Paris, antes de se transferir para a Universidade de Munique para ler literatura sânscrita e filologia indo-europeia. Voltou para os Estados Unidos, morou em um barraco perto de Woodstock por vários anos e, durante esse tempo, também viajou para a Califórnia, onde conheceu John e Carol Steinbeck e o vizinho deles, Ed Ricketts, imortalizado em Cannery Row de Steinbeck.

O primeiro emprego real de Campbell foi um cargo simples na recém-fundada faculdade das mulheres, Sarah Lawrence, onde permaneceu por 38 anos, casando-se com a ex-aluna e bailarina Jean Erdman. Ele aumentou lentamente sua lista de publicações, de *A Skeleton Key to Finnegans Wake* [Uma chave-mestra para

Finnegans Wake] (1944), além da coedição e tradução de *Os Upanixades*. *O herói de mil faces* foi publicado em 1949.

Campbell palestrou para diversos públicos, incluindo o Departamento de Estado dos Estados Unidos, a Academia Soviética de Ciências e o Instituto Esalen, e viajou muito. Notáveis obras posteriores incluem a série *As máscaras de Deus* (1969), *A imagem mítica* (1974) e *The Inner Reaches of Outer Space* [As realizações interiores do espaço exterior] (1986). Ele morreu no ano de 1987, em Honolulu.

13 | Richard Carlson

1997

Não faça tempestade em copo d'água

"Muitas pessoas desperdiçam muito tempo da vida 'fazendo tempestade em copo d'água' que acabam perdendo completamente o contato com a magia e com a beleza da vida. Quando você se comprometer a trabalhar em prol desse objetivo, descobrirá que tem muito mais energia para ser gasta sendo amável e gentil."

"Uma das principais razões por que muitos de nós permanecemos apressados, assustados e competitivos, e continuamos vivendo a vida como se fosse uma gigantesca emergência, é o medo de que, se estivéssemos prestes a nos tornar mais pacíficos e amorosos, poderíamos de repente parar de alcançar nossos objetivos. Ficaríamos preguiçosos e apáticos. Podemos aplicar esse medo ao restante ao nos darmos conta de que o oposto é verdadeiro. O pensamento temeroso e frenético toma uma quantidade enorme de energia e drena a criatividade e a motivação de nossa vida."

Em poucas palavras

Coloque os seus pequenos esforços em perspectiva; ao fazer isso você pode ganhar mais alegria das outras pessoas e da vida em geral.

Na mesma linha

Marcus Aurélius, *Meditações* (p. 33)
Wayne Dyer, *A verdadeira magia* (p. 159)
Norman Vincent Peale, *O poder do pensamento positivo* (p. 289)
Martin Seligman, *Aprenda a ser otimista* (p. 329)

Não faça tempestade em copo d'água é um *best-seller* internacional. A história da gênese do título é recontada pelo autor na introdução. Um editor estrangeiro pediu a Carlson que conseguisse algum tipo de endosso para o livro de sua autoria, *You Can Feel Good Again* [Você pode sentir-se bem novamente], do famoso escritor de *best-sellers* Wayne Dyer. Como o dr. Dyer havia fornecido um prefácio de um livro anterior, Carlson disse que tentaria e enviou um pedido. O tempo passou e nada; seis meses depois, os editores de Carlson enviaram a ele um exemplar da edição estrangeira. Para sua extrema irritação, a editora tinha usado o prefácio que Dyer havia fornecido para o livro anterior no livro novo! Carlson escreveu um pedido sincero de desculpas a Dyer, explicando que estava tentando retirar aquela edição das prateleiras. Algumas semanas mais tarde, Dyer respondeu o seguinte:

> *"Richard. Existem duas regras para viver em harmonia. 1ª) Não fazer tempestade em copo d'água; 2ª) Tudo é um copo d'água. Mantenha a citação. Abraços, Wayne."*

Para Carlson, a educada resposta inspirou um guia superprático que repousa sobre uma lei espiritual etérea: tomar o caminho de menor resistência. *Não faça tempestade em copo d'água* não é um manual de autoaperfeiçoamento, trata-se simplesmente de uma coleção de ideias para evitar a luta, sempre que possível. As cem estratégias, elaboradas em textos curtos, aparentemente provaram o seu valor entre os clientes e leitores de Carlson.

O caminho da perspectiva

O livro tem a peculiar sinceridade e amor das pessoas que você encontra nos gostos de Dale Carnegie e Norman Vincent Peale, combinada com uma concepção oriental de tempo e com o valor do silêncio. No entanto, o valor real está na consciência das exigências esmagadoras da vida moderna e da cultura em que vivemos. Podemos nos sentir bem em relação ao campo de meditação para o qual fomos ou em relação à nossa caminhada ao longo da praia, mas os efeitos passam logo, e na terça-feira pela manhã estamos novamente dirigindo rápido, ficando com raiva e odiando a nossa falta de tempo.

Como colocar essa paz e perspectiva em ação no momento da vida real? Essa é a pergunta convincente de Carlson, e uma das coisas revigorantes em *Não faça tempestade em copo d'água* é que o livro nos orienta a não nos preocuparmos com sentimentos ruins que possamos ter. Não tente se livrar deles, diz o livro, mas tente colocá-los em um contexto maior.

Muitos dos remédios de Carlson são bastante simples, outros são novos. Algumas das estratégias interessantes entre as cem listadas incluem o seguinte.

Comece a acordar mais cedo

Acordar muito antes de sua esposa e filhos proporciona a Carlson um "tempo precioso" no qual ele pode ler, meditar ou pensar sobre o dia, em paz e sozinho. Muitas pessoas disseram que esse simples ato de acordar mais cedo revolucionou o cotidiano.

Esqueça a ideia de que pessoas gentis e tranquilas não conseguem realizar muita coisa

A vida frenética de emergências constantes parece casar, de alguma forma, com a nossa ideia de indivíduos fortes e realizadores. A ideia de tornar-se mais pacífico e amoroso parece equiparar-se com uma apatia sonhadora. No entanto, o pensamento frenético e o movimento constante extraem a motivação e o verdadeiro sucesso de nossa vida. Carlson aponta que tem sorte em estar rodeado por pessoas gentis e tranquilas, mas que estão fora de histórias de sucesso visíveis por qualquer meio. Se a paz interior se tornar um hábito, haverá mais facilidade na forma de atingir os objetivos e ajudar outras pessoas.

Não interrompa os outros ou finalize o que estão dizendo

Esta é uma forma surpreendentemente fácil de se tornar uma pessoa mais tranquila e amorosa – experimente!

Aprenda a viver no agora. John Lennon disse que "a vida é o que acontece quando estamos ocupados fazendo outros planos". Com a atenção voltada para o momento presente, o medo – na maioria das vezes associado a um futuro imaginário – tende a não existir. Você pode se surpreender com a facilidade com que os problemas de amanhã serão resolvidos sozinhos. Faça disso um hábito da mente e veja a vida transformar-se sutilmente.

Pergunte-se: "Qual será a importância disso daqui a um ano?"

Com o uso frequente dessa pergunta, Carlson se vê, na verdade, rindo de coisas com as quais costumava se preocupar. A energia gasta que ele desperdiçou sentindo raiva e oprimido é atualmente investida em sua família e no pensamento criativo.

Permita-se ficar entediado

Não tenha medo do momento de ócio. Você é um ser humano, não um "trabalhar humano", portanto, interprete esse papel e viva o momento entediante. Você pode se surpreender com a forma como isso esvazia a mente (depois de superar o desconforto inicial) e proporciona novos pensamentos.

Imagine-se no seu próprio funeral

Essa é uma maneira supervaliosa de reavaliar suas prioridades agora, quando é preciso. Poucas pessoas, fazendo uma retrospectiva da própria vida, ficariam satisfeitas com quanto dela desperdiçaram ficando nervosas, com todos os "copos d'água" nos quais fizeram uma tempestade. Pergunte-se: que tipo de pessoa eu era? Eu fiz as coisas que amava e que realmente amo e mostro meu amor pelas pessoas próximas a mim todos os dias?

Imagine que as pessoas em sua vida são crianças pequenas ou têm cem anos de idade

Isso quase sempre nos dá perspectiva e compaixão (bem como diversão).

Redefina uma realização significativa

Em vez de pensar sempre em uma conquista como uma coisa externa, questione-se quanto às realizações feitas em relação ao seu eu. Isso poderia incluir, por exemplo, manter-se centrado frente à adversidade.

Esteja aberto para o "e se"

O mundo não é frequentemente como gostaríamos que fosse. Quando alguém não concordar com você, mesmo alguém próximo, ou quando houver um erro no trabalho, reconheça-o em vez de se mostrar automaticamente emocional. Depois de algum tempo, as coisas que uma vez o incomodaram tanto desvanecem sem causar nenhum dano. De qualquer jeito, você fica livre delas:

Outras estratégias incluem:

- Apenas por diversão, concorde com as críticas recebidas (depois veja-as partir).
- Fique grato quando estiver sentindo-se bem e também quando estiver sentindo-se mal.
- Seja feliz onde você está.
- Dê-se uma folga.

Comentários finais

Se você está interessado em ideias de autoajuda, mas não tem tempo para ler livros, *Não faça tempestade em copo d'água* pode ser o melhor compromisso. Embora pareça bastante despretensioso e simplista, o livro é na verdade baseado em terapia cognitiva, o que mostra o quanto os sentimentos estão próximos do produto dos pensamentos; ao tornar-se mais consciente do que está pensando, você se coloca na posição de mudar seus pensamentos e, portanto, os seus sentimentos. *Não faça tempestade em copo d'água* não é tão brega quanto parece. O estimado psicólogo Abraham Maslow reconheceu o livro como uma característica fundamental do que ele chamou de pessoa autorrealizadora, uma pessoa que se livrou da mesquinhez em prol de uma visão incomumente mais ampla do mundo e da vida.

O formato do livro é tão bem feito que você pode pegá-lo quando tiver um tempo livre e abri-lo em qualquer página aleatória em busca de uma perspectiva ou inspiração necessária. Livre de argumentos ou anedotas muito longas, o livro condensa o que obras mais densas costumam usar centenas de páginas para expressar. Se apenas uma ou duas das estratégias permanecerem em sua mente, a leitura terá valido a pena.

Richard Carlson

Carlson cresceu em Piemonte, na Califórnia. Estudou a Psicologia da Felicidade para o seu doutoramento, graduando-se em 1986. Sua tese culminou em uma série popular de jornal chamada *Prescription for Happiness* [Receitas para a felicidade], que lançou sua carreira como um especialista em felicidade e redução de estresse.

Não faça tempestade em copo d'água já vendeu mais de dez milhões de exemplares e foi traduzido para muitas línguas. Foi o livro número um em vendas nos Estados Unidos por dois anos consecutivos.

Dentre os quinze livros mais populares de Carlson estão *You Can Feel Good Again* [Você pode sentir-se bem novamente], *Short Cut through Therapy* [Atalho pela terapia] e, com Benjamin Shield, *Handbook for the Soul* [Manual para a alma] e *Handbook for the Heart* [Manual para o coração]. Ele também escreveu *No ritmo da vida – reduzindo a velocidade frenética*, *Não faça tempestade em copo d'água no amor* (juntamente de sua esposa Kristine), *Não faça tempestade em copo d'água na família* e *Ao encontro de Deus*.

Carlson vive com sua esposa e suas duas filhas no norte da Califórnia.

14 | Dale Carnegie

1936
Como fazer amigos e influenciar pessoas

"Em vez de condenar os outros, procuremos compreendê-los. Procuremos descobrir por que fazem o que fazem. Essa atitude é muito mais benéfica e intrigante do que criticar; e gera simpatia, tolerância e bondade. 'Conhecer tudo é perdoar tudo'."

"Lembre-se de que as pessoas com quem estiver falando estão uma centena de vezes mais interessadas nelas próprias, nos problemas e vontades que têm do que em você e nos seus problemas. A dor de dente de alguém significa mais para essa pessoa do que a fome na China, que mata um milhão de pessoas. Um furúnculo no pescoço dela interessa mais do que quarenta terremotos na África. Pense em tudo isso na próxima vez em que iniciar uma conversa."

Em poucas palavras

Tente de verdade ver o mundo como outra pessoa o vê. A valorização do que ela sente significa que, independente do que você tenha a dizer, será verdadeiramente ouvido.

Na mesma linha

Stephen Covey, *Os 7 hábitos das pessoas altamente eficazes* (p. 129)

Norman Vincent Peale, *O poder do pensamento positivo* (p. 289)

O título *Como fazer amigos e influenciar pessoas* cheira falsidade. Quantas pessoas se orgulhariam de "ganhar" um amigo e influenciá-lo em prol de seu próprio ganho pessoal? Isso não parece nada legal. Para um leitor moderno, o livro reúne truques mentais para um mundo extremamente competitivo, um produto não confiável comercializado na rua por um vendedor na época da Grande Depressão. Nesse caso, julgar um livro pela capa parece algo razoável a se fazer. No entanto, o leitor deve considerar alguns pontos em defesa do livro.

Motivos para ler e gostar de Carnegie

1. Há uma estranha inconsistência entre a desfaçatez do título e muito do que realmente está no livro. Quando lido com cuidado, não é de todo um manual para manipulação, à maneira de *O príncipe*, de Maquiavel. Carnegie menosprezou genuinamente o "ganhar amigos" por uma razão: "Se tentarmos simplesmente impressionar as pessoas e fazê-las se interessar por nós, nunca teremos amigos verdadeiros e sinceros. Amigos, amigos de verdade, não são feitos dessa forma". A energia que torna o livro uma ótima leitura vem de um amor das pessoas. Talvez o livro ainda seja adquirido por ego, maníacos superficiais – as edições atuais, por exemplo, são comercializadas como ferramentas para ganhar popularidade –, mas já era hora de o clássico de Carnegie ser visto sob uma luz mais verdadeira e gentil.
2. Carnegie escreveu o livro nos Estados Unidos dos anos de 1930. O país ainda estava saindo da Grande Depressão, e as oportunidades – particularmente para pessoas com educação – eram escassas. Carnegie ofereceu um caminho para passar à frente, tomar proveito da única coisa que definitivamente nos pertence: a personalidade. Pelos padrões modernos, as afirmações feitas em *Como fazer amigos e influenciar pessoas* não parecem muito fortes; a Psicologia Motivacional está agora bem estabelecida. Mas tente imaginar o impacto em 1937, antes da grande prosperidade do período pós-Segunda Guerra Mundial. Para muitas pessoas era como ouro. Para muitos hoje, ainda é.

3. *Como fazer amigos e influenciar pessoas* é um manual autodeclarado de ação, "que entrega ao leitor um segredo". Não há nenhuma teoria, apenas um conjunto de regras que funciona "como mágica". O estilo conversacional de Carnegie foi um sopro de ar fresco para aqueles que tentaram ler a Psicologia acadêmica, e foi algo ainda mais atraente para aqueles que não leram os livros. Ideias que visam poupar trabalho são uma característica da cultura norte-americana, por isso um livro prometendo a transformação de uma vida sem anos de labuta e construção de caráter estava predeterminado a ter uma boa recepção.
4. O livro não foi escrito com o objetivo de se tornar um *best-seller*, mas como um livro didático para os cursos de Carnegie sobre falar eficazmente e relações humanas (o "*como*" que faz parte do título é um presente do curso). A tiragem inicial foi de apenas cinco mil exemplares. Em vez de ser concebido como parte de um plano mestre para lucrar com os instintos mais básicos das pessoas, o objetivo era levar as mensagens dos cursos de Carnegie para um público leitor.

O fenômeno *Como fazer amigos e influenciar pessoas*

Mas inicialmente, sem dúvida alguma por causa do próprio título, o livro causou um frenesi. É um dos *best-sellers* mais vendidos da história (mais de quinze milhões de cópias, em todas as principais línguas do mundo) e ainda é o maior vendedor global no campo de autoaperfeiçoamento. Em seu prefácio à edição de 1981, Dorothy Carnegie observou como as ideias de seu marido preencheram uma necessidade real que era "mais do que um fenômeno passageiro dos dias pós-Depressão".

Na verdade, *Como fazer amigos e influenciar pessoas* aparece em compêndios como o *Most Significant Books of the 20th Century* e tem seu lugar na *Ultimate Business Library: 50 Books that Made Management* de Crainer & Hamel, entre títulos de Henry Ford, Adam Smith, Max Weber e Peter Drucker.

A mensagem: educação, não manipulação

O sucesso dos cursos para adultos ministrados por Carnegie revelou um profundo desejo de educação nas "competências sociais" das pessoas de liderança, na expressão de ideias e criação de entusiasmo. É fato, hoje em dia, que só o conhecimento técnico ou a inteligência não constrói uma carreira de sucesso, mas na época de Carnegie a ideia de que o sucesso era composto por muitos elementos estava apenas começando a ser pesquisada. Ao ver que as habilidades das pessoas podem fazer toda a diferença, Carnegie popularizou efetivamente a ideia da inteligência emocional, décadas antes que fosse estabelecida como um fato da Psicologia acadêmica.

Ele manteve em mente uma declaração de John D. Rockefeller (o Bill Gates da época) que a capacidade de lidar bem com as pessoas era mais valiosa do que todas as outras juntas, mas mesmo assim era surpreende o fato de que ele não conseguia achar nenhum livro sobre o assunto. Carnegie e seu pesquisador leram com avidez tudo o que conseguiram encontrar sobre relações humanas, incluindo Filosofia, decisões judiciais na vara de família, artigos de revistas, textos clássicos, os trabalhos mais recentes em Psicologia, e biografias, especialmente a vida daqueles reconhecidos por excelência em liderança. Carnegie aparentemente entrevistou dois dos inventores mais importantes do século XX, Marconi e Edison, bem como Franklin D. Roosevelt e até os atores de cinema Clark Gable e Mary Pickford.

Um conjunto de ideias básicas emergiu dessas pesquisas. Escrito originalmente como uma breve palestra, essas ideias foram testadas incansavelmente no "laboratório humano" de participantes, o seu curso antes de surgir, quinze anos mais tarde, na forma de "princípios" em *Como fazer amigos e influenciar pessoas*. Independente do que disserem sobre o livro, ele não foi escrito por mero capricho.

Os princípios de Carnegie

Os princípios funcionam? No início do livro, Carnegie deu o exemplo de um homem que havia feito a gestão de seus mais de trezentos funcionários sem qualquer piedade, aparentemente o símbolo de um chefe idiota que era incapaz de dizer algo positivo sobre os próprios parentes. Mas após participar de um curso de Carnegie e aplicar o princípio "Nunca criticar, condenar ou reclamar", ele foi capaz de transformar "314 inimigos em 314 amigos", inspirar uma lealdade anteriormente inexistente e, ainda por cima, aumentar os lucros. Além disso, Carnegie nos disse: "A família passou a gostar mais dele, ele conseguiu ter mais tempo para o lazer e permitiu sua visão de vida ser "alterada drasticamente".

O que mais animou Carnegie não eram as histórias de carreiras beneficiadas ou efeitos financeiros de seus cursos, mas como os cursos fizeram as pessoas abrirem os olhos e remodelarem suas vidas. As pessoas começaram a ver que poderia haver mais leveza na vida, que não era mais vista como uma luta ou um jogo de poder.

O segundo capítulo do livro tem início com uma citação do filósofo norte-americano John Dewey, que fala que o anseio mais profundo na natureza humana é o desejo de ser importante. Carnegie também observou que além do sexo, o principal desejo era o de ser grande; Lincoln disse que, era o desejo de ser apreciado.

A pessoa que realmente entende essa ânsia por apreciação, Carnegie disse, também saberá como fazer as pessoas felizes – "até mesmo quem corre menos riscos se arrependerá quando morrer". Tal pessoa também vai saber como extrair o melhor dos outros. Carnegie adorava contar histórias de sucesso de grandes industrialistas de sua época. Charles Schwab foi a primeira pessoa a ganhar um milhão de dólares por ano, gerenciando a United States Steel Company de Andrew Carnegie. Ele confidenciou que o segredo do sucesso era ser "sincero na minha aprovação e generoso nos meus elogios" às pessoas abaixo dele. Valorizar os funcionários, fazê-los sentirem-se especiais no esquema das coisas é agora visto como algo sábio nos círculos de gestão, mas na época de Andrew Carnegie Dale não era.

Ao mesmo tempo, Carnegie era contra a bajulação. Esta envolvia simplesmente imitar as vaidades do receptor, enquanto que um elogio sincero aos pontos positivos de alguém configura um ato de gratidão que requer que vejamos realmente essa pessoa, talvez pela primeira vez. Um dos efeitos é que passamos a ser mais valiosos para eles, a expressão de valor só aumenta o nosso próprio valor. Obtemos prazer inestimável ao ver uma luz se acender e, no local de trabalho, a existência de uma testemunha surpresa com o fato de a cooperação nascer do tédio ou da desconfiança. O princípio "elogie sincera e honestamente" de Carnegie trata-se, em última instância, de ver a beleza das pessoas.

O livro lista 27 princípios, mas a maioria segue a lógica dos dois primeiros. Eles incluem:

- Desperte nos outros um ávido querer.
- Torne-se verdadeiramente interessado nos outros.
- A única forma de obter o melhor de uma discussão é evitá-la.
- Mostre respeito pelas opiniões dos outros. Nunca diga "você está errado".
- Se estiver errado, admita rápida e enfaticamente.
- Comece de forma amigável.
- Deixe a outra pessoa conduzir boa parte da conversa.
- Apele para motivos mais nobres.
- Dê aos outros uma boa reputação.

Comentários finais

Embora fácil de imitar, o livro em si é realmente engraçado – algo bastante raro na escrita de desenvolvimento pessoal. Carnegie usou todo o seu arsenal humorístico para torná-lo um texto que realmente nos atrai. Um dos princípios famosos é: "Lembre-se de que o nome de uma pessoa significa para ela o som mais doce e mais importante em qualquer idioma".

Como fazer amigos e influenciar pessoas será lido por mais cinquenta anos porque fala essencialmente sobre pessoas, um assunto que assumimos que sabemos muito, mas, invariavelmente, não sabemos. Antes de livros como esse, pensava-se que lidar com as pessoas era uma habilidade natural – ou você tinha ou não. O livro coloca na mente das pessoas o fato de que as relações humanas são mais compreensíveis do que pensamos e que as habilidades das pessoas podem ser sistematicamente aprendidas. Ele também conduziu a afirmação, em oposição direta à reputação do livro, de que não influenciamos alguém de verdade até que verdadeiramente gostemos e respeitemos essa pessoa.

Dale Carnegie

Nascido em 1888 em Maryville, Missouri, Carnegie era filho de um fazendeiro pobre e, aparentemente, não viu um trem até completar doze anos. Em sua adolescência, embora ele ainda tivesse que levantar às 3h todos os dias para tirar leite das vacas que seus pais tinham, conseguiu estudar na faculdade para professores estaduais em Warrensburg. Seu primeiro emprego depois da faculdade foi o de vendedor de cursos por correspondência para os fazendeiros, então ele passou a vender bacon, sabão e banha de porco em nome da Armor & Company. Foi um homem bem-sucedido ao ponto de fazer da sua área de vendas, ao sul de Omaha, a líder nacional para a empresa.

O desejo de ser ator levou Carnegie para a Academia Norte-Americana de Artes Dramáticas em Nova York, e depois de percorrer o país como o Dr. Hartley em Polly do Circo (*Polly of the Circus*), ele voltou ao cargo de vendedor, agora de carros Packard. Convenceu a YMCA a deixá-lo ministrar cursos sobre como falar em público para homens de negócio, que foram um grande sucesso, e seu primeiro livro, *Como falar em público e influenciar pessoas no mundo dos negócios*, foi escrito como um auxílio ao ensino. Outros livros incluem *Como parar de se preocupar e começar a viver* e *Lincoln the Unknown* [Lincoln, o desconhecido]. Os cursos de formação de Carnegie são agora ministrados em todo o mundo. O autor morreu em 1955.

15 | Deepak Chopra

1994
As sete leis espirituais do sucesso

"Quando compreendemos estas leis e as aplicamos na nossa vida, podemos criar tudo o que quisermos, porque as leis que a natureza aplica para criar uma floresta, uma galáxia, uma estrela ou um corpo humano são as mesmas que podem nos trazer a realização dos nossos mais profundos desejos."

"O melhor meio para pôr em prática a Lei da Dádiva [...] é tomar a decisão de, sempre que estiver em contato com alguém, dar algo a essa pessoa. Não precisa ser algo material; pode ser uma flor, um elogio ou uma oração... Os presentes de carinho, atenção, afeição, apreciação e amor são alguns dos mais preciosos que você pode dar e não custam nada."

"A quarta lei espiritual do sucesso é a Lei do Menor Esforço. Essa lei baseia-se no fato de a inteligência da natureza funcionar com um mínimo de esforço e total despreocupação. Ela constitui o princípio da menor ação, da não resistência... Quando aprendemos essa lição da natureza, realizamos os nossos desejos com facilidade."

Em poucas palavras
Há uma forma mais fácil de conseguir o que queremos da vida; ela envolve a sintonia com o universo e com a natureza.

Na mesma linha
O *Bhagavad-Gita* (p. 45)
Florence Scovell Shinn, *O jogo da vida e como jogá-lo* (p. 323)

Com um poder e simplicidade sem esforços, *As sete leis espirituais do sucesso* é um exemplo supremo da escrita contemporânea de autoajuda. Você poderia jogar fora todos os outros livros de autoajuda e viver só com esse.

A ênfase no sucesso e na prosperidade pode não parecer suficientemente "espiritual" para alguns, mas é exatamente este o sentido do livro. A menos que sejamos eremitas autossuficientes, somos atores econômicos que devem ser capazes de conciliar a geração de riqueza com o espírito. Em se tratando, ambos, de um trato devocional e de um manual de prosperidade, *As sete leis espirituais do sucesso* reconhece isso e é, portanto, uma obra emblemática de nossos tempos.

Identificar leis imutáveis de sucesso é o grande desafio da literatura de autoajuda. *Karma* (causa e efeito) e *dharma* (propósito na vida) estão conosco por muito tempo e formam duas das sete leis de Chopra. Vamos abordar de forma breve as outras cinco.

A lei da potencialidade pura

O campo da potencialidade pura é o reino silencioso a partir do qual todas as coisas fluem, e "o não manifesto se manifesta". Nesse estado de consciência pura, temos conhecimento genuíno, equilíbrio perfeito, invencibilidade e bem-aventurança. Ao acessar esse campo, vivenciamos o nosso eu maior e mais verdadeiro, e conseguimos ver a futilidade e o desperdício de viver por meio do ego. Enquanto o ego está baseado no medo, o eu superior existe no amor à segurança:

> *"É imune à crítica, não teme os desafios e não se sente inferior a ninguém. E, no entanto, também é humilde e não se sente superior a ninguém, pois reconhece que todos os outros constituem o mesmo eu, a mesma alma, sob diferentes formas."*

Quando o véu do ego cai, o conhecimento é revelado e grandes ideias se tornam algo normal. Chopra faz uso da observação de Carlos Castaneda que diz que, se conseguíssemos parar de tentar defender a nossa própria importância, começaríamos a ver a grandeza do universo. Podemos acessar o campo da confidencialidade pura por meio principalmente da meditação e do silêncio, mas também por intermédio da prática do não julgamento e da apreciação da natureza. Depois de conhecer o campo, o indivíduo sempre poderá se afastar dele e ficar independente de situações, sentimentos, pessoas e coisas. Toda a abundância e criatividade fluem para fora do campo.

A lei da dádiva

Você já reparou que quanto mais uma pessoa dá, mais ela recebe? Por que isso parece infalível? Chopra diz que isso acontece porque nossa mente e corpo estão em um estado constante de dar e receber com o universo. Criar, amar e crescer mantêm o fluxo em movimento; não fazer uso da dádiva para o fluxo é como o sangue: ele coagula. Quanto mais damos, mais somos envolvidos na circulação da energia do universo e mais dessa energia recebemos, na forma de amor, coisas materiais, experiências afortunadas. Dinheiro realmente faz o mundo girar, mas só se for dado tanto quanto recebido.

Se for dar algo, dê com alegria. Se quer ser abençoado, abençoe silenciosamente as pessoas, enviando-lhes muitos pensamentos positivos. Se não tem dinheiro, preste um serviço. Nunca estamos limitados no que podemos dar, porque a verdadeira natureza da humanidade é a riqueza e a abundância. A natureza fornece tudo de que precisamos, e o campo da potencialidade pura fornece a inteligência e a criatividade para produzirmos ainda mais.

A lei do menor esforço

Assim como faz parte da natureza do peixe nadar e da do Sol brilhar, é da natureza humana transformar os sonhos em realidade, com facilidade. O princípio védico de economia de esforço diz: "faça menos e realize mais". É como um conceito revolucionário – ou louco? Trabalhar duro, planejar e esforçar-se é perda de tempo?

Chopra sugere que, quando nossas ações são motivadas pelo amor, não pelos desejos do ego, geramos um excesso de energia que pode ser utilizado para criar tudo que quisermos. Em contraste, buscar ter poder sobre os outros ou tentar obter a aprovação deles consome uma grande quantidade de energia. Estamos tentando provar alguma coisa, enquanto que, quando estamos agindo com o eu superior, simplesmente fazemos escolhas sobre como e onde afetaremos a evolução e traremos abundância.

O primeiro passo é praticar a aceitação. Não podemos esperar canalizar o poder do universo sem qualquer esforço, se estamos lutando contra ele. Mesmo em situações muito difíceis, diga a si mesmo: "Este momento é exatamente o que deveria ser". Em segundo lugar, pratique isso com todas as guardas baixas. Se estivermos continuamente defendendo o nosso ponto de vista ou culpando os outros, não conseguiremos estar abertos para a alternativa perfeita que está bem ao nosso lado.

A lei da intenção e do desejo

Esta é a lei mais complexa e, claro, a mais sedutora. Chopra observa que, enquanto uma árvore está presa a um único objetivo (criar raízes, crescer, fazer a fotossíntese), a inteligência do sistema nervoso humano permite-nos realmente moldar a mente e as leis da natureza para realizar um desejo livremente imaginado. Isso ocorre por meio do processo de atenção e intenção.

Ao passo que a atenção em algo irá energizá-lo e fazê-lo se expandir, a intenção dispara energia e informação e "organiza a sua própria realização". Como isso acontece? O autor faz analogia com um lago parado. Se a mente estiver imóvel, podemos jogar nela uma pedrinha de intenção, criando ondulações que se movem através do espaço e do tempo. Se a mente estiver como um mar turbulento, podemos jogar um arranha-céu nela e não causará efeito algum. Uma vez que a intenção é introduzida no silêncio receptivo, podemos depender do poder organizador infinito do universo para torná-lo manifesto. Devemos "deixar o universo cuidar dos detalhes".

A lei do desprendimento

Embora possamos ter uma intenção, devemos desistir do apego à sua realização antes que ela se manifeste sozinha. Podemos ter um foco unidirecionado em algo, mas, se estivermos apegados a um resultado específico, ele produzirá medo e insegurança em relação à possibilidade de sua não concretização. Uma pessoa que está em sintonia com o seu eu superior terá intenções e desejos, mas, se seu sentido não está focado no resultado, há uma parte dele que não pode ser afetada.

Nas palavras de Chopra:

> *"Somente com um envolvimento desprendido se pode obter alegria e prazer. Só assim obtemos os símbolos de riqueza com espontaneidade e sem esforço. Sem o desprendimento, tornamo-nos prisioneiros de necessidades mundanas desesperadas e impossíveis, preocupações triviais, desespero passivo e tristeza – as marcas distintivas de uma existência cotidiana medíocre e da consciência da pobreza."*

Sem o desprendimento, sentimos que devemos forçar as soluções para os problemas; com desprendimento, estamos livres de presenciar as soluções perfeitas que surgem espontaneamente do caos.

Não deixe que essas pequenas passagens sejam suficientes. Para ter acesso a mais detalhes e à prosa rica que torna o texto de Chopra uma delícia de ler, compre o livro. Você pode demorar um pouco para captar sua escrita e entender seus termos, mas seja perseverante – as leis podem ter um efeito real. Nas leituras subsequentes, você poderá se ver descobrindo novos significados no texto, a marca familiar de um clássico.

Comentários finais

O talento, intencional ou não, da escrita de autoajuda do século passado foi o de passar mensagens espirituais por meio de instruções de um tipo mais material. Compramos um livro sobre prosperidade e nos deparamos com ele falando sobre a inteligência benigna e perfeita do universo; encontramos outro que promete as leis de sucesso e ficamos surpresos ao ver que a resposta envolve manter um bom *karma* em nossas ações e nos desprender dos frutos do sucesso. Chopra é muitas vezes acusado de promover valores espirituais como forma de ficar rico. Isso é verdade, mas não há nada aí do que se envergonhar: quando a natureza do próprio universo é abundante, viver na consciência da pobreza é ter uma vida desperdiçada.

A ideia principal do livro é a unidade de tudo no universo. Embora esteja abertamente preocupado com o "sucesso", talvez o verdadeiro tema seja o poder. Ao nos tornarmos mais abertos à unidade e à perfeição, assumimos mais do poder que elas têm, ao passo que a ilusão da separação nos opõe ao mundo, tornando-nos mais fracos no processo. A melhor escrita sobre desenvolvimento pessoal, exemplificado por *As sete leis espirituais do sucesso*, está transformando a ideia de sucesso do gênero de ser "mestre do universo" para alcançar a singularidade com ele.

Deepak Chopra

Nascido em 1947 em Nova Delhi, filho de um proeminente cardiologista, Chopra estudou Medicina antes de se mudar para os Estados Unidos em 1970. Em Boston, ele se estabeleceu como um endocrinologista; em seguida, lecionou na Universidade de Boston e na Faculdade de Medicina de Tufts. Foi chefe de gabinete no New England Memorial Hospital.

A transformação de especialista para guru aconteceu com o encontro com Maharishi Mahesh Yogi, um homem santo que foi para os Estados Unidos na década de 1960 para popularizar a meditação. O envolvimento posterior de Chopra no movimento da meditação transcendental foi acompanhado por um renovado interesse na filosofia de cura hindu Ayurveda, e ele fundou a Associação Norte-Americana de Medicina Ayurvédica.

Em 1999, a revista *Time* incluiu Chopra como um dos "100 ícones e heróis do século" (*Top 100 Icons and Heroes of the Century*), um "poeta-profeta da Medicina alternativa". Ele palestrou na ONU, na Organização Mundial da Saúde e na Academia Soviética de Ciências, e seus outros 25 livros – incluindo *A cura quântica* (1986), *Corpo sem idade, mente sem fronteira* (1993), *Criando sucesso e dinheiro* (1993) e *Como conhecer Deus* (2000) – foram traduzidos para mais de 35 idiomas. Ele editou uma coleção de poesia de Rabindranath Tagore e escreveu um romance, *Senhores de Luz*.

O autor mora em La Jolla, Califórnia, onde o Centro Chopra para o Bem-Estar oferece cursos e eventos.

16 | Paulo Coelho

1993
O ALQUIMISTA

"Estudou latim, espanhol e teologia. Mas desde criança sonhava em conhecer o mundo, e isto era muito mais importante do que conhecer Deus ou os pecados dos homens. Certa tarde, ao visitar a família, havia tomado coragem e dito para seu pai que não queria ser padre. Queria viajar."

"– São as forças que parecem ruins, mas na verdade estão ensinando a você como realizar sua Lenda Pessoal. Estão preparando seu espírito e sua vontade, porque existe uma grande verdade neste planeta: seja você quem for ou o que faça, quando quer com vontade alguma coisa, é porque esse desejo nasceu na alma do universo. É sua missão na Terra.
– Mesmo que seja apenas viajar? Ou casar com a filha de um comerciante de tecidos?"

Em poucas palavras
Desistimos muito facilmente de nossos sonhos, mas mesmo assim o universo sempre está pronto para nos ajudar a realizá-los.

Na mesma linha
Martha Beck, *Encontrando a sua estrela-guia* (p. 39)
Joseph Campbell e Bill Moyers, *O poder do mito* (p. 91)

Santiago é um pastor. Ele ama seu rebanho, embora não consiga deixar de notar o caráter limitado da existência da ovelha. Buscando somente alimento e água, as ovelhas nunca levantam a cabeça para admirar as colinas verdes ou o pôr do sol. Os pais de Santiago lutam continuamente para ter o básico da vida e sufocam, da mesma forma, suas próprias ambições. Eles vivem na bela Andaluzia, que atrai turistas para suas aldeias pitorescas e colinas íngremes, mas para eles, aquele não é um lugar dos sonhos.

Santiago, por outro lado, sabe ler e quer viajar. Ele vai um determinado dia para a cidade vender algumas de suas ovelhas e encontra um mendigo e uma cigana. Eles suplicam que ele siga "os presságios" que vem tendo e que abandone o mundo que conhece. A cigana o envia em direção às Pirâmides do Egito, onde, segundo ela, encontrará um tesouro.

Loucamente, ele acredita nela. Vende seu rebanho e dá início à jornada. Como era inevitável, ele se depara com o desastre logo no início, quando um ladrão em Tânger rouba suas economias. Tanto trabalho duro e disciplina para uma pequena aventura! Mas, estranhamente, Santiago não fica devastado, apreende um sentimento maior – de segurança em saber que está no caminho certo. Ele está agora vivendo uma vida diferente, em que cada dia é novo e satisfatório. Continua se lembrando do que lhe foi dito no mercado antes de partir: "Quando você quer alguma coisa, todo o universo conspira a favor".

Seguindo o sonho

Essa é uma crença maravilhosa, um suporte para qualquer um que embarca em um projeto grande. Mas ela é uma esperança baseada em nada? Se você pensar sobre a energia que põe em algo quando está comprometido com isso, provavelmente não. O "universo conspirando" para dar o que você quer é, mais precisamente, um reflexo de sua determinação em fazer algo acontecer. Na leitura de *O alquimista*, somos lembrados da exigência de Goethe: "O que quer que você consiga fazer, ou sonha que consegue, comece agora – a ousadia tem genialidade, poder e magia".

O livro não foge do fato de que os sonhos têm um preço, mas, como observou Coelho em entrevistas, não viver os sonhos também tem um preço. Com a mesma quantia, disse ele, você pode comprar um casaco horrível e que não cabe em você ou um que combina e fica bonito. Haverá dificuldades em tudo o que fizermos na vida, mas é melhor ter problemas que fazem sentido, porque eles são parte do que estamos tentando alcançar. Caso contrário, as dificuldades parecem meramente insidiosas, um conjunto terrível de reveses, um após o outro. Aqueles que seguem seus sonhos têm uma responsabilidade maior, a de lidar com a própria liberdade. Isso pode não parecer um preço tão alto, mas requer um nível de consciência com o qual talvez não estejamos acostumados.

O velho que Santiago conhece na praça da cidade pede que ele não acredite na "mentira maior" de que não se pode controlar o próprio destino.Você pode, diz ele, mas tem de "ler os sinais", o que se torna possível quando começa a ver o mundo como um só. O mundo pode ser lido como um livro, mas nunca seremos capazes de compreendê-lo se tivermos um tipo fechado de existência, complacente com a nossa sorte e má vontade de arriscar tudo.

Amor

O Alquimista é notável por ser uma história de amor que renuncia a ideia de que o amor romântico deve ser a coisa central na vida de uma pessoa. Cada pessoa tem um destino a seguir que existe independentemente das outras pessoas. É a coisa que você faria, ou seria, mesmo se tivesse todo o amor e dinheiro que deseja. O tesouro que Santiago busca é, naturalmente, o símbolo do sonho pessoal ou destino, mas ele fica feliz em desistir do tesouro quando encontra a mulher dos seus sonhos em um oásis no deserto. No entanto, o alquimista que ele conhece no deserto diz que o amor da namorada que ele tem no oásis só será real se ela estiver disposta a apoiá-lo na busca pelo tesouro.

O dilema de Santiago reside no conflito entre o amor e os sonhos pessoais. Muitas vezes vemos uma relação amorosa como o sentido da nossa vida, mas a obsessão pelo romance pode nos privar de uma vida mais conectada com o resto do mundo. Mas é verdade que o coração tem necessidades? Viva a vida ao redor do sonho, diz Coelho, e haverá mais "coração" nela do que você pode compreender neste momento:

> *"... nenhum coração jamais sofreu quando foi em busca de seus sonhos, porque cada momento de busca é um momento de encontro com Deus e com a eternidade."*

O amor romântico é importante, mas não é o nosso dever – esse dever é o de sair em busca de nosso sonho. Somente por meio da devoção ao sonho é que a "alma do mundo" nos é relevada, o conhecimento que destrói a solidão e dá poder.

Comentários finais

Grande parte da literatura de autoajuda fala em seguir o nosso destino, mas os sonhos por si só nem sempre nos mobilizam; eles falam persistentemente, mas em silêncio, e não é preciso muito esforço para sufocar as vozes interiores. Quem está disposto a arriscar o conforto, a rotina, a segurança e as relações existentes para seguir algo que para os outros parece uma miragem? É preciso coragem e exemplares surrados e com orelhas do clássico de Paulo Coelho, livro que se tornou o companheiro constante de pessoas que precisam tomar decisões sem medo todos os dias, a fim de manter-se fiel a uma visão mais ampla.

Paulo Coelho

Coelho cresceu em uma família de classe média no Rio de Janeiro, Brasil. Seu pai queria que ele seguisse os mesmos passos dele e se tornasse um engenheiro, mas depois de declarar seu desejo de ser um escritor, Coelho foi internado várias vezes em instituições para doentes mentais por três anos. Ele se tornou um viajante *hippie*, participou de um culto na Itália por um tempo e foi detido e torturado pela polícia brasileira após escrever letras "subversivas" de música para uma banda de *rock*.

Coelho é um dos autores de *best-sellers* mundiais. *O alquimista*, inspirado em um dos contos de *As mil e uma noites*, já vendeu vinte milhões de exemplares (sua primeira editora desistiu do livro depois de vender mil cópias, mas Paulo Coelho conseguiu encontrar outra).

Coelho é católico e tem um interesse particular por rotas de peregrinação. Santiago de Compostela, na Espanha, oferece o cenário para *O diário de um mago*. Outros livros incluem *As Valkírias*, *Às margens do rio Piedra eu sentei e chorei* e *Verônica decide morrer*. Ele vive com sua esposa, Christina, que é pintora, no Rio de Janeiro.

17 | Stephen Covey

1989

OS 7 HÁBITOS DAS PESSOAS ALTAMENTE EFICAZES

"A ética do caráter baseia-se na ideia fundamental de que há princípios governando as atividades humanas – leis naturais para o relacionamento humano que são tão reais, imutáveis e indiscutíveis quanto a lei da gravidade no plano físico."

"As pessoas não podem conviver com a mudança se não houver um centro imutável dentro delas. O segredo para a capacidade de mudar é a sensação imutável do que somos, do que fazemos e do que valorizamos."

"A maioria das pessoas tende a pensar em termos de dicotomias: forte ou fraco, duro ou mole, perder ou vencer. Mas esse tipo de pensamento tem falhas estruturais. Ele se baseia no poder ou na posição, e não nos princípios. Vencer/Vencer se baseia no paradigma de que há bastante para todos, que o sucesso de uma pessoa não é conquistado com o sacrifício ou a exclusão da outra."

Em poucas palavras

A eficácia real vem da clareza (acerca dos princípios, valores e visão). A mudança só é real se tornar-se um hábito.

Na mesma linha

Viktor Frankl, *Em busca de sentido* (p. 179)
Benjamin Franklin, *Autobiografia* (p. 187)
Philip C. McGraw, *Estratégias de vida* (p. 267)

O livro de Stephen Covey é um dos fenômenos da escrita moderna de desenvolvimento pessoal. Ele já vendeu um milhão de cópias por ano desde o seu lançamento, foi traduzido para 32 idiomas e constitui a base intelectual de uma grande empresa. O livro *Como fazer amigos e influenciar pessoas,* de Dale Carnegie, levou sessenta anos para causar o mesmo tipo de impacto.

O que colocou essa obra acima da massa de livros que alegam ter o segredo para uma existência melhor?

Sucesso de dentro para fora

Primeiro, foi tempo. *Os 7 hábitos das pessoas altamente eficazes* foi lançado assim que adentramos a década de 1990. De repente, aspirar a ser um "mestre do universo" em um mundo protegido parecia não satisfazer, e as pessoas estavam prontas para uma receita diferente a fim de conseguir o que realmente queriam da vida. A mensagem de Covey de "restaurar a ética do caráter" estava tão fora de moda que pareceu revolucionária.

Ao estudar a literatura de sucesso dos últimos duzentos anos para uma tese de doutorado, Covey foi capaz de estabelecer uma distinção entre o que ele chamou de a "ética da personalidade" – soluções rápidas e técnicas de relações humanas que haviam permeado muito da escrita do século XX – e a "ética do caráter" – que girava em torno de princípios pessoais imutáveis. Covey acreditou que o sucesso exterior não era, definitivamente, sucesso se não fosse a manifestação do domínio interior. Ou, na sua terminologia, a "vitória pessoal" deve preceder a "vitória pública".

Um plano de negócios para a vida pessoal

O segundo, e mais prático, motivo para o sucesso do livro é que ele apresenta uma leitura envolvente, tanto como um livro de autoajuda quanto como um manual de liderança/gestão. Este cruzamento de interesses efetivamente dobrou o mercado do livro. Isso também significa que o leitor interessado somente no desenvolvimento pessoal pode não gostar dos termos de gestão, diagramas e anedotas comerciais apresentadas no livro. Para um livro que contém muito sobre a mudança de paradigmas, é notavelmente representativo do paradigma do pensamento de negócios.

Mas isso deve ser um preço pequeno a pagar por aquilo que é um guia brilhante para reconstruir sua vida, animado por experiências pessoais e familiares de Covey. Covey pode ser herdeiro de Dale Carnegie em muitos aspectos, mas seu clássico é mais sistemático, abrangente e com maiores perspectivas de vida do que quaisquer livros de autoajuda modernos que vieram antes dele.

Hábitos: os blocos de construção da mudança

A ênfase nos hábitos de como as unidades básicas de mudança também foram algo importante para o sucesso do livro. Covey viu que a grandeza real foi o resultado do desenvolvimento lento do personagem ao longo do tempo; nossos hábitos diários de pensar e agir são o solo em que a grandeza é construída. *Os 7 hábitos das pessoas altamente eficazes* promete uma revolução na vida, não como um *big bang*, mas como o resultado cumulativo de milhares de pequenas e evolucionárias mudanças. O romancista inglês Charles Reade resumiu da seguinte forma ao que Covey está se referindo:

> *"Semeie um pensamento e colherá uma ação; semeie uma ação e colherá um hábito; semeie um hábito e colherá um caráter; semeie um caráter e colherá um destino."*

Eficácia *versus* eficiência

Finalmente, o sucesso do livro se deve muito ao uso de "eficazes" no título. Ao final de 1980, a cultura ocidental havia tido décadas de teoria sobre gestão de eficiência. O conceito de gestão de tempo, um produto de uma cultura obcecada por máquina, tinha transbordado para o domínio pessoal, e poderíamos ter sido perdoados por pensar que todos os problemas em nossa vida foram o resultado de "uma ineficiente alocação de recursos". No entanto, Covey apresentou uma perspectiva diferente com esta mensagem: pense sobre o que é mais importante para você e veja se isso é o centro em torno do qual a sua vida gira. Não se preocupe com eficiência. É desnecessário ser "eficiente" se o que você está fazendo não tem significado ou um bem essencial.

Os 7 hábitos das pessoas altamente eficazes coloca a eficácia em um nível mais elevado do que a realização. A realização é oca, a menos que o que consigamos realizar seja realmente válido, tanto em termos dos objetivos mais altos quanto dos serviços prestados aos outros. A visão de Covey é a de que a ética da personalidade da autoajuda do século XX ajudara a criar uma sociedade com um alto perfil de realização que também não sabia para onde estava indo.

O hábito da responsabilidade

Os sete hábitos baseiam-se em uma vontade de ver o mundo de novo, ter a coragem de levar a vida a sério. O livro pisou no calo de muita gente porque mostrou, talvez pela primeira vez, o que significava responsabilidade genuína. Culpar "a economia" ou "meu chefe insuportável" ou "minha família" por nossos problemas era inútil. Para alcançar a realização e o poder pessoal, tínhamos de decidir sobre o que nos responsabilizaríamos, o que estava em nosso "círculo de preocupação". Só melhorando nós mesmos é que conseguiríamos expandir nosso "círculo de influência".

Para rever os sete hábitos brevemente:

1. *Seja proativo.* Nós sempre temos a liberdade de escolher nossas reações a estímulos, mesmo quando perdemos tudo. Com essa capacidade também vem o conhecimento de que não temos de viver pelas regras que a família ou a sociedade nos impõe. Em vez de "ser vivido", assumimos total responsabilidade por nossa vida conforme ditar a nossa consciência. Não somos mais uma máquina reativa, mas um ser proativo.
2. *Comece com o objetivo em mente.* O que eu quero que as pessoas digam sobre mim no meu funeral? Ao escrever o nosso pró-

prio laudatório ou ao criar uma declaração de missão pessoal, criamos o objetivo final ou a primeira pessoa e começamos a trabalhar a partir daí. Temos um sistema de auto-orientação que nos dá a sabedoria para fazer a escolha certa, de modo que tudo o que fazemos hoje está alinhado com a imagem que criamos de nós mesmos no objetivo.

3. *Primeiro o mais importante.* O terceiro hábito insere nas ações diárias a clarividência do hábito 2. Tendo essa imagem final em nossa mente, podemos planejar nossos dias para a máxima eficácia e prazer. Nosso tempo é gasto com as pessoas e as coisas que realmente importam.
4. *Pense em vencer/vencer.* O sucesso de uma pessoa não precisa ser alcançado à custa do sucesso dos outros. Na busca de vencer/vencer, nunca colocamos em risco nossos próprios princípios. O resultado é um relacionamento melhor – "não do seu ou do meu jeito, mas do melhor jeito" – vendo verdadeiramente o ponto de vista do outro.
5. *Procure primeiro compreender, depois ser compreendido.* Sem empatia, não há influência. Sem depósitos na conta bancária emocional dos relacionamentos, não há confiança. Escutar genuinamente proporciona um ar psicológico precioso aos outros e abre uma janela em suas almas.
6. *"Sinergizar".* A sinergia resulta do exercício de todos os outros hábitos. Ele traz à tona "terceiras alternativas" ou resultados perfeitos que não podem ser previstos a partir da adição da soma das partes.
7. *Afine o instrumento.* Precisamos equilibrar as dimensões física, espiritual, mental e social da vida. "Afinar o instrumento" para aumentar a produtividade envolve usar o tempo regularmente para nos renovar nessas áreas.

Comentários finais

Os heróis do autor são um guia para a sua filosofia. Benjamin Franklin é apresentado como um exemplo perfeito da ética do caráter em ação, "a história do esforço de um homem para integrar certos princípios e hábitos profundamente dentro de sua natureza". Anwar Sadat, o líder egípcio que originou os acordos de paz no Oriente Médio, também ocupa um lugar de destaque na mente Covey como uma pessoa que, com sucesso, "reescreveu-se". Covey usa a história do sobrevivente de campos de concentração Viktor Frankl (veja *Em busca de sentido*) para apoiar a sua ética de responsabilidade pessoal, e Henry David Thoreau (veja *Walden ou A vida nos bosques*) para uma ilustração acerca da mente independente.

Dizem que os sete hábitos de Covey são apenas senso comum. Isolados, eles podem até ser, mas agrupados em um pacote, naquela sequência, e com a filosofia do princípio centrado para apoiá-los, eles podem produzir a sinergia que Covey celebra.

Uma crítica comum à autoajuda é a de que um seminário ou um livro pode nos inspirar muito naquele momento e, depois, acabamos esquecendo tudo. Por meio da utilização de hábitos como as unidades de ação e mudança, *Os 7 hábitos das pessoas altamente eficazes* dá aos leitores o impulso para incorporar seus ensinamentos à vida diária. Somos introduzidos aos meios para alterar pouco a fim de transformar o muito.

Stephen Covey

Nascido em 1932, Covey fez seu mestrado em Harvard e passou a maior parte de sua carreira na Universidade de Brigham Young, em Utah, onde foi professor de comportamento organizacional e gestão de negócios.

Em 1984 fundou o Covey Leadership Center, que treze anos mais tarde se fundiu com a Quest Franklin para formar a Franklin Covey, uma empresa de quinhentos milhões de dólares que vende ferramentas de aprendizagem e desempenho nas áreas de liderança e produtividade, que treina 750 mil pessoas anualmente e gerencia mais de 150 lojas de varejo (acesse FranklinCovey.com). O sócio de Covey se chama Hyrum Smith, também autor de autoajuda, e escreveu: *The 10 Natural Laws of Time and Life Management* [As dez leis naturais da gestão do tempo e da vida]. Outros livros de Covey incluem *Liderança baseada em princípios*, *Primeiro o mais importante*, *Os 7 hábitos das famílias altamente eficazes* e *Vivendo os sete hábitos*. Seu último livro é intitulado simplesmente de *Liderança*.

Covey tem vários doutorados honorários e foi eleito um dos 25 norte-americanos mais influentes pela revista *Time*. Ele vive com sua esposa, Sandra, em Provo, Utah. Eles têm nove filhos e 34 netos.

18 | Mihaly Csikszentmihalyi

1990
A PSICOLOGIA DA FELICIDADE

"Ser feliz ou não depende da harmonia interna, não do controle que somos capazes de exercer sobre as grandes forças do universo. Certamente devemos continuar aprendendo a dominar o ambiente externo, porque a nossa sobrevivência física pode depender dele. Mas esse domínio não vai acrescentar uma gota à forma como nós, como indivíduos, nos sentimos ou vai reduzir o caos do mundo na forma como o vivenciamos. Para isso, devemos aprender a alcançar o domínio sobre a própria consciência."

"O fluxo ajuda a integrar o eu porque nesse estado de concentração profunda da consciência ele está extraordinariamente bem ordenado. Pensamentos, intenções, sentimentos e todos os sentidos estão focados no mesmo objetivo. A experiência está em harmonia. E quando o episódio de fluxo transborda, sentimo-nos mais 'juntos' do que antes, não só internamente, mas também em relação às outras pessoas e ao mundo em geral."

Em poucas palavras

Em vez de ficar ocioso, faça que o seu amor seja um caminho para um significado maior, para a felicidade e para um eu de maior complexidade.

Na mesma linha

Dalai Lama e Howard C. Cutler, *A arte da felicidade* (p. 145)
Daniel Goleman, *Inteligência emocional* (p. 201)
Richard Koch, *O princípio 80/20* (p. 235)

"Por que é tão difícil ser feliz?". "Qual é o sentido da vida?". Seja na ociosidade ou na frustração, todos meditamos sobre essas grandes questões. Muitos não se atrevem a dar respostas, e poucos, mais uma vez, estão preparados para tentar. Mas ao dedicar sua vida a responder à primeira, Mihaly Csikszentmihalyi (pronuncia-se "Me--oi tchikcent-me-rriee") descobriu que não poderia se afastar da segunda. A ligação das duas questões é a essência de sua teoria de "fluxo".

Em um nível geral, a resposta do autor à primeira pergunta é surpreendentemente óbvia: é difícil ser feliz porque o universo simplesmente não foi feito para nossa felicidade. Embora as religiões e as mitologias tenham sido criadas para fornecer alguma segurança contra esse fato, o conhecimento adquirido por experiência própria cruelmente revela sua verdade, continuamente. Csikszentmihalyi afirma que o melhor é pensar no universo em termos de ordem e caos (entropia). Que os seres humanos saudáveis achem a ordem agradável é uma pista para o valor intrínseco que ela possui e ao papel que desempenha na criação da felicidade.

O introduzir ordem à consciência, "o controle da mente", é, portanto, a chave da felicidade. No entanto, o que nos dá esse controle?

Felicidade e fluxo

A pesquisa de Csikszentmihalyi não começou pela análise da natureza da felicidade por si só, mas por meio da pergunta: "Quando as pessoas estão mais felizes?". Ou seja, o que exatamente fazemos quando sentimos prazer ou satisfação? Descobrir isso incluiu falar com as pessoas por um *pager* em momentos aleatórios durante uma semana. Elas eram obrigadas a anotar exatamente o que estavam fazendo e os sentimentos que a atividade proporcionava. A descoberta foi que os melhores momentos não aconteciam por acaso, de acordo com o capricho de eventos externos, mas podiam ser razoavelmente previstos quando uma atividade específica era realizada. As atividades descritas como sendo de maior valor, que, quando realizadas, banem as preocupações ou pensamentos em outras coisas, foram chamadas de "experiências ótimas" ou simplesmente de "fluxo".

As pessoas em um estado de fluxo sentem que estão engajadas em um desdobramento criativo de algo maior; os atletas chamam isso de "estar focados"; os místicos o descrevem como "êxtase"; os artistas usam o termo "arrebatamento". Podemos reconhecer nossas experiências de fluxo como simplesmente aquelas que parecem fazer o tempo parar. A melhor definição do livro para fluxo vem do antigo sábio taoísta Chuang Tzu. Em uma parábola, Ting, o estimado açougueiro de Lord Wen-hui, descreve a sua forma de trabalhar: "A percepção e a compreensão são paralisadas, e o espírito se move para onde ele quer". Você para de pensar e simplesmente faz.

Uma das distinções fundamentais que o autor faz reside na diferença entre gozo e prazer. Enquanto tarefas desafiadoras que requerem toda a nossa atenção são levam ao gozo, o mero prazer não consegue nos engajar – é algo passivo. Televisão, drogas e sono podem ser prazerosos, mas envolvem pouca consciência e, portanto, não ajudam de verdade em nosso crescimento. A lição da experiência ótima é que estamos realmente felizes quando estamos no controle. A experiência ótima é aquela guiada por nós e que nos proporciona um senso de domínio. É por isso que os objetivos são tão agradáveis de se perseguir: eles proporcionam "ordem à consciência", independente do sentimento, pode-se ver um objetivo realmente alcançado. Uma mente ordenada é uma fonte de felicidade.

Fluxo: complexidade e significado

Para evitar a falta de sentido, podemos dedicar nossa vida ao prazer, que geralmente termina em ruína ou entropia mental, ou ligar no piloto automático e tentar não pensar em todas as nossas possíveis escolhas de vida. Esta última possibilidade resulta em ceder o que quer que aconteça aos valores sociais do dia, deixando-nos sermos definidos mais como consumidores do que como pessoas.

Csikszentmihalyi acha Freud particularmente relevante nesse ponto. O "id" de Freud foi uma representação dos impulsos instintivos do corpo, enquanto seu "superego" representava o mundo externo para o qual o nosso sentido do eu pode ser moldado. O terceiro elemento de Freud na consciência, o ego, é a nossa parte que conseguiu ganhar um sentido autônomo do eu, apesar de nossos desejos corporais ou do ambiente. É aqui, deixando para trás o animal e a robótica, onde a humanidade deve ser encontrada. Uma pessoa que vive dentro dessa consciência o faz por vontade própria, e uma vez que o universo nunca facilita nada, essa pessoa deve se tornar cada vez mais complexa (não em termos de confusão, mas de ordem superior).

A pesquisa de Csikszentmihalyi estabeleceu um ponto fascinante sobre a experiência de fluxo: depois de cada instância, uma pessoa se torna mais do que era antes. Cada parte do conhecimento absorvido, cada nova melhoria de uma habilidade, aumenta o eu e o torna mais ordenado, formando, nas palavras do autor, "um indivíduo cada vez mais extraordinário".

É por isso que as oportunidades para criar o fluxo podem ser viciantes – a vida sem elas fica estática, chata e sem sentido. A felicidade e um sentido de significação podem, portanto, ser ampliados, diz o autor, ao fazer simplesmente mais daquilo que amamos fazer. A questão do "sentido da vida" não pode ser respondida no seu plano mais esotérico (isto é, por que tudo existe), mas pode ser respondida em um nível pessoal e subjetivo: o significado da vida é tudo o que é significativo para mim. A experiência de fluxo não precisa de uma explicação para aqueles que gostam dela; estamos simplesmente cientes de que ela nos proporciona as duas coisas vitais para a felicidade: um senso de propósito e autoconhecimento.

Uma cultura centrada no fluxo?

Com certeza, o fluxo nos faz sentir mais vivos, mas ele tem outro, talvez surpreendente, efeito: o crescimento da complexidade implica tanto na consciência de nossa singularidade concomitantemente a uma compreensão renovada de como nos encaixamos no mundo em relação aos relacionamentos que temos com outras pessoas. O fluxo nos reconecta com o mundo, assim como nos torna mais singulares.

Esse duplo efeito tem implicações tremendas em relação ao rejuvenescimento das comunidades e nações. O autor sugere que as nações e sociedades mais bem-sucedidas do século XXI serão aquelas que assegurarem que as pessoas tenham o máximo de oportunidades de envolvimento na atividade induzida ao fluxo. Ele se refere à inclusão da "busca pela felicidade" na Declaração Norte-Americana de Independência, uma aspiração previdente que, infelizmente, metamorfoseou-se em uma expectativa de que é função do governo proporcionar a felicidade.

Considerando que a busca por metas (ou viver para o futuro) é uma parte importante da cultura ocidental contemporânea, uma cultura centrada no fluxo iria restaurar a centralidade do presente que foi a marca registrada das sociedades caçadoras-coletoras, libertando-nos da tirania do relógio. Com o aumento da prosperidade, quanto mais a população estivesse engajada em fazer o que ama, mais a atitude em relação ao tempo mudaria. O tempo deixaria de ser enquadrado pelos padrões de trabalho de uma cultura industrial, com suas divisões nítidas entre "trabalho" e "lazer". Em vez disso, o tempo seria determinado pela atitude subjetiva dos indivíduos em relação às atividades em que estão envolvidos, ou seja, se a atividade está ou não induzindo ao fluxo.

Diz-se que a cultura ocidental contemporânea, e particularmente a norte-americana, é obcecada pela juventude, sendo uma das consequências o terrível medo do envelhecimento. No entanto, a pressão do passar do tempo é aliviada se estivermos realmente vivendo e nos divertindo no presente, em outras palavras, em um estado de fluxo. De acordo com o que o filósofo alemão Nietzsche disse, maturidade é "a redescoberta da seriedade que tínhamos quando criança – ao brincar".

Comentários finais

A teoria do fluxo tem um grande impacto desde que apareceu em revistas acadêmicas há trinta anos porque é uma metateoria, aplicável a praticamente qualquer tipo de atividade humana. Csikszentmihalyi a relaciona ao sexo, ao trabalho, à amizade, à solidão e à aprendizagem ao longo da vida. No entanto, as experiências de fluxo não podem ser impostas às pessoas. Como sempre, serão os indivíduos que conseguem gerar suas próprias experiências de fluxo que tenderão a ser mais felizes.

Nietzsche acreditava que a "vontade de poder" era a raiz da ação humana, mas a implicação da teoria do fluxo é que uma vontade de ordem é o que alimenta esta e outras motivações. Qualquer atividade que cria um senso ordenado do eu nos proporciona um sentimento de significado e um grau de felicidade. Uma vez que as possibilidades de como podemos viver a nossa própria vida se expandiram drasticamente, surgiu uma necessidade que aparentemente nos leva à direção oposta: a necessidade de criar um foco, ordem e disciplina na forma como encaramos a vida e no que escolhemos fazer com ela. A ligação não é óbvia e, ao chamar a atenção para isso, *A psicologia da felicidade* é uma obra justificadamente célebre.

Mihaly Csikszentmihalyi

O professor Csikszentmihalyi atua na Faculdade de Gestão Drucker, na Universidade de Claremont, Califórnia, tendo sido presidente do Departamento de Psicologia da Universidade de Chicago. É membro da Academia Americana de Artes e Ciências e já teve artigos publicados no *New York Times*, *Washington Post*, *Wired*, *Fast Company* e *Newsweek*. Bill Clinton nomeou-o como seu autor favorito.

Outros livros incluem *Optimal Experience: Psychological Studies of Flow* [Experiência ideal: a psicologia dos estudos do fluxo] (ensaios acadêmicos que foram precursores de *A psicologia da felicidade*) coeditado com a sua esposa Isabella (1988), *The Evolving*

Self: A Psychology for the Third Millennium [O eu evolutivo: uma psicologia para o terceiro milênio] (1993), *Living Well* [Vivendo bem] (1997) e *Creativity: Flow and the Psychology of Discovery and Invention* [Criatividade: o fluxo e a psicologia da descoberta e invenção] (1996). Ele também escreveu livros sobre a adolescência e sobre os efeitos da televisão em relação à qualidade de vida. Escreveu artigos sobre a filosofia de Teilhard de Chardin, pois ela se refere à evolução e ao progresso humano.

19 | Dalai Lama e Howard C. Cutler

1998

A ARTE DA FELICIDADE: UM MANUAL PARA A VIDA

"O Dalai Lama: 'Cada um de nós tem uma estrutura física, uma mente e emoções. Todos nascemos da mesma maneira, e todos morremos. Todos nós desejamos a felicidade e não queremos sofrer.'"

"Acredito que a utilização adequada do tempo é isto: se você puder, sirva outras pessoas, outros seres sencientes. Se não, abstenha-se, pelo menos, de prejudicá-los. Acho que isso representa toda a base da minha filosofia."

"Howard Cutler: 'Com o tempo, convenci-me de que Dalai Lama havia aprendido a viver com um sentimento de realização e um grau de serenidade que eu nunca tinha visto em outras pessoas [...] Embora ele seja um monge budista [...] comecei a me perguntar se alguém conseguiria identificar um conjunto das crenças ou práticas que também podem ser utilizadas por não budistas – práticas que poderiam ser aplicadas diretamente em nossa vida para nos ajudar a sermos mais felizes, fortes, e talvez menos medrosos.'"

Em poucas palavras

Alcançar a felicidade não deve depender de eventos. Por meio da prática mental podemos formar a capacidade de sermos felizes na maior parte do tempo.

Na mesma linha

O Dhammapada (p. 151)
Wayne Dyer, *A verdadeira magia* (p. 159)

Você já ouviu a história do psiquiatra que conheceu o monge budista? Normalmente esse seria o início de uma boa piada, talvez envolvendo um sofá e uma tigela usada para pedir esmolas. Nesse caso, ela forma a base de um livro. *A arte da felicidade* é o resultado da colaboração entre Howard Cutler, psiquiatra respeitado, e Sua Santidade o Dalai Lama. É uma mistura dos pensamentos de Dalai Lama sobre várias questões e de reflexões pessoais e científicas de Howard Cutler sobre essas questões.

Muitas pessoas fizeram objeções ao fato de o Dalai Lama ser apresentado como "coautor", quando, na verdade, ele não chegou a escrever nada, mas isso não importa quando se considera o resultado: um manual forte e incomum da felicidade baseado nas perguntas que qualquer um de nós poderia fazer se tivéssemos algumas horas com o próprio Dalai Lama.

A natureza e as fontes de felicidade

Cutler começou a trabalhar nesse livro com certas crenças derivadas de sua formação científica ocidental, como, por exemplo, a de que a felicidade é um mistério e que o máximo que podemos realmente esperar é evitar a miséria. Ao longo de muitas conversas, o Dalai Lama o convenceu de que a felicidade não é um luxo, mas o propósito de nossa existência – não só isso, há um caminho definido que nos leva em direção a ela. Primeiro temos de identificar os fatores que invariavelmente levam ao sofrimento e aqueles que levam à felicidade. Então devemos começar a eliminar os fatores que causam sofrimento e cultivar aqueles que causam felicidade.

Talvez a questão mais surpreendente em relação à felicidade é que sua realização é "científica" e requer disciplina. Cutler afirma isso assim:

> *"Percebi que, desde o início, nossas entrevistas haviam assumido um tom clínico, como se eu estivesse perguntando a ele sobre anatomia humana, só que, neste caso, era a anatomia da mente humana e do espírito."*

Abaixo estão alguns pontos do livro:

- A felicidade tem muitos níveis. No budismo há quatro fatores – riqueza, satisfação mundana, espiritualidade e iluminação – que criam "a totalidade da busca de um indivíduo pela felicidade". Ter boa saúde e um círculo de amigos próximos também é importante, mas a porta para todas essas coisas é o estado de espírito. Ele não só trabalha de modo a criar as experiências em nossa vida como também é o filtro por meio do qual as visualizamos. Sem uma mente disciplinada, não estamos realmente no controle dos nossos atos nem conseguimos ficar independentes de eventos se quisermos. A verdadeira fonte da felicidade é o controle da própria consciência. Uma mente calma, por exemplo, ou uma mente engajada em um trabalho significativo equivalem à felicidade.
- Um caminho básico para a felicidade é cultivar a afeição e a conexão com outros seres humanos. Mesmo se perdermos tudo, teremos isso. O Dalai Lama observa que, embora tenha perdido seu país, ele, de alguma forma, ganhou todo o mundo, porque tinha a habilidade de se relacionar com outras pessoas rapidamente. Procure sempre o que você tem em comum com os outros e nunca estará realmente sozinho.
- Não importa o quão poderoso eles pareçam, emoções negativas e estados de espírito não têm fundamento na realidade. São distorções que nos impedem de ver as coisas como elas realmente são. Só temos de vivenciar a vergonha ou o constrangimento uma vez que perdemos a calma de apreciá-la. Quando vivenciamos estados positivos, porém, estamos geralmente mais perto da verdadeira natureza do universo e de como poderíamos ser o tempo todo. Todas as emoções, se praticadas regularmente, crescem em tamanho. O Dalai Lama sugere continuamente que cultivemos o positivo – como qualquer bom hábito, você começa aos poucos, mas no final os benefícios são grandes.
- Um estado de espírito positivo não é apenas bom para você, ele beneficia a todos com quem você tem contato, mudando o

mundo. Não importa o quão difícil seja, reduza os estados negativos da mente e aumente os positivos.

- Praticar ações "saudáveis" em oposição a ações "não saudáveis" não é uma questão de moralidade ou religião, é a diferença prática entre felicidade e infelicidade. Por meio do autotreinamento, você pode desenvolver um "bom coração", que diminui as chances de agir de uma maneira improdutiva.
- Não confunda felicidade com prazer. O prazer diz respeito aos sentidos e pode se parecer com a felicidade, mas não tem significado. A felicidade, ao contrário, baseia-se no sentido e é frequentemente vivenciada independente de condições externas negativas. É estável e persistente. Enquanto os prazeres configuram um bônus na vida, a felicidade configura uma obrigação.
- Felicidade é algo a ser desenvolvido ao longo do tempo. Tome a decisão de aplicar o mesmo esforço e determinação dedicados ao sucesso mundano para o estudo e prática da felicidade. A busca sistemática pelas causas e formas de felicidade pode ser uma das decisões mais importantes na vida, como decidir se casar ou seguir uma carreira, diz Cutler. A alternativa é entrar e sair do estado de felicidade por acaso, estando vulnerável a ataques inesperados de infelicidade. A pessoa que estuda a felicidade vai experimentar altos e baixos, mas estará mais equipada para voltar a um estado positivo rapidamente, ou para elevar seu estado mental "normal" a um nível significantemente mais elevado.
- Com o tempo devemos tentar anular as emoções negativas, particularmente a raiva e o ódio, e substituí-las pela tolerância e pela paciência. A ideia do Dalai Lama de combater os pensamentos negativos com pensamentos positivos tem sido validada pelo surgimento e sucesso da terapia cognitiva (veja *Feeling Good*), que faz as pessoas substituírem os modos distorcidos de pensar (por exemplo, "minha vida é uma bagunça") por pensamentos mais precisos ("essa parte da minha vida não é boa, muitas outras são").

Compaixão e conexão

- A natureza fundamental do ser humano, sugere o Dalai Lama, é a gentileza. A Ciência e a Filosofia gostam de retratar os seres humanos como autointeressados, mas muitos estudos mostram que as pessoas gostam de ser altruístas, se tiverem a chance (por exemplo, nos esforços feitos em socorro). Podemos pensar em um bebê como o exemplo perfeito da humanidade vivendo apenas para sua própria necessidade fisiológica, mas outra forma de enxergar isso é em termos da alegria que os bebês dão àqueles ao seu redor. Quando vemos o mundo não com agressão, mas, basicamente, com compaixão, é fácil ver as provas.
- Compaixão é útil. Em vez de ser sentimental, ela é a base da comunicação bem realizada entre as pessoas. Ecoando Dale Carnegie, o Dalai Lama diz que somente ao ver e sentir coisas de outro ponto de vista é que um indivíduo será realmente capaz de se relacionar com elas. A compaixão não significa "sentir pena de alguém", mas reconhecer os pontos em comum – o que alguém sente hoje pode ser o que você sentirá na próxima semana.
- O Dalai Lama "nunca está sozinho". O antídoto para a solidão é estar preparado para se conectar com qualquer pessoa. Muitas das pessoas que se consideram seres solitários estão cercadas pela família e pelos amigos, ainda assim elas colocam todos os seus anseios na esperança de encontrar aquele "alguém especial". Abra os olhos para a riqueza das pessoas, diz ele, e a solidão pode ser algo do passado.
- Faça distinção entre o amor baseado no apego e o amor baseado na compaixão. Todos os seres humanos querem ser felizes e evitar sofrimento; em vez de amar uma pessoa apenas para que ela retribua esse amor, comece vendo a semelhança da condição humana e o que você pode fazer para aumentar a felicidade dessa pessoa em particular.
- Se deixar de cultivar a compaixão ou a capacidade de sentir o sofrimento dos outros, você perderá o sentido de fazer parte da raça humana, que é a fonte de calor e inspiração. Embora sentir a

dor do outro possa não parecer atraente, sem isso nos isolamos. Enquanto uma pessoa cruel nunca consegue relaxar direito, uma pessoa compassiva experimenta a liberdade de espírito e uma paz rara.

Comentários finais

Um efeito da leitura de *A arte da felicidade* é que nos deparamos fazendo a seguinte pergunta: "Como é que o Dalai Lama lidaria com essa situação?". Ele emite uma sensação de leveza da vida, apesar de todas as coisas negativas, e ele é uma pessoa que perdeu o próprio país.

Frente às perguntas de Cutler, é surpreendente como muitas vezes o Dalai Lama responde: "Eu não sei", particularmente quando se trata de indivíduos. As pessoas são complexas, ele diz, mas a maneira ocidental é a de sempre encontrar as causas para o que acontece, o que pode levar a um tipo de agonia caso não se descubra a resposta. Nós não necessariamente entendemos por que a vida caminha do jeito que caminha.

Esta visão vem em parte da crença que o Dalai Lama tem na reencarnação e no *karma*, mas pode ser apreciada de forma apartada da doutrina budista. Precisamente porque podemos não entender tudo sobre a nossa existência é que é mais importante sermos bons para os outros seres humanos e fazer do mundo um lugar um pouco melhor. Com esse simples comando sabemos que não temos como errar.

20 | Os ensinamentos de Buda

O *Dhammapada*

"Não é o perfume do sândalo, loureiro-rosa, flor de lótus azul e jasmim; muito acima do perfume dessas flores o perfume da virtude é supremo."

"Venha e olhe para este mundo. É como uma carruagem pintada de real na qual os tolos afundam. O sábio não está aprisionado nela."

"Aquele que na juventude foi imprudente, mas encontrou posteriormente a sabedoria, lança uma luz sobre o mundo como a luz da lua, quando livre de nuvens."

"Melhor do que cem anos sem ver o caminho supremo é um único dia da vida, quando se vê o caminho supremo."

Em poucas palavras

Refine e melhore a qualidade de seus pensamentos e terá pouco a temer do mundo.

Na mesma linha

Dalai Lama e Howard C. Cutler, *A arte da felicidade* (p. 145)
Lao Tzu, *Tao te ching* (p. 247)

Cansado dos livros modernos de autoajuda? *O Dhammapada* é uma antiga fonte de sabedoria e uma das obras verdadeiramente grandiosas da literatura espiritual. Também é a introdução perfeita ao pensamento budista, sendo um compêndio de inspiração de todos os principais temas no cânone sagrado do Budismo Theravada.

O título vem da palavra sânscrita *dharma* (*dhamma,* em pali), que significa simplesmente a forma do universo, o seu direito de ser, enquanto *pada*, em ambas as línguas, é um pé ou um passo. Dessa forma, o livro sagrado representa um guia para a forma universal de amor e verdade que pode nos levar ao nirvana ou à libertação pessoal, conforme Juan Mascaró diz em nota à sua tradução para a língua inglesa feita em 1973. *O Dhammapada* expressa tanto a lei do universo quanto a forma como podemos viver de acordo com ela enquanto caminharmos sobre a Terra.

Quem foi Buda?

Sidarta Gautama Buda viveu quinhentos anos antes de Jesus. "Buda" não é seu nome real, mas um título de honra. Ele era filho de um rei que governava um pequeno estado, que é hoje o Nepal, e se você já viu o filme *O pequeno Buda*, com Keanu Reeves ou *O iluminado*, terá uma ideia do luxo e da indolência que a realeza indiana apreciava.

No entanto, aos 29 anos, depois de olhar para fora dos muros do palácio e descobrir o quão miserável era a vida da maioria das pessoas, Sidarta fugiu para a floresta e passou anos como um eremita vestido em uma tanga. Foi sob o galho de uma árvore de *bodhi* (espécie de figueira sagrada) que ele alcançou a "iluminação". Diferente de Jesus, Buda viveu até a velhice, passando os 45 anos seguintes vagando pelo norte da Índia como um professor.

Por que Buda foi bem-sucedido?

Entre as centenas de crenças da época, a de Buda triunfou. Por quê? Buda procurou pessoas de todos os níveis da sociedade, tendo pouco respeito pelo sistema de castas e pela linguagem e cerimônia exclusivas do sacerdócio brâmane. Ele sabia que o poder havia sido corrompido e a religião que cresceu em torno dele era livre de qualquer tipo de dogma, e procurava eliminar as barreiras entre indivíduos e iluminação. Buda não era um deus, uma encarnação divina ou mesmo um profeta, por meio de sua própria dedicação, ele havia conseguido atingir a sabedoria perfeita e a pureza de espírito, estabelecendo, assim, um exemplo que possibilitava que qualquer pessoa o seguisse.

A disseminação do budismo também foi garantida pela identificação que o Mestre fez das práticas claras que prometiam banir o sofrimento para sempre. Isso foi obviamente uma ideia revolucionária, e ainda é – a promessa de uma vida sem dor continua exercendo um fascínio incrível. O estudioso budista Thomas Cleary acredita que Buda obteve sucesso porque seus ensinamentos se mantiveram fora do tempo e da cultura, captando, por sua vez, a natureza essencial da condição humana e da nossa relação com o universo.

O que diz o *Dhammapada*?

O *Dhammapada* é uma demonstração da atemporalidade e da acessibilidade do budismo. Tem capítulos, mas sem uma sequência óbvia. Você pode abri-lo em qualquer página e encontrar um pensamento inspirador que pode muito bem ter sido dito pelo próprio Buda, uma comunicação sagrada através dos tempos. Sugere-se que, enquanto o Novo Testamento tem a energia de um jovem que busca transformar o mundo, o *Dhammapada* carrega a sabedoria, a serenidade e a paciência de uma pessoa mais velha.

O livro abrange assuntos perenes, como o prazer, a felicidade e o mal por meio de palavras poéticas e, ao contrário de alguns escritos no budismo, não possui um estilo erudito e vai direto ao ponto. Como cada época e cultura o interpreta novamente, o livro não possui data. Veja a seguir alguns dos assuntos abordados no *Dhammapada*.

Felicidade

É nosso dever nos libertar do ódio, da doença e da inquietação. Isso não é para ser feito rejeitando o mundo, mas, sim, cultivando o amor, a saúde e a tranquilidade dentro dele. O estado ideal é "alimentar-se de alegria", que pode ser autogerada, que flui de uma fonte cada vez mais confiável; não será mais necessário confiar nos eventos e condições do mundo para ser feliz. Autossuficientes, vemos ambição e aquisição como rotas inferiores para a felicidade.

Desprendimento

A tristeza e o medo surgem do que nos é caro. Para alguém que pratica o desprendimento não há tristeza, então como poderia haver medo?

Como podemos não ter gostos e desgostos? Talvez seja impossível, mas devemos saber que desejos intensos têm um preço. Faz sentido que, se estivermos apegados a alguma coisa, tenhamos um medo presente de sua perda. Ao testemunhar a natureza transitória do mundo e aceitar o que nos é dado, podemos reduzir o apego e, portanto, o medo e a miséria.

Autodomínio

A disciplina é muito importante. Os versos a seguir falam por si só:

> *"Pela energia, vigilância, autocontrole e autodomínio, o sábio pode fazer uma ilha que não pode ser tomada por uma enchente". "Aquele que consegue ficar sozinho e descansar sozinho nunca se cansa de seu ótimo trabalho, ele consegue viver na alegria, quando senhor de si mesmo, às margens da floresta dos desejos."*

Iluminação

A ideia de deixar a vida normal para trás e se tornar um eremita pode às vezes parecer muito atraente! Mas o *Dhammapada* diz que se isolar é um sinal de egocentrismo e medo. É melhor lidar graciosamente com os desafios do trabalho e da vida familiar, pois por meio deles conseguimos nos tornar iluminados. Cleary diz que o ensino essencial do *Dhammapada* é "estar no mundo, mas não ser do mundo".

A retribuição e sua prevenção

As instruções a seguir são possivelmente as mais profundas em *Dhammapada*, com implicações para cada aspecto da vida e das relações humanas:

> *"O ódio não é conquistado pelo ódio: o ódio é conquistado pelo amor. Esta é uma lei eterna."*

> *"Vencer a raiva com a não raiva, vencer o mal com o bem. Vencer a miséria com a dádiva, vencer a mentira com a verdade."*

Observe que não há nada nessas declarações sobre não tomar nenhuma ação; elas simplesmente significam que tudo o que for feito deve ser conscientemente escolhido, não uma "resposta emocional".

Aceitar as críticas como um fato da vida

> *"Eles menosprezam aquele que permanece em silêncio, eles menosprezam aquele que fala muito e até menosprezam aquele que fala com moderação. Não existe ninguém no mundo inteiro que não seja depreciado."*

Não se pode agradar a todos! O principal é se concentrar no próprio trabalho e na integridade – ser independente da boa opinião dos outros.

O caminho

Há um mito de que o budismo é pessimista, o que vem do quinto verso no Capítulo 20, "O caminho". Uma tradução convencional seria: "Tudo é transitório, tudo é tristeza. Quando vemos isso, colocamo-nos acima de miséria. Este é o caminho claro". A cultura ocidental interpretou essas declarações como uma implicação de que a vida é sofrimento.

Na verdade, e conforme argumenta Cleary em sua tradução para a língua inglesa, o budismo é inerentemente otimista, pois acredita que um indivíduo, e a humanidade em geral, pode se elevar acima da loucura, do medo e da agressão.

"Quando enxergamos por meio da percepção que todos os estados condicionados são tristes, cansamo-nos da miséria; esse é o caminho para a pureza."

Se somos independentes da mente e não nos permitimos retirar reflexões robóticas do nosso meio ambiente, a vida não se igualará ao sofrimento. *Nirvana* não é a obliteração do mundo dos sentidos, mas é ser capaz de viver nele com total independência. Em pali, *nirvana* significa "extinção" – das aflições relacionadas à ganância, ao ódio, à vaidade, à ilusão, à dúvida e à opinião arbitrária.

As famosas "quatro declarações" são essenciais para o budismo porque são a receita para acabar com o sofrimento:

- Que a miséria ou a tristeza é um estado condicionado.
- Que ela tem uma causa.
- Que ela tem um fim.
- Que o caminho para o fim se dá por meio da prática do caminho óctuplo para o *nirvana*.

O caminho óctuplo envolve:

1. Percepção precisa.
2. Pensamento preciso.
3. Fala precisa.
4. Ação apropriada.
5. Forma adequada de ganhar a vida ("modo de vida correto").
6. Esforço preciso.
7. Atenção.
8. Meditação.

Comentários finais

É incrível pensar que uma pessoa possa pegar um livro de 2.500 anos de idade e ser instantaneamente renovada pelas ideias constantes na obra. Certamente os pensamentos de Buda não são só relevantes para o mundo atual, como também estão na moda. A falta de dogma e de ritual faz do budismo a religião perfeita para a vida contemporânea. Embora desenraizados da tradição, ainda queremos um nível de disciplina espiritual, e o livro vem com o mínimo de bagagem das principais religiões do mundo, com uma resistência interna ao fanatismo; nele você não costuma ouvir histórias de fundamentalistas budistas.

De alguma forma, esperamos que as verdades espirituais sejam complicadas, entendidas apenas por uma mente teológica afiada. Os dizeres de *Dhammapada* nos mostram o quão não intelectual é tudo ao nosso redor. O que pode parecer chavões vazios são instruções precisas para a melhor vida que se possa imaginar.

21 | Wayne Dyer

1992

A VERDADEIRA MAGIA: CRIANDO MILAGRES NA VIDA DIÁRIA

"Quando olho novamente para toda a tapeçaria da minha vida, consigo ver a partir da perspectiva do momento presente que todos os aspectos da minha vida foram necessários e perfeitos. Cada etapa levou eventualmente a um lugar mais alto, mesmo que essas etapas, muitas vezes, pareciam mais como obstáculos ou experiências dolorosas."

"Saiba que, se alguém passou de doente a saudável, de gordo a magro, de viciado a recuperado, de pobre a rico, de desajeitado a ágil, de triste a feliz, de descontente a realizado, essa capacidade faz parte da condição humana universal... E, mesmo que nunca tenha sido – como uma cura para a poliomielite antes de 1954 ou um passeio de avião em 1745 –, o fato de que um único indivíduo é capaz de concebê-la em sua mente configura tudo o que é necessário para a humanidade se abrir à possibilidade."

Em poucas palavras

Quando estamos alinhados com o nosso eu superior e propósito de vida, coisas milagrosas acontecem.

Na mesma linha

O *Bhagavad-Gita* (p. 45)
Deepak Chopra, *As sete leis espirituais do sucesso* (p. 115)
Louise Hay, *Você pode curar sua vida* (p. 215)
Pierre Teilhard de Chardin, *O fenômeno humano* (p. 345)

Wayne Dyer é um autor de *best-sellers* muito amado e também é orador produtivo que, com seu amigo Deepak Chopra e os gostos de Anthony Robbins, John Gray e James Redfield (autor de *A profecia celestina*), fez a transformação da vida um fenômeno contemporâneo massivo. O sucesso de *Seus pontos fracos* (1976) fez Dyer deixar a respeitável academia em prol do reino de programas de entrevistas e sessões de autógrafos. Se esse primeiro livro foi a leitura mais divertida do autor (o jogo com a palavra "erógena" é uma indicação), seu melhor e indiscutivelmente mais completo livro é *A verdadeira magia*. Cheio de ideias, é um guia de autorrealização para a vida, que toma emprestado livremente ideias dos melhores pensadores do Oriente e do Ocidente.

O que é a verdadeira magia?

Dyer emprestou a frase "verdadeira magia" de Harry Houdini, escapista húngaro famoso. No fim de sua carreira, Houdini admitiu que a maioria de seus feitos foi realizada por ilusão, mas os demais ele não conseguia nem explicar a si mesmo; ele chamou isso de "verdadeira magia". Para Dyer, verdadeira magia é a verdade paradoxal de que qualquer pessoa pode se tornar um mágico, um fabricante de milagres na vida cotidiana. Isso pode parecer absurdo, mas conforme Dyer, é simplesmente uma questão de mudar a maneira como definimos nossa existência. Ele cita Teilhard de Chardin: "Não somos seres humanos tendo uma experiência espiritual, somos seres espirituais tendo uma experiência humana".

O livro pega as "impossibilidades" da vida e, em vez de sugerir o simples estabelecimento de metas ou crenças, mostra como desenvolver "saberes" poderosos sobre quem somos e o que podemos fazer. Nesse estado de consciência superior, o propósito na vida torna-se claro; os relacionamentos, mais espirituais; os esforços de trabalho começam a "fluir" e decisões são tomadas com falicidade.

Na visão de Dyer, não há acidentes na vida. Cada experiência que temos, não importa quão dolorosa seja, leva-nos eventualmente a algo de valor maior. Ao olhar para trás, podemos ver que tudo fez sentido e era parte de um plano de desenvolvimento.

Iluminação por meio de propósito

O fio condutor de *A verdadeira magia* é a necessidade de tomarmos consciência do nosso propósito singular na vida. As pessoas aprendem, ou tornam-se "iluminadas", sobre a vida e sobre si mesmas de três maneiras principais:

- *Iluminação por meio do sofrimento.* Isso também pode ser chamado de o caminho "por que eu?". Os eventos ocorrem, o sofrimento acontece e algo é aprendido. Mas, quando o sofrimento é o nosso único professor, desligamos a possibilidade do miraculoso.
- *Iluminação por meio do resultado.* Nesse caminho, temos metas e ambições que dão sentido à vida. Embora superior à iluminação por meio do sofrimento, ainda devemos ser reativos e lutar, perdendo a consciência superior que cria a magia.
- *Iluminação por meio do propósito.* Tudo no universo tem um propósito, e, ao viver de acordo com o nosso verdadeiro propósito, começamos a caminhar ao lado dele, criando magicamente o que queremos em vez de lutar contra a vida.

Uma boa indicação de que temos "um propósito" é perder a noção do tempo enquanto fazemos uma tarefa ou também que, por ser tão prazeroso, continuaríamos fazendo a mesma coisa se ganhássemos dez milhões de reais amanhã. Dyer recorda a declaração de Montaigne, "A grande e gloriosa obra-prima do homem é viver com um propósito". Você está apenas vivo ou criando uma obra-prima?

Criando uma mentalidade voltada para o milagre

Além do propósito, criamos uma mentalidade voltada para o milagre:

- Contendo julgamentos ("não definimos as pessoas com nossos julgamentos; estes é que nos definem").
- Desenvolvendo intuição.
- Tendo ciência de que as intenções criam a nossa realidade.
- Rendendo-nos ao universo para que ele atenda nossas necessidades.

É particularmente importante a necessidade de separar o que fazemos de quaisquer recompensas que isso possa nos proporcionar. É difícil quando vivemos em uma cultura do querer, mas mesmo assim Dyer observa o dito estranho, mas verdadeiro de que a ambição só consegue morder as unhas do sucesso. Não podemos desejar que milagres aconteçam, mas devemos deixá-los fluir por meio de nós quando estivermos totalmente concentrados no que fazemos, não no que ele pode proporcionar. Tenha, de todas as formas, uma intenção descontraída em relação ao futuro e não deixe que ele interfira em sua tarefa no presente.

Propósito e relacionamentos

Propósito também se estende à nossa vida amorosa. Dyer diz que todos os nossos relacionamentos fazem parte de uma necessidade divina; eles são o que são, portanto tire o máximo de proveito deles. Parceiros espirituais vão além do que podem superficialmente ter em comum para enxergar que o relacionamento tem a ver com a evolução de suas almas. Com essa ideia básica, tratamos as pessoas como um presente, não como um bem móvel. Tentamos ser gentis, em vez de certos. Cedemos o máximo possível de espaço e tempo de que elas precisam, o que renova o relacionamento.

Por último, uma vez que sabemos que cada pessoa é um mistério maravilhoso, não temos mais de compreendê-las. "Honramos o incompreensível"!

Propósito e o eu próspero

Dyer é particularmente valioso em relação à prosperidade. Preocupamo-nos, principalmente, com o fato de termos ou não dinheiro, mas a concepção de Dyer é que não devemos tentar "conseguir" tudo: "Não há caminho para a prosperidade, a prosperidade é o caminho". A prosperidade é principalmente um estado de espírito, assim como a escassez. Não se trata de obter, mas de ser. A consciência da prosperidade baseia-se no conhecimento do quanto já temos em abundância; conforme uma passagem bíblica: "Àquele que tem, mais será dado".

Em contraste, a consciência da pobreza baseia-se em sentimentos de falta, que se manifestam em nossas circunstâncias. Dyer cita James Allen ao dizer que as circunstâncias não nos fazem, elas revelam-nos. Essa é obviamente uma área sensível, porque poderia significar que os pobres merecem sua situação. Mas Dyer faz uma distinção crucial: uma vez que a maioria passou pela experiência de ser partido ao meio, "pobre" passa a significar um conjunto de crenças que se fortalecem a cada vez que culpamos as "circunstâncias" pela nossa situação. Viver sem propósito é uma maneira de entrar no fluxo de prosperidade, já que envolve constante doação. Outra forma é doar automaticamente pelo menos 10% do que ganhamos, mesmo que isso não seja muito.

Quem eu deveria ser?

A verdadeira magia também abrange a identidade pessoal. O ponto principal é: enquanto não percebermos que nossa personalidade não está gravada, que podemos nos reinventar, não teremos uma vida cheia de magia. A intuição débil ou o incômodo interno acerca das possibilidades sabe mais sobre nós do que estamos dispostos a admitir – valorize isso e deixe-o crescer. Em vez de nos concentrarmos no que nos falta, esse crescimento deve vir de um conhecimento de que "já somos tudo isso". A reinvenção de nossa personalidade significa simplesmente expor mais do nosso grande e verdadeiro eu ao mundo.

Comentários finais

A verdadeira magia também tem capítulos excelentes sobre saúde física, "tornando-se um ser espiritual" e que ajudam a introduzir uma "revolução espiritual". Dyer tem o dom de falar sobre o não material sem soar demasiado sério ou místico. Ele se baseia em sua experiência com Psicoterapia, grandes personagens de religiões orientais e ocidentais, Filosofia e Física Quântica para provar suas afirmações, tudo isso ao mesmo tempo em que evita a intelectualidade.

A maneira singular que Dyer usa ao falar com o leitor fez dele um autor favorito para milhões de pessoas. As pessoas se identificam com Dyer porque ele conseguiu combinar o caminho espiritual com as exigências da vida familiar que nos tiram a paciência. De fato, em suas palestras públicas, ele é muito divertido e descontraído sobre o assunto; ele disse uma vez que sua filha adolescente estava recostada contra uma porta e disse: "Alguém na escola falou que o senhor escreveu um livro sobre paternidade. Fala que não é verdade!"

O segredo de Dyer é a meditação, e ele gosta de citar Pascal: "Todas as misérias do homem derivam de ele não ser capaz de sentar-se calmamente em uma sala sozinho". Se sentar quieto em uma sala sozinho parece uma tarefa impossível para você, uma boa sugestão seria ler esse livro.

Wayne Dyer

Nascido em 1940 em Detroit, Michigan, caçula de três filhos, Dyer passou muitos anos de sua infância em lares adotivos. Depois da escola, ele se alistou na Marinha dos Estados Unidos para prestar quatro anos de serviço, incluindo uma missão em Guam trabalhando como um criptógrafo. Após a faculdade, em Detroit, ele trabalhou como professor e fez mestrado em aconselhamento escolar, mas invejava a pequena quantidade de horas dos professores com os quais teve aula e, então, inscreveu-se no programa de doutorado em Psicoterapia.

Lecionou no Ensino Superior por seis anos, inclusive como professor associado da Universidade St. John, em Nova York; durante esse tempo, Dyer escreveu três livros. *Seus pontos fracos* foi escrito após a descoberta emocional do túmulo de seu pai (descrito em *Crer para ver*) em Biloxi, Mississippi. Ele passou um ano na estrada promovendo-o antes da obra ter se tornado um *best-seller*.

Dyer é famoso por ter vendido mais de 50 milhões de livros, com títulos que incluem *Pulling Your Own Strings* [Tome as rédeas da sua vida], *O que você realmente quer para seus filhos?*, *Crer para ver*, *Seu eu sagrado*, *Realize seu destino*, *Muitos mestres: sabedoria de diferentes épocas para a vida* (60 ensaios sobre as grandes figuras espirituais dos últimos 2.500 anos) e, mais recentemente, *There Is a Spiritual Solution to Every Problem* [Há uma solução espiritual para cada problema].

Dyer mantém uma ocupada agenda de palestras e é um corredor assíduo. É casado, tem oito filhos e mora na Flórida.

22 | Ralph Waldo Emerson

1841

AUTOCONFIANÇA

"Insista em si mesmo; nunca imite. Você pode apresentar seu próprio dom a cada momento com a força cumulativa do cultivo de uma vida inteira; mas do talento adotado de outra pessoa, você tem apenas meia possessão extemporânea. Que cada um pode fazer o melhor, ninguém além do seu Criador pode ensiná-lo [...] Onde está o mestre que poderia ter instruído Franklin, ou Washington, ou Bacon, ou Newton? [...] Faça aquilo que lhe foi designado, e não espere muito ou ouse demais."

"Repousamos no colo da imensa inteligência, que nos torna receptores de sua verdade e órgãos de sua atividade. Quando discernimos a justiça, quando discernimos a verdade, não fazemos nada sozinhos, permitimos apenas uma passagem para os feixes dessa imensa inteligência."

"A sociedade é uma empresa de capital aberto, na qual os membros concordam, para melhor garantir o seu pão a cada acionista, com a rendição à liberdade e à cultura do comedor. A virtude, na maioria dos pedidos, é a conformidade. Autoconfiança é a sua aversão. Ela não ama realidades e criadores, mas nomes e costumes. Quem quer ser um homem deve ser um não conformista."

Em poucas palavras
Independente da pressão, seja você mesmo.

Na mesma linha
O Bhagavad-Gita (p. 45)
Samuel Smiles, *Autoajuda* (p. 337)
Henry David Thoreau, *Walden* ou *A vida nos bosques* (p. 353)

Com apenas trinta páginas, "Autoconfiança" é o menor texto do livro *Ensaios: Primeira Série*. Tem as qualidades de um concentrado, talvez a própria essência do desenvolvimento pessoal, e suas ideias têm influenciado de forma imensurável. "Autoconfiança" foi uma das peças-chave da escrita que ajudou a esculpir a ética do individualismo norte-americano e faz parte do alicerce intelectual da escrita de autoajuda dos dias atuais.

Como um dos grandes filósofos e sábios da cultura ocidental, Emerson ainda é importante; na verdade, ele nunca foi tão relevante. O desejo de realizar o nosso potencial sempre fez parte da natureza humana; agora, no entanto, é provável que ele seja visto como um direito, não um desejo reluzente. Emerson chamou sua filosofia de idealismo, mas não era romântico, realista ou estéril. Pelo contrário, como diz Geldard em *The Vision of Emerson* [A visão de Emerson]: "Ele tem um toque de granito nela".

Para Emerson, a autoconfiança era mais do que a imagem de uma família esculpindo uma vida na fronteira. Embora ele admirasse a atitude "faça você mesmo" e se deliciasse com a natureza, a fronteira de Emerson, o lugar da verdadeira liberdade e oportunidade, era uma paisagem mental livre da mediocridade e da conformidade.

Singular e livre

Como seu amigo e protegido Henry David Thoreau (veja *Walden ou A vida nos bosques*), Emerson achou bobagem sair por aí tentando reformar e melhorar o mundo, até mesmo fazer doações para "boas causas", antes de termos encontrado o nosso lugar nele. Conforme sua célebre observação:

> *"Todos os homens se emplumam na melhoria da sociedade, e nenhum deles melhora."*

Se não pudéssemos examinar a nós mesmos e identificar o nosso verdadeiro chamado, não teríamos tanta utilidade. A falta de consciência nos moldaria rapidamente no formato de uma sociedade que pouco se importa com a beleza e a liberdade do indivíduo.

Esse é o caminho que a maioria segue, feliz em acompanhar, o programa da sociedade para ganhar em troca um nível de *status* e circunstâncias materiais razoáveis. Embora professemos o rompimento com as limitações, a realidade é o conforto na conformidade.

Mas por que deveríamos nos incomodar com esse rompimento? Por que arriscar a insegurança? Assim como uma formiga não pode apreciar o nível de vida do qual um ser humano pode desfrutar, a maioria de nós não sabe o que está perdendo se nunca olhar além do pequeno mundo em que vive. Tendemos a nos basear em coisas como sexo, sucesso no trabalho, comer e fazer compras para ter certeza daquele sentimento de estar vivo. Emerson enxergou através do véu do externo e aprendeu que são os domínios internos que revelam as verdadeiras riquezas, a paz e o poder. A única defesa adequada contra a conformidade entorpecente é encontrar e trilhar o caminho da unicidade. Em "Autoconfiança" há muitas indicações que levam a esse fim:

> *"Nós apenas nos exprimimos pela metade, e temos vergonha da ideia divina que cada um de nós representa."*

Ao expressar esta ideia divina, de que somos nós mesmos, os laços aparentemente fortes e necessários com a sociedade e com outras pessoas são desfeitos; não precisamos mais de aprovação para funcionar. Estamos na mesma posição de Martinho Lutero, que disse: "Aqui estou. Não posso renunciar"; este sou eu e o que significo.

O nosso primeiro dever não é, em última instância, para com a nossa família, trabalho ou país, mas somente aquilo que nos invoca a fazer ou ser. Muitas vezes, "dever" esconde uma falta de responsabilidade em assumir um caminho único. Podemos deixar um chamado de lado por alguns anos, fazendo escolhas de fontes óbvias de dinheiro ou satisfação, ou até mesmo uma situação mais confortável, mas isso acabará cobrando um preço.

Para Emerson, o gênio não era uma propriedade de grandes artistas e cientistas. As coisas genuínas que fazemos, aquelas que não se referem ao que os outros estão propensos a pensar, são fragmentos de gênio que devem ser expandidos para formar todos os dias da nossa vida. Apenas ao encontrar e expressar essa essência é que a verdadeira natureza de uma pessoa será revelada, ao passo que "sua conformidade não explica nada".

Clareza e conhecimento

Emerson foi fortemente influenciado pelos antigos textos religiosos do Oriente (*Upanixades*, *Vedas*, *O Bhagavad-Gita*). A filosofia desses textos é uma revelação da unicidade de todas as coisas; a vida é cheia de ilusões, e laços falsos nos impedem de estarmos reunidos com o que é eterno e imutável. Por meio da conscientização de nossos próprios processos de pensamento, podemos esperar limpar o nevoeiro do autoengano e da ilusão, o que chamamos atualmente de "concepção" de nossas vidas pela sociedade. Ser autoconfiante não significa não aceitar o que os outros dizem. Emerson não discorda do argumento de Thoreau de que Harvard, que ambos frequentaram, ensinou muitas disciplinas, mas não ensinou as raízes de nenhuma delas.

Emerson estava ciente de que a educação convencional não estava à altura desse trabalho de levantar o véu, porque ela lidava principalmente com a categorização individual. Atingiríamos a verdadeira consciência no pensamento meditativo que, em vez de trancafiar o conhecimento em compartimentos, se abriria para receber a completa e imutável sabedoria. A esse conhecimento primário Emerson deu o nome de intuição, enquanto que todo o ensino posterior era apenas instrução. Ele tentou nos fazer pensar duas vezes sobre depender só da força da nossa vontade. O pensamento meditativo, porque nos coloca em sintonia com as forças e leis universais, leva-nos a formas de ser e de fazer que são inerentemente certas e "bem-sucedidas".

O tesouro interior

As pessoas do tempo de Emerson o viram como sábio ou profeta, um homem com poucas falhas da natureza humana. Mas Emerson tinha, assim como qualquer pessoa, as esperanças, as elevações e os reveses dos quais a vida parece consistir. O que o fez se destacar foi a crença de que não tínhamos de ter uma vida emocional flutuante reagindo aos acontecimentos bons ou maus. Estas são as linhas finais de "Autoconfiança":

> *"A vitória política, um aumento nos aluguéis, a recuperação de uma doença ou o retorno de um amigo ausente, ou algum outro evento favorável, eleva o nosso espírito, e achamos que os dias bons estão se preparando para nós. Eu não acredito nisso. Nada pode nos trazer paz além de nós mesmos. Nada pode nos trazer paz além do triunfo dos princípios."*

Essa passagem fala ao coração da condição humana e às ideias sobre fortuna pelas quais vivemos. Emerson ainda acreditava que toda a felicidade era, em última instância, autogerada. Não era a natureza humana para ser permanentemente refém de eventos – somos perfeitamente capazes de exercer o distanciamento ou a transcendência.

Comentários finais

O leitor pode não encontrar leitura melhor que a de Emerson para ajudá-lo a dar um salto para a liberdade da autoconfiança. É difícil ler "Autoconfiança" somente como um trabalho histórico, porque somos facilmente arrastados para a órbita da pura responsabilidade e autoconsciência criada por Emerson, um mundo no qual não há desculpas, somente oportunidades.

A mensagem do autor é a de que o desejo de obter sucesso não se trata da nossa extrema vontade contra o universo. Em vez disso, ao nos tornarmos plenamente conscientes dos padrões e fluxo da natureza, tempo e espaço, ao trabalharmos com o grão do universo, seremos parte de um poder infinitamente maior. Os princípios sobre os quais ele falou na citação acima não são restritivos, mas sim a nossa resposta, criativa e consciente, para o mundo; a nossa vida deve refletir esse universo perfeito, em vez de ser moldada pelos retângulos e quadrados tortuosos da cultura. O indivíduo autoconfiante deve ser capaz de viver no mundo e melhorá-lo, e não ser apenas mais um produto dele.

Ralph Waldo Emerson

Nascido em 1803, em Boston, Emerson foi o segundo mais velho de oito filhos. Matriculado em Harvard aos quatorze anos, graduou-se quatro anos mais tarde com metade da classe. Depois de algum tempo como professor, ele estudou no Divinity College de Harvard, tornou-se um pastor unitarista e se casou, e logo sua esposa Ellen morrer de tuberculose. Após renunciar ao posto por causa de disputas doutrinárias, Emerson viajou para a Europa e conheceu Carlyle, Coleridge e Wordsworth.

Retornando para os Estados Unidos em 1835, estabeleceu-se em Concord e casou-se novamente, com Lydia Jackson, com quem teve cinco filhos. Em 1836, Emerson publicou *Natureza*, que estabeleceu os princípios transcendentalista; outros transcendentalistas foram Thoreau, Margaret Fuller, Amos Bronson Alcott, Elizabeth Peabody e Jones Muito. Nos dois anos seguintes, Emerson ministrou palestras polêmicas em Harvard; na primeira, afirmou a independência intelectual norte-americana da Europa; na segunda, atraiu a ira da instituição religiosa em seu pedido de independência de crença acima de todos os credos e igrejas.

Em 1841 e 1844, duas séries de ensaios foram publicadas, inclusive "Autoconfiança", "Leis Espirituais", "Compensação e Experiência" e, na década de 1850-1860, "Homens representativos", "Traços ingleses" e "A direção da vida". Emerson parou de escrever e ministrar palestras dez anos antes de sua morte, em 1882.

23 | Clarissa Pinkola Estés

1992
Mulheres que correm com os lobos

"A fauna silvestre e a Mulher Selvagem são espécies em risco de extinção. Observamos, ao longo dos séculos, a pilhagem, a redução do espaço e o esmagamento da natureza instintiva feminina. Durante longos períodos, ela foi mal gerida, à semelhança da fauna silvestre e das florestas virgens."

"Uma mulher saudável assemelha-se muito a um lobo; robusta, plena, com grande força vital, que dá a vida, que tem consciência do seu território, engenhosa, leal, que gosta de perambular. Entretanto, a separação da natureza selvagem faz com que a personalidade da mulher se torne mesquinha, parca, fantasmagórica, espectral... Quando a vida das mulheres está estagnada, ou cheia de tédio, já está na hora de a mulher selvática aflorar. Chegou a hora de a função criadora da psique fertilizar a aridez."

"A mulher moderna é um borrão de atividade. Ela sofre pressões no sentido de ser tudo para todos. A velha sabedoria há muito não se manifesta."

Em poucas palavras
Reconectar-se com a natureza selvagem não é uma indulgência insana, mas algo vital para a saúde mental e física.

Na mesma linha
Martha Beck, *Encontrando a sua estrela-guia* (p. 39)
Robert Bly, *João de Ferro* (p. 57)
Joseph Campbell e Bill Moyers, *O poder do mito* (p. 91)
James Hillman, *O código do ser* (p. 221)
Carol S. Pearson, *O herói interior* (p. 295)

A Psicologia moderna não cuida verdadeiramente do lado mais profundo da mulher; não fornece explicações verdadeiras para os anseios dela, não lança luz aos mistérios que ela carrega e não disponibiliza tempo para a mulher. Estés viveu na crença de que as velhas histórias de muitas tradições culturais podem reconectar as mulheres com sua alma e sua natureza selvagem. Ela é o que se conhece por *cantadora*, uma guardiã das histórias antigas.

O título do livro veio de estudo que a autora fez sobre lobos, um animal que ela percebeu ter muito em comum com as mulheres no que tange ao vigor, à natureza intuitiva e instintiva e a dificuldades. Como lobos, as mulheres têm sido demonizadas por qualquer sinal de vida selvagem e sua terra natal, cimentada; mas assim como muitas populações de lobos selvagens foram reestabelecidas, já é hora de as mulheres recuperarem o acesso aos seus espaços selvagens.

Mulheres que correm com os lobos é, sobretudo, um trabalho espetacular que deixou muitos outros para trás. Ele revolucionou a vida de muitas mulheres da mesma forma que *João de Ferro* fez com os homens. Com mitos e contos para cada aspecto concebível da vida, dizer apenas que é uma obra rica seria eufemismo. Só podemos pincelar o conteúdo, mas as duas histórias a seguir, extraídas do livro, conseguem dar uma ideia do que é obra.

A mulher-foca

> *Certa vez, em um lugar rude, um caçador passava com seu caiaque. Já era noite e ele ainda não havia encontrado nada. Ele chegou a uma enorme rocha manchada no mar e, à luz do luar, seu olhar captou movimentos extremamente graciosos naquela rocha. Ao se aproximar, ele viu um grupo de mulheres belíssimas, nuas como quando primeiramente conheceram este mundo; em sua solidão, ele vivia dores de amor e de saudade. O caçador viu uma pele de foca na beira da rocha e a roubou. Quando as mulheres vestiram suas peles e nadaram de volta para suas casas no mar, uma delas percebeu que estava sem sua pele. O homem pediu:*
> *– Mulher, case-se comigo. Sou um homem sozinho.*

Mas ela disse:
– Eu não posso me casar, sou de outra natureza, pertenço aos temeqvanek, que vivem lá embaixo.
– Seja minha esposa – insistiu ele – e em sete verões eu devolvo sua pele, e você poderá fazer o que quiser.
Relutante, a mulher-foca concordou.
Eles tiveram um filho muito amado, Ooruk, a quem ela ensinou todas as histórias sobre as criaturas do mar que ela conhecia. Mas depois de um tempo sua carne começou a secar, ela empalideceu e sua visão começou a escurecer. Chegou o dia em que ela pediu que seu marido devolvesse a pele que há muito havia roubado.
— Não — vociferou o marido. — você abandonaria seu filho e a mim?
Na noite em que Ooruk ouviu uma foca gigante chamando no vento, ele seguiu o chamado em direção ao mar. Nas rochas, ele encontrou uma pele de foca e, ao cheirá-la, percebeu que era de sua mãe. Ele a levou a pele para sua mãe, que ficou profundamente feliz e agradecida, e acabou levando-o com ela sob a água ao lugar onde ela apresentou o menino à foca gigante e a todas as outras. Ela recuperou sua cor e saúde, porque havia voltado para o seu lar. Ficou conhecida como a foca que ninguém poderia matar, Tanquigcaq, a foca sagrada. Depois de um tempo, ela teve de devolver seu filho à Terra, mas, em sua maturidade, ele foi muitas vezes visto comungando com uma foca especial perto do mar.

A foca, diz Estés, é um símbolo antigo e belo da alma selvagem. As focas sentem-se geralmente confortáveis com os seres humanos, mas como mulheres jovens ou inexperientes, elas às vezes não têm consciência do perigo apresentado pelos outros ou mesmo das intenções dos seres humanos. Todos, em algum momento, vamos vivenciar a "perda da nossa pele de foca", um roubo da inocência ou do espírito, um enfraquecimento da identidade. No momento em que acontece parece algo horrível ou, no mínimo, difícil, mas depois ouvimos pessoas dizendo que foi a melhor coisa que aconteceu com elas porque as ajudou a enxergar quem realmente são e o que a vida significa para elas. Essas experiências nos colocam em contato com coisas mais profundas.

A história evoca a dualidade entre o mundo "acima da água" da família e do trabalho e o mundo oceânico de pensamentos privados, emoções e desejos. A alma-lar não pode passar muito tempo ser sem visitada ou, como a mulher-foca, nossas personalidades secam e o corpo perde energia. Muitas mulheres perdem a sua "pele de foca" ao se doarem muito ou por serem demasiadamente perfeccionistas ou ambiciosas, pela insatisfação constante, ou pela falta de vontade de agir.

Todo o mundo quer um pouco da mulher moderna, mas tem de haver um ponto em que ela diz "não" e recupera sua pele de foca. Isso pode envolver qualquer coisa, de um fim de semana na floresta a uma noite com os amigos, ficar sozinha uma hora por dia, momento que ninguém pode fazer qualquer pedido. Algumas pessoas podem não entender tais ações, mas, em longo prazo, elas nos beneficiam tanto quanto a quem está ao nosso redor, e voltamos revigoradas e psiquicamente reabastecidas.

A mulher-esqueleto

Era uma vez um pescador ártico solitário que, um dia, achou que tivesse pego um peixe grande que iria impedi-lo de ter de caçar por um bom tempo. Ele ficou animado quando houve uma grande puxada nas redes, mas ficou chocado quando viu o que tinha puxado para cima: o esqueleto de uma mulher. A mulher havia sido jogada de um penhasco pelo próprio pai e atingido o fundo daquela extensão de mar. Apavorado com sua "pesca", o pescador tentou devolvê-la ao mar, mas o esqueleto voltou à vida e o perseguiu por todo o caminho de volta ao iglu onde ele morava. Ele teve pena dela e ajudou a limpá-la e a deixou descansar, antes de adormecer sozinho. À noite, ela viu uma lágrima rolar dos olhos do pescador e bebeu todas as lágrimas choradas pelo pescador, de tão sedenta que estava. Durante a noite, ela pegou o coração dele e o usou para fazê-la voltar à vida, em carne e osso. Como pessoa novamente, ela se arrastou para dentro do saco com ele. A partir de então, o casal sempre fora bem alimentado, graças às criaturas do mar, que a mulher conheceu quando estava no fundo do mar.

Estés vê essa história sob o ponto de vista dos relacionamentos. Quando estamos solteiros, procuramos alguém que nos ame o suficiente ou que tenha bastante dinheiro para que, como o pescador, "não tenhamos de caçar por um bom tempo". Estamos apenas procurando mais vida em nossa vida, algo agradável e divertido.

No entanto, assim que darmos uma boa olhada no que puxamos (talvez após a primeira fase de alvoroço), como o pescador tentamos "jogá-lo de volta". Percebemos que conseguimos mais do esperávamos, que isso está ficando sério. A outra pessoa deixa de significar algo bom para nós e se torna a mulher-esqueleto – o horror de se estabelecer, a mortalidade, o compromisso a longo prazo, altos e baixos, idade, fim da vida atual. No entanto, se tivermos sorte, o "esqueleto" não aceitará nossa rejeição e nos perseguirá até o nosso lar (nossos limites e inseguranças). Com o tempo percebemos que esse ser tem muito a oferecer, que é atraente mesmo sendo assustador; por algum motivo desejamos fazer algo por essa pessoa.

Em troca, o ser nos dá a abundância, mas de coisas e de fontes que não sabíamos que existiam.

A história da mulher-esqueleto fala sobre o que Estés chama de o ciclo "vida-morte-vida". Nas culturas modernas, temos pavor de qualquer tipo de morte, ao passo que, nas mais antigas, todo o mundo estava ciente de que uma nova vida viria acompanhada da morte. Quando nos coibimos de relacionamentos sérios, não é a outra pessoa que não conseguimos enfrentar, mas a falta de vontade de entrar no ciclo de respeito. Não vamos crescer nesse relacionamento, mas vamos procurar outro e, talvez, depois outro, de modo que só vivenciaremos uma alta continuidade da "vida". Isso faz a psique encolher. Toda relação possui muitos fins e começos, e o que para o nosso horror pode parecer o fim é muito mais provável que seja uma mudança necessária para que o relacionamento consiga se renovar.

Uma mulher, e também um homem, deve tornar-se consciente e abraçar voluntariamente o ciclo de vida-morte-vida se quiser estar em contato com sua natureza selvagem. Estés diz o seguinte sobre a mulher-esqueleto:

"Ela submerge, gostando ou não, pois sem isso não pode haver o conhecimento verdadeiro da vida, e sem esse conhecimento, não pode haver fidelidade, amor verdadeiro ou devoção real."

Comentários finais

A maioria das pessoas não lê esse livro como uma leitura normal. Você se verá lendo um capítulo em um momento e, em seguida, afastando-se da leitura para refletir sobre o que foi lido. É assim que deve ser. À primeira vista, o livro parece gigante (mais de quinhentas páginas), mas trate-o como uma família de vozes e escute-as uma a uma. Deixe-o afundar vagarosamente e começará a entender por que ele inspirou tanta gente, não apenas as mulheres.

Um último comentário. Você pode estar pensando: "Se eu abraçar a natureza selvagem que existe em mim, vou virar meu mundo e minha família de cabeça para baixo". Não é assim, Estés diz: "Fazer isso leva mais integridade à sua vida pessoal e à sua existência, porque você não estará tentando andar por aí disfarçado, não terá medo de ser um criador, um amante, alguém que persegue o que é certo, não terá medo de confiar em sua intuição, uma mulher verdadeiramente consciente de seu poder e em sintonia com a natureza. Todas essas coisas são um direito inato e não há nada a temer.

Clarissa Pinkola Estés

Adotada por imigrantes húngaros, perto da região dos Grandes Lagos em Michigan, Estés cresceu em meio à natureza e ouviu histórias de uma tradição oral e antiga. Possui uma mistura de raízes mexicanas e espanholas.

Estés é doutora em etnopsicologia clínica, ou o estudo de tribos e grupos, e é psicanalista junguiana. Ela também é uma poetisa de renome.

A escrita de *Mulheres que correm com os lobos* teve início em 1971 e as histórias foram coletadas em toda a América do Norte. Outros livros incluem *O dom da história* e *O jardineiro que tinha fé*, todos baseados em suas experiências de infância.

24 | Viktor Frankl

1959
Em busca de sentido

"Em alguns momentos, decisões relâmpago precisaram ser tomadas, decisões que significaram vida ou morte. O prisioneiro teria preferido deixar que o destino fizesse a escolha por ele. Essa fuga do compromisso ficou mais aparente quando um prisioneiro teve de tomar a decisão a favor ou contra uma tentativa de fuga. Naqueles momentos em que teve de se decidir – e era sempre uma questão de minutos – ele sofreu as torturas do inferno."

"Ficamos gratos com a menor das misericórdias. Ficamos felizes quando não havia tempo de pegar piolhos antes de irmos dormir, embora isso por si só não fosse prazer algum, pois significava ficar parado nu em uma cabana sem aquecimento, onde pingentes de gelo se encontravam pendurados no teto."

"Se alguém tivesse visto nosso rosto na jornada de Auschwitz em direção a um campo bávaro da forma como contemplamos as montanhas de Salzburg, com seus topos brilhando à luz do Sol, através das janelas enquadradas com barras de ferro daquela prisão com quatro rodas, tal pessoa nunca teria acreditado que aqueles foram os rostos de homens que tinham perdido toda e qualquer esperança de vida e de liberdade. Apesar disso – ou talvez por causa disso – fomos tocados pela beleza da natureza, que há muito havíamos perdido."

Em poucas palavras
O significado da vida é aquele que você decide dar.

Na mesma linha
Boécio, *A consolação da filosofia* (p. 65)

A esposa, o pai, a mãe e o irmão de Viktor Frankl morreram nos campos de concentração da Alemanha nazista. Somente sua irmã sobreviveu. Suportando fome, frio e brutalidade extremos, primeiro em Auschwitz e depois em Dachau, o próprio Frankl estava sob ameaça constante de ser levado para as câmaras de gás. Ele perdeu todos os pertences físicos em seu primeiro dia no campo de concentração e foi forçado a entregar um manuscrito científico que considerava ser o trabalho de sua vida.

Essa é uma história, se alguma vez houve uma, que poderia apresentar uma boa desculpa a alguém que acredita que a vida não tem sentido e que o suicídio é uma opção razoável. No entanto, tendo atingido o fundo do poço, Frankl emergiu otimista. Seu argumento era de que, mesmo nas circunstâncias mais terríveis, as pessoas ainda têm a liberdade de escolher como ver as próprias circunstâncias e criar significado a partir delas. Gordon Allport observa, em seu prefácio à terceira edição, que isso representa o que os estoicos antigos chamavam de "liberdade definitiva". O mal da tortura não é tanto o tormento físico, mas a tentativa ativa de extinguir a liberdade.

Redefinindo a realização humana

Frankl tinha como uma de suas frases favoritas uma passagem de Nietzsche: "Aquele que tem um motivo para viver consegue suportar praticamente tudo". Os fragmentos mais importantes desse clássico são as lembranças expostas por Frankl dos pensamentos que lhe deram vontade de viver. Imagens mentais de sua esposa propiciando a única luz nos dias sombrios do campo de concentração, e há uma bela cena que, quando ele está pensando nela com tanta intensidade e um pássaro salta em um monte em frente a ele, parece ser a própria encarnação de sua esposa. Ele também imaginou sua vida após a libertação, em salas de aula, contando às pessoas algo que nunca deveria acontecer outra vez. Isso foi uma profecia. Finalmente, surgiu o desejo de fazer anotações do que se lembrava de seu manuscrito perdido.

Os homens que haviam desistido, em contrapartida, poderiam ser reconhecidos porque fumavam seus últimos cigarros, o que poderia ter sido trocado por um pouco de comida. Esses homens tinham decidido que a vida não guardava mais nada para eles. No entanto, Frankl viu tal pensamento como um erro terrível. Não estamos aqui para julgar a vida de acordo com o que esperávamos dela, e sim com o que recebemos. Em vez disso, ele percebeu, devemos tomar a coragem de perguntar o que a vida espera de nós, dia a dia. Nossa tarefa não é apenas sobreviver, mas encontrar a verdade específica a cada um e a nossa situação, o que por vezes pode apenas ser revelado no pior dos sofrimentos. De fato, Frankl afirma que "em vez de ser um sintoma da neurose, o sofrimento pode muito bem ser uma conquista humana".

O impacto do livro

Em busca de sentido já vendeu mais de nove milhões de cópias e foi traduzido para 24 idiomas. Foi eleito um dos dez livros mais influentes nos Estados Unidos pela Biblioteca do Congresso do país. No entanto, Frankl, que originalmente queria ver seu livro publicado com apenas seu número de prisioneiro na capa, afirmou que não viu o trabalho como uma grande conquista. O sucesso da obra foi "uma expressão da miséria do nosso tempo", revelando a fome voraz por uma existência significativa.

Além da condição de *best-seller*, *Em busca de sentido* tem exercido grande influência sobre os principais escritores de autoajuda. A ênfase na responsabilidade que encontramos em *Os 7 hábitos das pessoas altamente eficazes* de Covey, por exemplo, foi diretamente inspirada por Frankl, e a obra é referenciada em diversos livros abordados neste volume.

A edição de 2011 (tradução de Walter O. Schlupp e Carlos C. Avelini) tem três partes: o autobiográfico "Em busca de sentido"; um ensaio teórico chamado "Conceitos fundamentais de logoterapia" (1962); e uma peça intitulada "A tese do otimismo trágico" (1984). Com essa estrutura, a história pessoal prende o leitor e o conduz pelas implicações intelectuais da obra.

A vontade para o significado e logoterapia

O que é surpreendente nas experiências de Frankl é que elas o fizeram experimentar as ideias que, como médico antes da eclosão da Segunda Guerra Mundial, ele havia teorizado. A teoria e a prática se tornaram a Terceira Escola Vienense de Psicoterapia, a Logoterapia (do grego *logos*, "significado"), seguindo a Psicanálise freudiana e a Psicologia individual de Adler. Enquanto que a Psicanálise exige introspecção e egocentrismo para revelar a base da neurose de alguém, a logoterapia tenta tirar a pessoa de seu casulo e fazê-la ver a própria vida por uma perspectiva mais ampla. Onde a Psicanálise se concentra na "vontade de prazer" e a Psicologia adleriana na "vontade de poder", a logoterapia vê a força motivadora primordial no ser humano como uma "vontade de significado".

Frankl recorda a visita de um diplomata norte-americano, que havia passado cinco anos em psicanálise, ao escritório em Viena. Descontente com seu trabalho e desconfortável com a implementação da política externa dos Estados Unidos, o analista do diplomata havia colocado a culpa no relacionamento dele com o pai: o governo dos Estados Unidos representava a imagem do pai e, portanto, o objeto superficial de sua angústia, mas a verdadeira questão eram os sentimentos que aquele homem tinha pelo pai biológico. Frankl, entretanto, simplesmente diagnosticou uma falta de propósito no trabalho do homem e sugeriu uma mudança de carreira. O diplomata aceitou o conselho e nunca mais olhou para trás.

A moral da história é que, na logoterapia, a angústia existencial não é neurose ou doença mental, mas um sinal de que estamos nos tornando mais humanos no desejo por um significado. Em contraste com Freud ou Adler, Frankl optou por não ver a vida simplesmente como a satisfação dos instintos, ou mesmo como tornar-se uma pessoa "bem ajustada" à sociedade. Em vez disso, ele (e a Psicologia humanista no geral; por exemplo, Abraham Maslow e Carl Rogers) acreditava que a característica marcante dos seres humanos é o livre-arbítrio.

Fontes de significado

A logoterapia afirma que a saúde mental surge quando aprendemos a fechar a lacuna entre o que somos e o que poderíamos nos tornar. Mas se ainda não conseguimos identificar o que poderíamos nos tornar? Frankl observou que o homem moderno tem demasiada liberdade com a qual lidar. Não vivemos mais pelo instinto, mas a tradição não configura mais uma orientação. Isso é o vazio existencial, em que a vontade frustrada de significado é compensada na ânsia por dinheiro, sexo, entretenimento e até mesmo pela violência. Não estamos abertos às diversas fontes de significado, que, de acordo com Frankl, são:

1. Criar uma obra ou um feito.
2. Vivenciar algo ou encontrar alguém (amor).
3. A atitude que tomamos perante o sofrimento inevitável.

O primeiro é uma fonte clássica, definida como "propósito de vida" na literatura de autoajuda. Nossa cultura espera felicidade, mas Frankl diz que a felicidade não é algo que devemos procurar diretamente. Ele a define como um subproduto do "nos esquecer" em uma tarefa que recorre a toda a nossa imaginação e talentos.

O segundo é importante porque torna a experiência (interna e externa) uma alternativa legítima à conquista de uma sociedade construída em torno do ato de realizar algo. O terceiro dá um significado ao sofrimento, mas qual? Frankl admite que nunca saberemos, ou pelo menos não até muito tempo de vida. Só porque não compreendemos o significado, não significa que ele não exista.

Para as pessoas que dizem que a vida não tem sentido porque é algo transitório, a resposta de Frankl é que "somente a não realização do potencial não carrega um sentido, não a vida em si". A nossa cultura adora a jovialidade, embora a idade é que deve ser admirada, uma vez que a pessoa mais velha já amou, sofreu e realizou muita coisa. A realização do potencial próprio, ainda que humilde, fará uma marca permanente na história do mundo, e a decisão de fazer esta marca define a responsabilidade. Liberdade é apenas metade da equação. A outra metade é a responsabilidade de como agir em relação a ela.

Comentários finais

Se houver um fio condutor que percorre a escrita de desenvolvimento pessoal, é uma crença na mutabilidade do indivíduo. O determinismo, por outro lado, diz que nunca conseguiremos nos elevar acima de nossa infância ou das características genéticas. Freud acreditava que, se um grupo de pessoas fosse privado de alimento, as diferenças individuais diminuiriam para dar lugar a um desejo único e massivo. Mas a experiência de Frankl no campo de concentração mostrou, por vezes, o contrário. A fome, a tortura e a imundície serviram para dessensibilizar os presos, mas apesar de serem tratados como animais, muitos de alguma forma evitaram um comportamento de manada. Nunca conseguiremos prever o comportamento de um indivíduo e podemos fazer algumas generalizações sobre o que significa ser humano:

> *"Nossa geração é realista porque chegamos a conhecer o ser humano como ele de fato é. Afinal, ele é aquele ser que inventou as câmaras de gás de Auschwitz; mas também é aquele ser que entrou naquelas câmaras de gás de cabeça erguida, tendo nos lábios o Pai-Nosso ou o Shemá Israel."*

O que torna os seres humanos diferentes como espécie é o fato de podermos viver de ideais e valores. Como pessoa, conforme observado por Frankl, você seria capaz de manter a cabeça erguida ao entrar em uma câmara de gás? Consciente de que a maioria nunca sequer chegaria perto de tal destino, Frankl usou isso como ponto de referência, um símbolo da responsabilidade pessoal que pode guiar as decisões que tomamos em nossa vida diária. Independente das circunstâncias, ele diz em seu livro, podemos ser livres.

Viktor Frankl

Frankl nasceu em 1905, em Viena. Antes da Segunda Guerra Mundial, obteve dois doutorados em Medicina e Filosofia na Universidade de Viena. Durante a guerra, passou três anos em Auschwitz, Dachau e outros campos de concentração. *Em busca de sentido* foi escrito no retorno de Frankl a Viena após sua libertação, e foi ditado ao longo de nove dias.

Frankl passou os anos seguintes como chefe do departamento de Neurologia na Policlínica de Viena, mas em 1960 ele se mudou para os Estados Unidos. Foi professor convidado em Harvard e outras universidades americanas e empreendeu mais de cinquenta viagens pelos Estados Unidos para palestrar. Foi por toda a vida um alpinista apaixonado.

Frankl escreveu mais de trinta livros, incluindo *A questão do sentido em psicoterapia*, *A presença ignorada de Deus*, e no ano de sua morte publicou uma autobiografia, *O que não está escrito nos meus livros*. Houve pelo menos 145 livros e mais de 1.400 artigos de periódicos escritos sobre Frankl e sobre a logoterapia, e o próprio Frankl recebeu 28 títulos honorários.

Ele morreu em 1997, na mesma semana em que morreram Madre Teresa e Princesa Diana.

25 | Benjamin Franklin

1790
AUTOBIOGRAFIA

"E a magnitude do empreendimento não me desencorajou, porque sempre pensei que um homem de habilidades toleráveis consegue operar grandes mudanças e realizar grandes feitos entre a humanidade, se ele primeiro fizer um bom plano, e, podando todos os divertimentos ou outros trabalhos que desviariam sua atenção, se fizer da execução desse mesmo plano seu único estudo e negócio."

"Quando outra pessoa afirmou algo que pensei ser um erro, neguei-me o prazer de contradizê-la de forma abrupta e de lhe mostrar imediatamente alguns absurdos em sua proposição; em resposta, comecei por observar que em certos casos ou circunstâncias a opinião dessa pessoa estaria certa, mas que no caso em questão aquilo se mostrava ou parecia para mim algo diferente etc. logo descobri a vantagem dessa mudança nos meus modos. As conversas nas quais me engajei fluíram mais agradavelmente."

Em poucas palavras
O autoaperfeiçoamento constante e o amor pelo aprendizado formam seu bilhete de entrada para um sucesso raro.

Na mesma linha
Stephen Covey, *Os 7 hábitos das pessoas altamente eficazes* (p. 129)
Samuel Smiles, *Autoajuda* (p. 337)

Benjamin Franklin é conhecido como uma figura histórica por seu papel na Revolução Norte-Americana e experimentos com eletricidade. Mas, o estudioso em Franklin, Ormond Seavey, observa, em sua introdução ao *Autobiografia*, que a grande influência dessa figura sobre os assuntos do Ocidente do século XVIII no mundo dos negócios, política e ciência foi construída com base em sua habilidade como escritor. Nos livros de história, ele se destaca como um corredator da Declaração de Independência e da Constituição Norte-Americana, mas a *Autobiografia* foi elogiada pelo biógrafo Richard Amacher como sendo "O primeiro grande livro escrito nos Estados Unidos".

A obra ajudou a criar a forma literária moderna da autobiografia e é um *best-seller* há dois séculos, apesar do fato de nunca ter sido finalizada ou devidamente editada. A atitude de Franklin em relação ao trabalho escrito resume-se a um de seus próprios aforismos:

> *"Se não quiser cair no esquecimento assim que morrer ou apodrecer, escreva coisas que valem a pena ser lidas ou faça coisas que mereçam ser escritas."*

O livro

Autobiografia não foi uma crônica sobre o brilhantismo de Franklin; a ideia era mostrar como a vida e o caráter de uma pessoa poderiam se tornar algo nobre por meio de constante autoavaliação. Franklin, como cientista, escreveu-a quase como se fosse um relatório sobre os fracassos e sucessos dos experimentos em vida.

Em nenhum momento ele fez qualquer tipo de alegação sobre o domínio especial de como viver a vida, mas estava empenhado em encontrar uma fórmula que poderia garantir a uma pessoa um pouco de sucesso. Essa motivação torna *Autobiografia* um clássico original de autoajuda.

Franklin nunca tentou mostrar superioridade; ele falou diretamente com o leitor e recheou o livro com um humor sutil, imprimindo na obra a sensação íntima de uma conversa ao pé da lareira. A primeira parte detalha experiências com a família, amigos, chefes e colegas de trabalho, além de viagens e tentativas de iniciar novos negócios. O leitor de hoje se identificará e enxergará uma relação com todas essas experiências.

Criando o melhor eu possível

Franklin acreditava que a virtude em si tinha um valor, fosse ou não para a glória de Deus. Foi criado no puritanismo e permanece fiel a essa religião culturalmente, fazendo sempre uma autoanálise e autoaperfeiçoamento. Em seu famoso livro *A ética protestante e o espírito do capitalismo*, Max Weber nomeia Franklin como um expoente-chave dessa ética. Franklin foi um tipógrafo por ofício e acreditava que o caráter era o resultado de corrigir a "errata" que nos impede de atingir a perfeição. A vida não é uma experiência pela qual devemos passar sofrendo, mas algo maduro para infinitas correções.

É por isso que Franklin é produtivo na literatura de autoajuda – ele desconsiderou qualquer concepção religiosa de que somos naturalmente pessoas boas ou más; em vez disso, viu os seres humanos como quadros em branco projetados para o sucesso. Seavey observa que "sempre foi natural para Franklin tentar uma nova identidade, como se estivesse vestindo roupas novas". Ele era verdadeiramente moderno ao ver que o indivíduo não era, definitivamente, uma proposição fixa, mas, sim, uma autocriação.

A lei de Franklin para o constante autoaperfeiçoamento

Franklin escreveu *Autobiografia* quando velho, já considerado um grande homem. Ele tinha chegado a Filadélfia de Boston com alguns centavos e três pães, dois dos quais, caracteristicamente, ele deu a uma mulher necessitada. Instintivamente sabendo que o domínio das palavras seria o seu bilhete de saída da mediocridade, iria persuadir um amigo que trabalhava em uma livraria a "emprestar" a ele livros durante a noite, devorando-os entre o término de um dia de trabalho e o começo de outro. Franklin teria concordado com a frase "líderes são leitores": leia pelo menos uma dúzia de livros de não ficção por ano e sua vida será imensamente enriquecida e melhorada.

No entanto, quando jovem, Franklin nunca sonhou em se tornar um líder da independência ou embaixador na França. O leitor dessa autobiografia não deve se apegar às realizações reais do autor, elas são menos importantes do que os esforços para alcançar o autodomínio que ele descreveu. A mensagem de Franklin é atemporal: a grandeza não é para poucos, mas é dever de todos nós. Proclamamos não sermos tão especiais, não termos talento ou motivo, mas Franklin sabia que uma ética do constante autoaperfeiçoamento era o fermento que faz um indivíduo crescer.

Franklin e a ética da autoajuda

O famoso exemplo da ética da autoajuda de Franklin é o que ficou conhecido como "O caminho para a prosperidade", no qual ele listou as doze qualidades que pretendia ter.

Por um sistema de gráficos e autoavaliação diária, ele alegou ter alcançado (a maioria das) virtudes desejadas, tendo alguma dificuldade com a Ordem, ou o que podemos agora chamar de gerenciamento de tempo. Mas, percebendo que estava muito orgulhoso por ter vivido pelos próprios padrões, ele criou treze. Humilde, não?!

1. *Moderação.* Não coma até se fartar. Não beba até ficar bêbado.
2. *Silêncio.* Fale somente o que pode beneficiar os outros ou a si mesmo. Evite conversas triviais.
3. *Ordem.* Permita que todas as suas coisas tenham lugar certo. Que cada parte de seu negócio tenha o próprio tempo.
4. *Resolução.* Resolva fazer o que deve. Execute sem falhas o que você resolver.
5. *Frugalidade.* Gaste somente o que fará o bem aos outros ou a si mesmo, ou seja, nada de desperdício.
6. *Indústria.* Não perca tempo. Esteja sempre empregado em algo útil. Exclua todas as ações desnecessárias.
7. *Sinceridade.* Não engane. Pense inocente e justamente; se falar, fale em conformidade com esse preceito.

8. *Justiça.* Não fale mal aos outros por meio de injúrias ou pela omissão dos benefícios que configuram o seu dever.
9. *Moderação.* Evite os extremos. Ressinta-se por algum tipo de injúria somente o quanto considerar que ela merece.
10. *Higiene.* Não tolere nenhuma impureza no corpo, roupas ou habitação.
11. *Tranquilidade.* Não se deixe perturbar com ninharias ou com acidentes comuns ou inevitáveis.
12. *Simplicidade.* Seja raramente indulgente, com exceção da saúde ou filhos; nunca seja indulgente com a preguiça, fraqueza ou injúria à sua paz ou reputação, ou à de outra pessoa.
13. *Humildade.* Imite Jesus e Sócrates.

Franklin também defendeu o uso de uma "questão matinal" – "Que boa ação farei hoje?" – e uma "questão noturna" – "Que boa ação fiz hoje?"

Autobiografia tem exercido grande influência sobre a escrita de autoajuda. O *best-seller* de Anthony Robbins, *Desperte o gigante interior*, recomenda colocar essas questões em prática como parte de um ritual diário de sucesso. A ideia um pouco bizarra de Franklin de escrever o próprio epitáfio antes de morrer, a fim de ter o controle sobre o que fazer nele, é agora uma técnica estabelecida de autoaperfeiçoamento. Stephen Covey (*Os 7 hábitos das pessoas altamente eficazes*) não esconde sua dívida para com Franklin, cuja vida ele descreve como "a história do esforço heroico de uma pessoa para tornar os princípios a base da existência". Essa atenção ao caráter, em vez de foco nas técnicas de personalidade, é a base dos sete hábitos de Covey.

O segredo da influência

Finalmente, a habilidade inerente que Franklin tem para fazer amigos e influenciar pessoas não escapou à atenção de Dale Carnegie. Quando jovem, Franklin acreditava ser altamente qualificado em retórica, mas chegou à conclusão de que essa "habilidade" era, na verdade, como um barreira para a conclusão das coisas. Ele desenvolveu o hábito de somente, e sempre, expressar-se em termos de "desconfiança modesta", e nunca usar palavras como "sem dúvida" ou tentar corrigir as pessoas. Em vez disso, ele usou frases mais contidas como "Parece-me..." ou "Se eu não me engano...". O resultado foi que, mesmo não sendo um grande orador, as pessoas focavam nas ideias que ele tinha e ele, por sua vez, foi ganhando credibilidade rapidamente.

Comentários finais

A *Autobiografia* de Franklin é uma história de esforço próprio e conquista que representa a liberdade para criar e prosperar que é, por sua vez, a essência dos princípios norte-americanos. No entanto, dado o grande senso de humor do autor, suas qualidades de camaleão e sua habilidade de autopromoção, seria ingênuo afirmar que *The Art of Virtue* [A arte da virtude] ou *Autobiografia* é religioso. Reverência não é um traço muito "frankliniano".

Ele não faria prescrições sem críticas. Thoreau acreditava que os livros foram feitos para uma corrida contra o tempo em busca da riqueza, nunca parando para apreciar a natureza ou o momento. O estudioso especialista em Franklin, Russel B. Nye, nomeou o tema do autor de "o primeiro apóstolo da frugalidade e padroeiro de contas poupança". Esse comentário foi provavelmente mais dirigido às coleções de aforismos que Franklin apresentou sobre dinheiro e economia, *The Way to Wealth*. A vida desse homem, porém, não se encaixava na imagem do puritanismo avarento, pois é óbvio que ele viveu com brio. Franklin estimava que a ética da autoajuda não se tratava de um esforço diligente, mas do entusiasmo com a perspectiva de uma vida mais rica.

Benjamin Franklin

Benjamin Franklin nasceu em Boston, em 1706, filho de um comerciante e o mais novo de dezessete filhos. Teve educação formal até os dez anos de idade. Dos doze aos dezessete anos, foi aprendiz de tipógrafo com seu irmão – que produziu um dos primeiros jornais dos Estados Unidos – antes de se estabelecer na Filadélfia. Ele acabou montando sua própria gráfica e, perto dos trinta anos, já publicava *Poor Richard's Almanacks* [Almanaques do pobre Richard], uma mistura de informações práticas com aforismos, muitos dos quais ainda estão em uso. Aos 42 anos, ele já era rico o suficiente para se aposentar, mas assumiu projetos civis e experimentos com eletricidade, inventando o para-raios.

A liderança do partido de Franklin na Assembleia da Pensilvânia o levou ao envolvimento nas negociações entre a Grã-Bretanha e a América colonial, e ele serviu em uma comissão que redigiu a Declaração da Independência. Nomeado embaixador americano na França aos 69 anos, durante uma década naquele posto, Franklin negociou a ajuda da França aos Estados Unidos e um acordo de paz com a Grã-Bretanha. Ele foi apontado como um delegado à Convenção Constitucional de 1787.

Quando morreu, em 1790, Franklin foi sem dúvida o norte-americano mais famoso do mundo. O livro *Autobiografia* foi então publicado, mas só tratava da vida de Franklin até o ano de 1758. A obra tinha sido escrita em partes entre 1771 e 1790, enquanto ele vivia na França.

Franklin foi chamado de o primeiro empresário dos Estados Unidos. Além de seus outros sucessos, ele traçou o mapa da Corrente do Golfo, projetou um aquecedor doméstico, criou uma biblioteca pública, deu origem a um corpo de bombeiros da cidade e serviu em uma comissão francesa que estudava o hipnotismo.

26 | Shakti Gawain

1978
Visualização criativa

"A visualização criativa é mágica no sentido mais puro e verdadeiro da palavra. Ela envolve o entendimento e a harmonização do seu eu com os princípios naturais que regem o funcionamento do universo; envolve também o aprender a usar esses princípios de uma forma mais consciente e criativa."

"Se nunca tivesse visto antes uma flor linda ou um pôr do sol espetacular e alguém os descrevesse, você talvez os consideraria um evento milagroso (que realmente são!). Assim que vir alguns deles e aprender algo sobre as leis naturais que os regem, começará a entender sua formação; eles lhes parecerão algo natural, não mais particularmente misteriosos. O mesmo é válido para o processo de visualização criativa. O que em princípio pode parecer incrível ou impossível para uma educação extremamente limitada que nossas mentes racionais receberam torna-se perfeitamente compreensível uma vez que aprendemos e praticamos com os conceitos subjacentes envolvidos."

Em poucas palavras
A vida tende a fazer jus aos pensamentos e imagens, bons ou ruins, que temos dela. Por que não imaginar seu futuro do jeito que você o deseja?

Na mesma linha
Steve Andreas e Charles Faulkner, *PNL* (p. 23)
Wayne Dyer, *A verdadeira magia* (p. 159)
Louise Hay, *Você pode curar sua vida* (p. 215)
Joseph Murphy, *O poder do subconsciente* (p. 283)

Não há nada de estranho ou tão moderno em relação à visualização criativa. Muito de nossa vida se passa em nossas imaginações, criando imagens ou filmes do que gostaríamos que acontecesse ou do que tememos que aconteça. Visualizamos o tempo todo, só que de uma forma inconsciente. Com a visualização criativa, você decide e assume conscientemente a responsabilidade por aquilo que deseja ser uma realidade em sua vida.

Praticar a visualização criativa significa apreciar a junção entre a imaginação e a realidade, entre as leis invisíveis que governam o mundo e a realidade física. É possível então que o fracasso ao tentar transformar em realidade o que você quis para sua vida possa simplesmente ser a falta de conhecimento ou a apreciação da forma como o universo funciona? Esse livro será particularmente útil se você for uma pessoa que "segue o fluxo" e que percebe que precisa ter mais controle sobre o próprio futuro. Esse é o paradoxo apreciado por Shakti Gawain quando ela começou a escrever o livro, portanto você não está sozinho.

A técnica

Pense nas coisas que você quer para a sua vida: um emprego novo, abrir um negócio, um bom relacionamento, um sentimento de paz ou de serenidade, melhorar as habilidades mentais, façanhas desportivas.

Com a visualização criativa, a chave para o sucesso é acalmar a mente para que as ondas cerebrais fiquem no nível "alpha". Você sentirá esse estado com frequência pouco antes de dormir, ao acordar, durante a meditação ou talvez sentado ao lado de um rio ou em uma floresta. Enquanto o primeiro instinto possa ser pensar nas "coisas" que queremos, o verdadeiro objetivo é retirar as camadas do nosso eu normal reativo e deixar fluir os pensamentos que expressam o nosso eu superior. A partir daí, estaremos mais propensos a pensar no que é realmente melhor para nossas vidas e no que realmente nos fará felizes.

Se você, por exemplo, tem tido problemas com alguém no trabalho, em vez dos costumeiros sentimentos de rancor e desgosto, imagine-se conversando com essa pessoa de uma forma descontraída e aberta. Esqueça o que quer que vocês tenham dito um ao outro antes e abençoe mentalmente a pessoa. Em um próximo contato, as barreiras costumeiras parecerão ter evaporado e você ficará surpreso com a rapidez com a qual as coisas mudaram para melhor.

Gawain nota que o objetivo da visualização criativa não é "controlar" as pessoas com a mente – isso não funciona se utilizado com propósitos negativos ou manipuladores –, mas "dissolver nossas barreiras internas em prol da harmonia natural".

A ciência da visualização criativa

Como a visualização criativa funciona?

- O universo físico é a energia. Toda matéria, quando divida em partes cada vez menores, é composta de partículas de energia que, quando colocadas juntas de uma maneira específica, criam a ilusão da "solidez".
- Partículas de tipos diferentes de matéria têm níveis diferentes de vibração. Uma pedra, uma flor ou uma pessoa é a energia movendo-se em vibrações diferentes. A energia de uma determinada qualidade ou vibração tende a atrair uma energia de vibração semelhante. Um pensamento é uma forma de luz, energia móvel que tende a encontrar expressão física.
- Quando criativamente visualizamos ou fazemos afirmações sobre resultados e estados positivos, estamos irradiando a energia do pensamento para o universo. O universo responde na forma de matéria ou eventos. A visualização criativa é literalmente a ação de "plantar as sementes" da vida que queremos.

Alguns dos demais pontos abordados no livro são:

- *Afirmações.* Você não precisa realmente "ver" as imagens para se tornar um visualizador criativo. Algumas pessoas não são muito boas nisso e acabam por achar mais eficaz simplesmente pensar no que desejam ou transformá-lo em uma afirmação (por exemplo, "Eu mereço o melhor e o melhor está vindo em minha direção agora"). As afirmações, diz Gawain, "dão constituição ao que estamos imaginando". Elas devem estar no tempo presente e devem incluir verbos. O poder também tende a estar incluso se invocamos Deus, a inteligência infinita ou o universo.
- *Aceitação.* Você pode sentir-se indigno de ter tudo o que gostaria na vida. Antes de visualizar, certifique-se de que está disposto a aceitar o que vier até você. Ame-se primeiro.
- *Crença.* Você não precisa acreditar em todas as ideias espirituais ou metafísicas para que a visualização criativa funcione; todo o poder necessário para fazê-la funcionar com sucesso já está em você.
- *Saúde e prosperidade.* Você pode se curar e curar os outros visualizando a saúde perfeita e pode começar a ter consciência da verdadeira abundância do universo ao colocar em imagem tudo o que está sendo constantemente criado.

Comentários finais

Visualização criativa é um livro bastante fino que pode deixá-lo decepcionado ao folheá-lo pela primeira vez, mas os princípios e os muitos exercícios da obra mudaram muitas vidas. Leve em consideração que já foram vendidos mais de três milhões de exemplares do livro, que ele foi traduzido para 25 idiomas e que o termo "visualização criativa" entrou no vocabulário público e se tornou uma área de pesquisa.

Embora dizer a si mesmo que "a luz divina está dentro de mim e está operando milagres em minha vida" possa, à primeira vista, parecer estranho, você poderá descobrir que isso, ou outra afirmação, traz uma sensação de paz e confiança. Uma vez que uma imagem ou uma afirmação se torna parte de você, coisas milagrosas podem realmente acontecer. O livro tem muitas afirmações para guiá-lo, por isso vale a pena comprá-lo nem que seja só por esse motivo.

Gawain diz que, conforme nos aprofundamos na visualização criativa, esta se torna menos uma técnica e mais um estado de consciência no qual percebemos o quanto somos os criadores contínuos de nosso mundo. Podemos eliminar a necessidade da preocupação, planejamento ou manipulação, porque começamos a perceber que essas coisas têm de fato um poder muito menor para mudar do que a visualização calma e relaxada dos resultados que refletem nosso propósito superior.

Shakti Gawain

Gawain estudou Psicologia e dança no Reed College e na Universidade da Califórnia, depois de se graduar viajou por dois anos pela Europa e Ásia estudando as filosofias orientais, meditação e ioga. Depois de retornar aos Estados Unidos, ela se envolveu no movimento do potencial humano, lendo intensivamente e trabalhando com diversos professores.

Outros livros incluem *Vivendo na luz: um guia para a transformação pessoal e planetária* (1986), *Return to the Garden* [Regresso ao jardim] (1989), *O caminho da transformação* (1993), *A conquista da verdadeira prosperidade* (1997) e *The Creative Visualization Workbook* [Exercícios de visualização criativa] (1995).

27 | Daniel Goleman

1995

Inteligência emocional: a teoria revolucionária que redefine o que é ser inteligente

"A vida emocional é um domínio que, tão certo quanto a matemática ou a leitura, pode ser tratada com maior ou menor habilidade e exige seu conjunto exclusivo de competências. E o nível de adequação da pessoa com relação a essas competências é crucial para entender por que um indivíduo prospera na vida enquanto outro, de igual intelecto, não: aptidão emocional é uma meta-habilidade, que determina o quão bem podemos usar quaisquer outras habilidades que possuímos, incluindo as de intelecto natural."

"Eu tive de esperar até agora que minha colheita científica estivesse cheia o bastante para conseguir escrever este livro. Agora a ciência está finalmente em condições de falar com autoridade sobre essas questões urgentes e perplexas da psique em sua forma mais irracional, a mapear com alguma precisão o coração humano."

Em poucas palavras

A pessoa verdadeiramente bem-sucedida sempre terá atingido o autodomínio emocional.

Na mesma linha

David D. Burns, *Feeling Good* (p. 83)
Ellen J. Langer, *Mindfulness* (p. 241)
Martin Seligman, *Aprenda a ser otimista* (p. 329)

O livro possui quase trezentos páginas, com infinitos estudos de caso e notas de rodapé, mas o objetivo de *Inteligência emocional* pode ser resumido em três pontos:

- Por meio da aplicação da inteligência à emoção podemos melhorar nossa vida de uma forma imensurável.
- As emoções são hábitos e, como qualquer hábito, podem minar nossas melhores intenções.
- Ao desaprender algumas emoções e desenvolver outras, ganhamos controle sobre nossa vida.

Se fosse só isso, não seria um livro muito interessante, mas *Inteligência emocional* é um dos tomos de autoajuda mais bem-sucedidos da última década e alcançou muito mais do que seria normalmente considerado um público da literatura tradicional de autoajuda. Pesquisadores vinham expandindo a nossa ideia de que a inteligência dura por algum tempo, mas foi o livro de Goleman que trouxe à tona a ideia de quociente emocional (QE) para o corrente predominante.

O quanto a pessoa comum odeia o teste de QI deve ter alguma coisa a ver com o sucesso do trabalho. Sendo ou não uma boa medida para qualquer coisa, o efeito do teste tem sido o de restringir as escolhas e os danos à autoestima de milhões de pessoas. Ao dizer que o QI não é um preditor particularmente bom de conquista, que é apenas uma das muitas "inteligências" e que as competências emocionais são estatisticamente mais importantes no sucesso da vida, *Inteligência emocional* estava fadado a ser bem recebido.

A seguir, veja um resumo do livro e alguns de seus pontos-chave.

Civilizando o cérebro

Ao olhar a forma como o cérebro está constituído, a primeira parte do livro desvenda alguns dos mistérios dos nossos sentimentos, especialmente aqueles compulsivos. A fisiologia do cérebro é uma ressaca dos tempos antigos, quando a sobrevivência física significava tudo. Essa última estrutura cerebral foi projetada para "agir antes de pensar", o que é útil quando no caminho de uma lança sendo atirada ou no encontro com um mamute furioso. Ainda andamos, no século XXI, com os cérebros de homens das cavernas, e Goleman fala de "sequestros emocionais" (inundações do cérebro com emoção intensa e aparentemente incontrolável) que podem desencadear assassinato impulsionado pelo momento, mesmo de um cônjuge em uma relação de longa data.

Utilizando a inteligência emocional

As partes dois e três abordam os elementos da inteligência emocional e sua aplicação na vida real. Goleman observa que o problema não está nas emoções em si, mas no uso adequado delas em determinadas situações. Ele cita Aristóteles:

> *"Qualquer um pode ficar zangado – isso é muito fácil. Mas ficar zangado com a pessoa certa, na medida certa, na hora certa, com o propósito certo e do jeito certo – isso não tão fácil assim."*

O desafio de Aristóteles torna-se ainda mais importante em um mundo tecnologicamente avançado, porque o significado de "civilização" deixa de ser tecnológico, negligenciando a natureza do homem e a busca por autocontrole.

A parte três aplica as lições da inteligência emocional aos relacionamentos íntimos, ao trabalho e à saúde. Só o capítulo sobre relacionamentos já vale mais que muitos livros inteiros sobre o assunto, pois descreve elaboradamente a neurociência por trás dos mundos sexuais marcianos e venusianos.

Emoção e moralidade

Ao fazer a ligação entre vida emocional e ética, Goleman observa que, se uma pessoa não consegue controlar sua impulsividade, o dano será causado no mais profundo do seu eu. Controlar os impulsos "é a base da vontade e do caráter", diz ele. Compaixão, outra marca do caráter, é ativada pela capacidade de apreciar o que os outros estão sentindo e pensando. Esses dois elementos são fundamentais para a inteligência emocional e, portanto, são atributos fundamentais da pessoa moral.

A inteligência emocional cria o vencedor

Outras qualidades importantes da inteligência emocional são a persistência e a capacidade de motivação. Estas não são as emoções em si, mas exigem autocontrole e a habilidade de colocar as emoções e experiências negativas em contexto.

Goleman valida o "poder do pensamento positivo" como uma abordagem cientificamente comprovada para alcançar o sucesso, e diz que uma perspectiva otimista é um preditor clínico essencial do desempenho real, fazendo uso da pesquisa feita por Martin Seligman (veja *Aprenda a ser otimista*).

A obsessão com o QI foi um produto do modelo do século XX de realização mecanicista. A inteligência emocional, com foco em habilidades pessoais empáticas e relações, é um elemento fundamental de sucesso em uma economia do século XXI mais fluida e criativa.

O mundo do trabalho

O livro de Goleman teve um impacto significativo no local de trabalho e no mundo dos negócios. Embora ele só dedique um capítulo à gestão, fica claro que o conceito de inteligência emocional atingiu um ponto fraco dos trabalhadores com raiva ou magoados diante da baixa capacidade emocional de seus chefes. Da mesma forma, o livro iluminou muitos chefes e líderes de equipe, que começaram a se perguntar o que poderiam fazer para melhorar desempenhos insuficientes. Ao perceber, de repente, que metade de sua empresa é emocionalmente fraca, seus padrões vão inevitavelmente ser elevados.

Um capítulo fascinante, "Quando a inteligência é burra", coloca o QI no devido lugar, entre os vários outros tipos de inteligência.

Como qualquer um que tenha trabalhado em um escritório sabe, você pode estar criando um produto incrível, mas aquele ainda será um lugar horrível para trabalhar se também for uma arena para egos em batalha. O sucesso do negócio é o resultado da paixão por uma visão ou um produto. Embora grandes egos estejam frequentemente associados a tal sucesso, as melhores empresas são notáveis por sua capacidade de criar harmonia e emoção, centrando-se no produto ou na visão, e não na empresa. Essas ideias são mais explicitadas em *Trabalhando com a inteligência emocional*.

Ensinando o QE

Inteligência emocional tem suas raízes no conceito de "alfabetização emocional", e na parte final do livro Goleman expõe a necessidade de as habilidades do QE se tornarem parte do currículo escolar. Entretanto, fatos e números não têm problemas em nos convencer dos altos custos – monetários e de bem-estar social – de não ensinar as crianças a lidar com suas emoções de forma construtiva e a resolver conflitos.

Comentários finais

Parte da motivação de Goleman ao escrever *Inteligência emocional* foi pensar em milhões de leitores contando com livros de autoajuda que "não tinham embasamento científico", e, de fato, o livro surgiu de um meio impecável acadêmico e de pesquisa. Goleman parece conhecer as principais pessoas na área: Howard Gardner, notável pesquisador de inteligência em Harvard; Joseph LeDoux da Universidade de Nova York; e Peter Salovey de Yale, primeira pessoa a apresentar o conceito de inteligência emocional.

No entanto, esse livro ainda é uma literatura de autoajuda nos moldes clássicos. Apontando para o circuito extremamente maleável do cérebro e para nossa capacidade de moldar a experiência de nossas emoções; um dos grandes pontos apresentados por Goleman é que "temperamento não é destino". Não estamos intrinsecamente ligados aos nossos hábitos mentais e emocionais, mesmo que pareçam uma parte imutável de nós.

A implicação mais fascinante de *Inteligência emocional* é que uma maior consciência e controle de nossas emoções em larga escala significaria uma evolução da espécie. Acreditamos que o ódio, a raiva, o ciúme, entre outros, são "apenas humanos", mas, quando olhamos para os seres humanos mais sensíveis do século XX – Gandhi, Martin Luther King, Madre Teresa –, descobrimos que essas emoções negativas estavam notavelmente ausentes. Essas pessoas foram capazes de expressar a raiva de acordo com o ditado de Aristóteles: "Eles podem usar suas emoções em vez de serem usados por elas". O que poderia ser uma melhor definição de civilidade ou humanidade?

Daniel Goleman

Goleman cresceu em Stockton, Califórnia. Seu doutorado em Psicologia pela Universidade de Harvard foi orientado por David McClelland, que escreveu um trabalho inovador argumentando que os testes tradicionais de contratação profissional ou o vestibular (registro acadêmico e QI) eram anunciadores imprecisos de como uma pessoa realmente se sairia. Em vez disso, os candidatos deviam ser testados por competências em um núcleo de habilidades emocionais e sociais – a inteligência emocional de Goleman.

Por doze anos, Goleman escreveu uma coluna para o *New York Times* na seção de ciências comportamentais e cerebrais. Ele também foi editor sênior da revista *Psychology Today*. Outros livros de Goleman incluem *A mente meditativa*, *Vital Lies* [Mentiras vitais], *Simple Truths* [Verdades simples], *O espírito criativo* (coautor) e *Trabalhando com a inteligência emocional*. Ele também editou *Emoções que curam: conversas com Dalai Lama sobre mente alerta, emoções e saúde*. *Inteligência emocional* foi traduzido para 33 idiomas e *Trabalhando com a inteligência emocional*, para 26.

Goleman é agora CEO da Emotional Intelligence Services, que oferece serviços para empresas, incluindo um "inventário de competências emocionais".

28 | John Gray

1992
Homens são de Marte, mulheres são de Vênus

"Para se sentir melhor, as mulheres falam sobre problemas do passado, problemas do futuro, problemas potenciais, até de problemas que não têm solução. Quanto mais conversam e investigam, mais elas se sentirão bem. É assim que as mulheres funcionam. Esperar outra coisa é negar a uma mulher seu senso de si mesma."

"Da mesma forma que um copo de água pode ser visto como meio cheio ou meio vazio, quando uma mulher está ascendendo em seu caminho, ela vê a plenitude da sua vida. Na descida, ela vê o vazio. Seja lá qual for o vazio para o qual ela faz vista grossa na subida, ele entra mais em foco quando a mulher está descendo no próprio poço."

"Na cabeça de Chuck, quanto mais dinheiro ele ganhasse no trabalho, menos teria de fazer em casa para satisfazer sua esposa. Ele pensava que seu contracheque gordo no fim do mês marcava pelo menos trinta pontos a seu favor. Quando abriu sua própria clínica e dobrou sua receita, ele admitiu que estava marcando sessenta pontos. Ele não tinha ideia de que esse contracheque valia só um ponto por mês com Pam – independente do tamanho."

Em poucas palavras
Antes que possamos tratar uns aos outros como indivíduos, devemos levar em consideração as diferenças comportamentais dos gêneros.

Antes de *Homens são de Marte, mulheres são de Vênus*, John Gray escreveu um livro intitulado *Homens, mulheres e relacionamentos*. Ele começou o livro com uma história que contava que seu pai tinha oferecido uma carona a uma pessoa, que o roubou de imediato antes de prendê-lo no porta-malas do carro. A polícia respondeu a duas ocorrências de um carro abandonado, mas a falta de uma localização exata a impediu de encontrá-lo. A polícia localizou o carro após a terceira ocorrência, mas já era tarde demais. O sr. Gray havia morrido de asfixia no porta-malas do próprio carro.

Ao voltar do funeral para casa, Gray pediu que fosse trancado no porta-malas para saber como o pai se sentiu. Na escuridão, ele correu os dedos pelas marcas onde os punhos de seu pai tinham batido e pôs a mão através do espaço onde a lanterna traseira tinha sido arrancada para tentar fazer o ar entrar naquele espaço. Seu irmão sugeriu que ele estendesse o braço ainda mais para ver se talvez não conseguisse tocar no botão do capô. Ele achou o botão – apertou e o capô abriu.

Gray usou a forma da morte de seu pai como um sinal para o assunto do seu trabalho: libertar as pessoas, falando sobre os botões de liberação emocional que elas têm ao alcance.

Gray sob o microscópio

Essa é uma boa história, mas os livros de John Gray libertam de verdade? É fácil fazer uma crítica feminista à sua escrita. Surgiram diversos sites com títulos como "A Rebuttal from Uranus" [Uma refutação de Urano] (Susan Hamson) argumentando que *Homens são de Marte, mulheres de Vênus* institucionaliza o sexismo.

A teoria do papel do gênero, da qual Gray é um dos principais expoentes, diz que homens e mulheres são por natureza muito diferentes, e que o gênero constitui o núcleo da identidade de uma pessoa. Gray é particularmente insidioso, dizem esses críticos, porque nunca apresenta suas ideias ou pontos de vista como uma teoria, dizendo simplesmente "é assim que as coisas são" (fato biológico). Seus milhões de leitores, presos em uma nevasca de marketing, não enxergam as alternativas e o fato de que os papéis de gênero são, na verdade, culturalmente condicionados. O objetivo final de Gray – consciente ou não – é fazer que as mulheres se sintam melhor em relação ao lugar subordinado que ocupam em uma cultura hegemonicamente masculina.

Um resumo de *Homens são de Marte, mulheres de Vênus*

Antes de tomar partido, é preciso primeiro descrever o livro. Quais são os principais pontos de Gray?

- A chave de ouro para relacionamentos melhores é a aceitação das diferenças. No tempo dos nossos pais, todos aceitavam que homens e mulheres eram diferentes, mas a cultura mudou para o outro extremo – o de não haver diferenças.
- A mulher objetiva melhorar o homem, mas o homem só quer aceitação. Os conselhos não solicitados que ela dá nunca são aceitos, sendo interpretados como críticas negativas. Em vez de apresentar um problema a um homem, em que muitas vezes, ele mesmo é visto como o problema, a abordagem a ser feita é a que ele pode encontrar a solução. Os homens são focados em suas competências e se não conseguem resolver os problemas, sentem-se como se estivessem desperdiçando seu tempo. As mulheres, por outro lado, gostam na verdade de discutir os problemas ainda sem uma solução aparente, porque isso permite que elas tenham a tão importante chance de expressar seus sentimentos.
- As mulheres são como ondas, atingindo picos, escoando em depressões e voltando a atingir picos novamente. Os homens devem saber que o momento em que as mulheres escoam nessa depressão é quando mais precisam deles. Se ele for compreensível e não tentar tirá-la da depressão imediatamente, ela se sentirá bem. Para ser motivado, um homem precisa se sentir necessário, mas uma mulher precisa se sentir cuidada.
- Os homens alternam entre a necessidade de intimidade e distância. A ação do homem de se afastar e se prender em sua própria

"caverna" não é uma decisão consciente, mas instintiva. As mulheres que não têm conhecimento da necessidade de se isolar em uma caverna e que buscam intimidade constante passarão por algumas turbulências no relacionamento. Como um elástico, o homem precisa se esticar – mas eles vão geralmente voltar.

- As discussões acabam causando sentimentos de mágoa sobre a forma como um ponto de vista está sendo apresentado, em vez do conteúdo dele. O tom indiferente do ponto sendo exposto é que se torna algo perturbador. Os homens não conseguem ver o quanto seus comentários machucam e provocam porque estão focados no "ponto". A maioria das discussões tem início porque a mulher expressa uma preocupação sobre algo e o homem diz a ela que não vale a pena se preocupar. Isso a invalida e ela fica chateada com ele. Ele, então, fica nervoso porque ela parece ficar com raiva dele por nada. Ele não vai pedir desculpas por algo que acredita não ter feito, então a discussão inicial entra no piloto automático por horas ou dias.
- Os homens vão discutir porque sentem que não têm confiança, não são admirados ou encorajados e não veem um tom de confiança e aceitação com quem fala com eles. As mulheres, por sua vez, vão discutir porque não são ouvidas ou postas no topo da lista de prioridades do homem.

A mensagem maior

Gray sugere que, em nossa época histórica, estamos certos em esperar a realização plena em nossa vida romântica. No entanto, nosso corpo e cérebro, evoluindo ao longo de milênios, exigiram o refinamento das diferenças de gênero para um sucesso maior em relação à sobrevivência. (Conforme argumenta Daniel Goleman em *Inteligência emocional*, somos pessoas modernas andando com cérebros construídos para as planícies e florestas de nossos ancestrais.) Para trajar as expectativas brilhantes de relacionamentos perfeitos, desarmados de qualquer conhecimento das diferenças básicas entre os padrões de pensamentos masculino e feminino, é ingênuo e inconsciente convidar um sabotador a bordo do navio do amor. Gray não foca na natureza ou nutre discussões. Ele diz apenas que essa é a forma como homens e mulheres tendem a agir, e se a entendermos, haverá menos problemas de relacionamento.

Em defesa de Gray

Conforme observado no início, as críticas frequentemente feitas a esse livro são as de que ele amplia a divisão entre os sexos. Estamos, afinal, no século XXI – será que não conseguimos ver uns aos outros como pessoas e não por sexo? Ou etnia, ou nacionalidade, ou qualquer outra coisa? E por que Gray nunca escreveu sobre relacionamentos homossexuais? Ele admite que generaliza, ainda que escreva como se o que está dizendo fosse verdade.

São todos pontos válidos, mas eles não conseguem ver a intenção básica de Gray. Ele escreveu para um público que não lê livros didáticos de genética ou sociologia – esse público quer um relacionamento melhor imediatamente. *Homens são de Marte, mulheres de Vênus* não faz nenhum progresso com teorias modernas, mas também não diz que os homens e as mulheres estão presos a polos de seus sexos; temos tendências voltadas para a ação, que, se reconhecidas, não precisam mais nos dominar. Ao destacar as diferenças de sexo, Gray pode ser considerado culpado em alguns tribunais do patriarcado enraizado, mas, em momento algum em seus escritos, Gray chega ao ponto de dizer que o gênero determina a pessoa. O público não teria tocado o livro se ele assim o tivesse feito. Se o objetivo de se concentrar em diferenças entre os sexos é, paradoxalmente, ir além deles, então Gray é um libertador.

Comentários finais

Existem milhares de livros sobre relacionamentos. O que fez *Homens são de Marte, mulheres são de Vênus* se destacar?

Gray disse que escreveu deliberadamente *Homens são de Marte, mulheres são de Vênus* de uma maneira que as pessoas "não teriam de pensar". Parece algo feito para o horário do almoço na frente da televisão e a "banalidade" provavelmente resume o livro aos olhos de muitas pessoas. Os leitores interessados em toda essa área de comunicação interssexual que querem algo um pouco mais inteligente podem gostar da leitura dos livros de linguística da especialista Deborah Tannen (por exemplo, *Você simplesmente não me entende: o difícil diálogo entre homens e mulheres*). A página de Tannen na internet pode ser mais interessante do que dez páginas de Gray, mas a chave para o sucesso de Gray é que suas declarações e analogias ficam na cabeça das pessoas e muitos pontos envolvem distinções bastante sutis.

A influência de Gray no reino do relacionamento é muito parecida com a do dr. Benjamin Spock na criação dos filhos. Os livros dos dois autores se tornaram textos-padrão a se ter em casa sobre esses assuntos. As ideias de Spock foram acusadas de produzir uma geração de pacifistas fracos, mas milhões também agradeceram pelas ideias. Qual será então o veredicto de *Homens são de Marte, mulheres de Vênus*? Ninguém sabe, mas fica claro que o livro está de acordo – e é certo – com o seu tempo e, talvez, precisávamos mesmo ser lembrados de nossas diferenças antes que pudéssemos ir além delas. Conforme observado por Emerson, as melhores pessoas são aquelas capazes de se casar com os dois sexos em uma só pessoa. Não devemos ficar presos em diferenças (de gênero ou quaisquer outras) se elas vão desviar a nossa consideração e admiração pelas pessoas.

A atitude saudável em relação a Gray seria aceitar algumas das coisas que ele diz e ignorar outras. Tanto abraçar indubitavelmente quanto rejeitar completamente indicaria uma mente fechada. É muito fácil repudiar esse livro, mas tente lê-lo quando estiver infeliz após uma briga com seu/sua parceiro/parceira e ele poderá criar vida aos seus olhos. Como um guia simples para os altos e baixos da vida com um membro do sexo oposto, ele tem dicas brilhantes.

John Gray

Nascido em Houston, Texas, em 1951, depois de cursar o ensino médio Gray estudou na Universidade St. Thomas e na Universidade do Texas. Ele passou nove anos como monge hindu, trabalhando na organização Meditação Transcendental (MT) na Suíça, como assistente pessoal de seu líder, o Maharishi Mahesh Yogi, e obteve seu mestrado em Filosofia oriental. Ao voltar para os Estados Unidos, Gray ingressou no doutorado e recebeu seu Ph.D. em Psicologia e Sexualidade Humana pela Columbia Pacific University, em San Rafael, Califórnia. Ele é terapeuta familiar.

Homens são de Marte, mulheres de Vênus já vendeu treze milhões de exemplares e continua nas muitas listas de *best-sellers* depois de nove anos. Foi o livro mais vendido da década de 1990 nos Estados Unidos. Gray vendeu quatorze milhões de livros no total, muitos áudios e fitas de vídeo, e até mesmo um jogo de tabuleiro. Ele recebe frequentemente convites para ir ao programa da Oprah. Outros livros incluem *Marte e Vênus juntos para sempre*, *Marte e Vênus no quarto* e *Como obter o que você quer e apreciar o que tem: um guia prático e espiritual para o sucesso pessoal.*

Gray mora com sua esposa, Bonnie, e suas três filhas no norte da Califórnia.

29 | Louise Hay

1984
VOCÊ PODE CURAR SUA VIDA

"Se deseja compreender melhor seus pais, peça-lhes para falar sobre a infância que tiveram. Se você ouvir com compaixão, aprenderá de onde vieram os medos e os padrões rígidos que eles têm hoje."

"Muitas vezes eles me dizem que não podem se amar porque são muito gordos ou, como uma moça disse: 'redondos demais nas beiradas'. Explico-lhes então que eles são gordos porque não se amam. É impressionante ver como, quando começamos a nos amar e nos aprovar, o excesso de peso vai desaparecendo de nosso corpo."

"Abençoe o que possui e veja isso aumentar. Gosto de abençoar com amor tudo que existe em minha vida agora: meu lar, o aquecedor, a água, a luz, o telefone, os móveis, o encanamento, os eletrodomésticos, as roupas, o transporte, o trabalho, o dinheiro que possuo, meus amigos e minha capacidade de ver, sentir, saborear, tocar, andar e desfrutar de tudo o que há neste incrível planeta."

Em poucas palavras
Você só começará a mudar a própria vida quando aprender a se amar corretamente.

Na mesma linha
James Allen, *O homem é aquilo que ele pensa* (p. 17)
Martha Beck, *Encontrando a sua estrela-guia* (p. 39)
Florence Scovell Shinn, *O jogo da vida e como jogá-lo* (p. 323)

Com um tema quase infantil de uma garota sentada sobre um arco-íris na capa, *Você pode curar sua vida* oferece uma mensagem de amor e apoio sem qualquer tipo de julgamento, o que conquistou muitas pessoas ao redor do mundo. Em dez anos, o livro vendeu três milhões de exemplares em trinta países, e Hay é agora uma matriarca da autoajuda, da corrente *New Age* e dos movimentos de tratamento holístico. Ela simplesmente atribui o sucesso do livro à capacidade que ele tem de "ajudar as pessoas a mudarem sem qualquer sentimento de culpa" e a obra tem a tranquilidade de uma pessoa que passou pelo pior e sobreviveu. O título só faz sentido mesmo quando lemos o último capítulo, um registro falado e direto da história pessoal de Hay.

A história de Hay

A mãe de Hay tentou, desde cedo, tirá-la de casa. Estuprada por um vizinho com cinco anos de idade, ela continuou a ser abusada sexualmente até os quinze anos, quando saiu de casa e da escola para se tornar uma garçonete em uma lanchonete. Ela deu à luz uma menina um ano mais tarde, mas a criança foi adotada e ela nunca mais a viu. Hay mudou-se para Chicago, trabalhando alguns anos com serviços domésticos, antes de se mudar para Nova York e se tornar modelo. Lá ela conheceu um "educado cavalheiro inglês" e se casou com ele, levando um estilo de vida elegante e estável até que ele, quatorze anos depois, conheceu outra pessoa e divorciou-se dela. Uma reunião em uma igreja mudou a vida de Hay. Ela se tornou oradora oficial da igreja e, posteriormente, praticante de meditação transcendental, depois de frequentar a Universidade Internacional de Maharishi, em Iowa.

Depois de se tornar oradora e desenvolver seu próprio serviço de aconselhamento, Hay escreveu um livro chamado *Cure seu corpo*, que detalha as causas metafísicas da doença corporal. Nesse ponto, ela descobriu que tinha câncer, mas foi curada por meio da combinação de uma dieta radicalmente alterada e técnicas mentais. Depois de passar a maior parte de sua vida na costa leste dos Estados

Unidos, ela voltou para Los Angeles e se reencontrou com a mãe antes da morte desta. Agora, na faixa dos setenta anos, Hay é uma das palestrantes e escritoras motivacionais mais conhecidas no mundo inteiro; ela também ministra, com frequência, palestras e *workshops* com Deepak Chopra, Wayne Dyer e James Redfield.

O livro

Você pode curar sua vida é a mensagem de uma pessoa que deixou de ser vítima, e esse aspecto do livro possui um apelo enorme, particularmente para as mulheres com histórias semelhantes. A essência do ensinamento Hay é o amor próprio e a evaporação da culpa, um processo que ela acredita nos tornar mentalmente livres e fisicamente saudáveis, como atestado pelo estudo da psicoimunologia.

Todos as mensagens familiares de autoajuda são alvo de atenção, inclusive livrar-se de pensamentos limitadores, substituir o medo pela fé, pelo perdão, e compreender que os pensamentos realmente criam experiências. Alguns dos pontos principais do livro são:

- A doença é um produto do estado de espírito. Ela acredita que a incapacidade de perdoar é a causa-raiz de todas as doenças.
- A cura nos obriga a nos livrarmos do padrão de pensamento que culminou em nossa atual condição. O "problema" é raramente o motivo real. As coisas superficiais de que não gostamos em nós mascara a mais profunda convicção de que "não somos bons o bastante". Amar genuinamente a si mesmo (mas não de uma forma narcisista) é a base para qualquer autocura. O capítulo 15 lista praticamente todas as doenças e seus prováveis "bloqueios" mentais correspondentes. Os céticos podem achar a lista notavelmente precisa se abrirem um pouco a mente.
- As afirmações tratam da lembrança de que precisamos fazer de nosso verdadeiro eu e utilizar o poder dele. Portanto, confie no poder das afirmações para manifestar o que você quer. Elas devem ser sempre positivas e estar no tempo presente; por exemplo, "Sou totalmente saudável" ou "Oportunidades maravilhosas de

trabalho estão batendo à minha porta". O livro contém muitas afirmações para você escolher.

- "Tudo em que nos concentramos cresce, portanto não se concentre em suas contas". Você só vai multiplicá-las. A gratidão pelo que se tem torna isso mais abundante. Conscientize-se da oferta ilimitada do universo – observe a natureza! Sua renda é apenas um canal de prosperidade, não a fonte.
- "Sua segurança não é o seu emprego, ou a sua conta bancária, ou os seus investimentos, ou o seu cônjuge, ou os seus pais. Sua segurança é a sua capacidade de se conectar com o poder cósmico que cria todas as coisas". Se você é capaz de silenciar sua mente e invocar sentimentos de paz por meio da percepção de que não está sozinho, nunca se sentirá inseguro novamente.
- Uma das primeiras coisas que Hay diz às pessoas que a procuram é "Pare de se criticar!". Podemos ter desperdiçado uma vida inteira fazendo isso, mas o início do verdadeiro amor próprio – um dos principais ingredientes na cura de sua vida – acontece quando decidimos fazer uma pausa.

Comentários finais

Você pode curar sua vida não servirá para todas as pessoas. Tem uma tendência muito *New Age*, encaixando-se no formato de escrita relacionado à "jornada em prol da totalidade", que agora é tão comum, embora Hay tenha sido pioneira nesse assunto. Para aqueles que leram grandes quantidades de livros de autodesenvolvimento, o livro de Hay pode parecer um pouco simplista e pode não apresentar nada de novo; ele não é, certamente, um empreendimento intelectual. Por outro lado, tem uma franqueza e entusiasmo que o ajudam a ficar na cabeça das pessoas, e ele intuitivamente faz sentido.

No verdadeiro espírito da autoajuda, o livro não configura um conteúdo para resolver problemas, mas para tirar toda a autoridade deles. Essa perspectiva, que em princípio parece ingênua, é, na verdade, filosoficamente rigorosa: habite os seus problemas e eles se tornarão insuperáveis; considere suas possibilidades e elas proporcionarão esperança e motivação. Milhões de pessoas passaram por dificuldades de vida como as de Hay, mas nem todas tiveram a vontade de deixar os problemas para trás ou mesmo tiveram o conhecimento ou a consciência de que podiam fazer isso; a privação dá forma à ilusão de que "é tudo o que tenho". A insistência de Hay em acreditar que dor e contratempos não a definem a tirou de muitos buracos negros psicológicos. Seu livro tem a credibilidade de um foragido de sucesso.

Louise Hay

Hay passou muito tempo trabalhando com pessoas com Aids pelo Grupo de Apoio Hayride. Em 1988, ela escreveu o livro *The Aids Book: Creating a Positive Approach* [O livro da Aids: criando uma abordagem positiva]. Seu primeiro livro foi *Cure seu corpo.* Alguns trabalhos posteriores incluem *Gratidão: um estilo de vida* e *Millennium 2000* [Segundo milênio], ambos com vários colaboradores, e *O despertar da nova mulher: guia para uma vida plena de realizações*, juntamente de muitos áudios e vídeos.

Agora, como fazendeira de pequeno porte e jardineira orgânica, Hay ainda faz viagens para ministrar palestras e sua coluna "Dear Louise" é publicada em mais de trinta revistas nos Estados Unidos e em outros países.

30 | James Hillman

1996

O código do ser: uma busca do caráter e da vocação pessoal

"Para começar, precisamos deixar claro que atualmente o principal paradigma para se entender uma vida humana, a inter-relação da genética com o ambiente, omite algo essencial — a particularidade que sentimos em sermos nós. Ao aceitar a ideia de que somos o efeito de um choque sutil entre a hereditariedade e as forças da sociedade, reduzimo-nos a um resultado."

"Assim como o único fundamento lógico da igualdade democrática é a singularidade de cada vocação individual, o fundamento da liberdade é a independência da vocação. Quando afirmaram que nascemos iguais, os autores da Declaração de Independência viram que esta proposição acarretava necessariamente outra: todos nascem livres."

Em poucas palavras

Não são só as celebridades e as freiras que possuem "vocações". Todos temos em nosso coração a imagem da pessoa que podemos ser e a vida que podemos viver.

Na mesma linha

Martha Beck, *Encontrando a sua estrela-guia* (p. 39)
Joseph Campbell e Bill Moyers, *O poder do mito* (p. 91)
Clarissa Pinkola Estés, *Mulheres que correm com os lobos* (p. 173)
Thomas Moore, *Cuide de sua alma* (p. 275)

Existe um código para o nosso ser? Para a alma? Um DNA do destino? A questão forçou Hillman a pesquisar a vida da atriz Judy Garland, do cientista Charles Darwin, do empresário Henry Ford, dos músicos Kurt Cobain e Tina Turner, e de muitos outros, a procura de "alguma coisa" que os tenha incentivado e os tenha feito viver do jeito que viveram. A premissa de Hillman é a de que, assim como o carvalho gigante e majestoso está incorporado ao seu fruto, uma pessoa também carrega dentro dela um fruto ativo da verdade, ou uma imagem, esperando para ser vivido. A ideia não é nova: os gregos tinham a palavra *daimon* para descrever a força invisível que guia nossa vida; os romanos, por sua vez, tinham a palavra *genius*.

Somos uma história, não um resultado

A ideia de uma imagem da alma tem uma longa história na maioria das culturas, mas a Psicologia e a Psiquiatria contemporâneas a ignoram completamente. Imagem, caráter, destino, gênio, chamado, vocação, *daimon*, alma, destino – estas são todas as grandes palavras, Hillman admite, e temos medo de usá-las, mas isso não diminui a realidade que elas carregam. A Psicologia parece ter apenas fragmentado o quebra-cabeça do indivíduo em traços de personalidade, tipos e complexos. O autor menciona uma biografia psicológica de Jackson Pollock, que afirmou que as linhas e os arcos rítmicos de suas pinturas foram o resultado de ele ter ficado de fora das competições de "urinação criativa" de seus irmãos na terra da fazenda de sua família em Wyoming!

Essas interpretações matam o espírito, negando que as visões interiores, em vez das circunstâncias, são o que move as pessoas. O modo como vemos nossa vida, diz Hillman, ofusca-as. Amamos romances e ficção, mas não aplicamos o suficiente de ideais ou histórias românticas a nós mesmos. Deixamos de ser uma criação e nos tornamos mais um resultado, no qual a vida é reduzida à inter-relação da genética com o ambiente.

Outra forma pela qual restringimos nossa existência é como vemos o tempo, ou a causa e o efeito. Isso é, "aconteceu isso, que me fez..." ou "eu sou o produto de...". O livro ressalta mais o que é atemporal em relação a nós, independente de termos acabado de nascer, de estarmos na meia-idade ou velhos.

Quem são os seus pais?

Hillman é brilhante na exposição do que ele chama de "falácia parental", a crença de que somos o que somos por causa do jeito que nossos pais foram. A infância, argumenta *O código do ser*, é mais bem compreendida em termos da imagem com a qual nascemos, passando para o contato com o ambiente em que nos encontramos. As birras de obsessões estranhas do filho devem ser vistas nesse contexto, em vez de tentar "corrigi-las" na terapia.

Yehudi Menuhin ganhou um violino de brinquedo em seu aniversário de quatro anos, que ele prontamente jogou no chão. Mesmo nessa idade, aquilo era um insulto ao grande futuro violinista. Tratamos as crianças como se fossem uma lousa em branco, sem a sua própria autenticidade, e a criança não possui, portanto, a possibilidade de poder planejar a sua vida e ser guiada por seu gênio.

Em termos do nosso *daimon*, uma união dos pais resulta da nossa necessidade: o *daimon* selecionou o óvulo e o espermatozoide, assim como seus portadores, chamados de "pais". Isso certamente inverte o jogo, mas Hillman sugere que isso explica os casamentos impossíveis, as concepções rápidas e as deserções súbitas que formam as histórias de tantos pais.

Ele vai mais longe ao destacar a pobreza de ver os nossos pais e mães como, literalmente, mamãe e papai, quando a natureza poderia ser nossa mãe e os livros nossos pais – o que quer que nos conecte ao mundo e nos ensine. Ao citar Alfred North Whitehead, que disse "religião é a lealdade do mundo", Hillman diz que devemos acreditar na capacidade do mundo em nos sustentar e nos revelar amorosamente seus mistérios.

"Devo ter você"

O código do ser mostra como o *daimon* vai se afirmar no amor, dando origem a obsessões e tormentos da agonia romântica que desafia a lógica da biologia evolutiva. Gêmeos idênticos separados no nascimento são frequentemente vistos depois usando a mesma loção pós-barba ou fumando a mesma marca de cigarro, mas a escolha mais importante no momento de ficar com um companheiro pode existir grandes diferenças.

Quando Michelangelo esculpiu a imagem dos deuses ou de seus contemporâneos, ele tentou ver o que chamou de *immagine del cuor* (a imagem do coração); a escultura teve como objetivo revelar a alma interior do sujeito. Hillman diz que a mesma imagem do coração habita o interior de cada pessoa. Quando nos apaixonamos, sentimo-nos superimportantes, porque conseguimos revelar quem realmente somos, dando uma ideia de gênio de nossa alma. O encontro entre os amantes é um encontro de imagens, uma troca de imaginação. Você está apaixonado porque sua imaginação está pegando fogo. Ao libertar sua imaginação, até mesmo os gêmeos idênticos são libertados de sua mesma imaginação, de sua uniformidade.

A semente ruim

O código do ser é fascinante ao tratar do oposto do amor, a "semente ruim". Hillman dedica a maior parte de um capítulo ao fenômeno de Adolf Hitler. Os hábitos de Hitler, relatados por informantes confiáveis, dão evidência da possessão por um *daimon* "ruim". A principal diferença comparada com outras vidas discutidas no livro é a combinação do fruto e da personalidade: não só o fruto de Hitler foi uma semente ruim, como tal fruto também foi envolvido por uma personalidade que não oferecia dúvidas ou resistência a ele. A partir de uma única semente, podemos ver como o poder fascinante neste homem encantou milhões e os levou a um estado demoníaco coletivo. Podemos aplicar a mesma ideia para psicopatas modernos, como Jeffrey Dahmer, e assim entender como eles conseguem encantar suas vítimas.

Isso não significa sugerir, de qualquer forma, que as terríveis ações decorrentes de uma semente ruim são justificadas. No entanto, apreciar a mente criminosa, em termos de *daimon*/fruto, dá-nos uma melhor compreensão disso do que a ideia convencional que temos sobre o mal (ou seja, algo a ser erradicado ou que se deve "parar de amar"). O que transforma a semente em algo demoníaco é sua obsessão unidirecional, mas o seu objetivo final é a glória. Como uma sociedade, devemos estar dispostos a reconhecer esse impulso e encontrar formas de canalizá-lo para fins menos destrutivos.

Vivemos em uma cultura de inocência que despreza a escuridão. A cultura popular norte-americana, em particular, com suas Disneylândias e *Vilas Sésamos*, não consegue aceitar as sementes que não são revestidas de açúcar. No entanto, a inocência realmente atrai o mal, diz Hillman, e "assassinos inatos são os companheiros secretos de *Forrest Gumps*."

O mistério da alma

Enquanto escrevia o livro e acompanhava a vida dos famosos, Hillman levantava a questão da mediocridade – pode haver um *daimon* medíocre? Sua resposta é que não há almas medíocres, uma verdade refletida em nossas palavras. Falamos de alguém que tem uma alma bonita, uma alma machucada, uma alma profunda, ou uma alma infantil. Não dizemos que as pessoas têm uma "classe média", almas "medianas" ou "regulares", ele observa.

Almas vêm do reino não material, mas elas anseiam por uma experiência deste mundo físico. Hillman recorda o filme *Asas do desejo*, em que um anjo se apaixona pela vida, a vida normal de pessoas comuns e seus impasses. Para os anjos e os deuses, não há nada de "diário" ou ordinário em relação à nossa vida.

Comentários finais

Picasso disse: "Eu não me desenvolvo; eu sou". O objetivo da vida não é se tornar alguma coisa, mas tornar real a imagem que já está lá. Estamos obcecados com o crescimento pessoal, tentando alcançar um paraíso imaginário, mas, em vez de tentar transcender a existência humana, faz mais sentido "enraizar-se cada vez mais" no mundo e em nosso lugar nele. Hillman não se surpreende com o fato de as pessoas a quem chamamos de "estrelas" acharem a vida, muitas vezes, tão difícil e dolorosa. A autoimagem que o público lhes dá é uma ilusão e, inevitavelmente, leva a quedas trágicas.

As voltas e reviravoltas da vida podem não ser tão extremas como as das celebridades, mas podem ter um efeito positivo maior. Por caráter, Hillman diz, olhamos tanto "a carta do soldado na véspera da batalha quanto os planos traçados na tenda do general". A vocação de uma pessoa torna-se um chamado à honestidade, em vez de ao sucesso; ao cuidar e amar em vez de alcançar. Nessa definição, a própria vida é a grande obra.

James Hillman

Hillman nasceu em um quarto de hotel em Atlantic City, Nova Jersey, em 1926. Ele serviu no Corpo de Hospital da Marinha dos Estados Unidos de 1944 a 1946 e, como escritor de notícias, na Rede de Forças Norte-Americanas na Alemanha. Depois da guerra, Hillman frequentou a Sorbonne, em Paris, e a Trinity College, em Dublin, e estabeleceu uma clínica como analista atendendo consultas particulares. Em 1959, ele recebeu o seu Ph.D. pela Universidade de Zurique, trabalhou durante a década seguinte no Instituto Jung em Zurique, desenvolvendo o conceito de ecologia psíquica (conhecida mais tarde como psicologia arquetípica), que coloca o indivíduo dentro de um contexto mais amplo da mitologia, da arte e das ideias.

Hillman lecionou e ocupou cargos nas Universidades de Yale, Harvard, Syracuse, Chicago, Princeton e Dallas. Alguns de seus livros são *Suicídio e alma*, *Re-vendo a Psicologia*, *The Dream and the Underworld* [O sonho e o mundo inferior], *Ficções que curam*, *We've Had a Hundred Years of Psychotherapy and the World's Getting Worse* [Cem anos de Psicoterapia e o mundo está ficando pior] (com M. Ventura) e *The Force of Character and the Lasting Life, exploring old age within a youth-driven culture* [A força do caráter e a poética de uma vida longa, explorando a velhice em uma cultura voltada para a juventude]. Ele fundou o Instituto Dallas de Humanidades e Cultura e está envolvido com a Pacifica Graduate University na Califórnia. Hillman mora em Connecticut.

31 | Susan Jeffers

1987
COMO SUPERAR O MEDO

"Lembro-me de uma época em minha vida em que ficava com medo de praticamente tudo – com medo de fracassar em todas as minhas tentativas de realizar meus sonhos. Então, eu só ficava em casa, vítima de minhas inseguranças. Gostaria de informar que fui trazida de volta à minha consciência por um antigo mestre Zen. Mas não fui. Na verdade, foi um comercial da Eastern Airlines que usou o slogan 'Faça parte deste mundo'. Quando vi esse comercial, percebi de repente que tinha parado de fazer parte deste mundo."

"Você é 'vítima' ou está tomando as rédeas da sua vida? Muitos de nós pensamos que estamos assumindo a responsabilidade por nossa vida quando simplesmente não estamos. A mentalidade de 'vítima' é sutil e assume muitas formas."

Em poucas palavras
A presença do medo é um indicador de que você está crescendo e aceitando os desafios da vida.

Na mesma linha
Norman Vincent Peale, *O poder do pensamento positivo* (p. 289)
Anthony Robbins, *Desperte o gigante interior* (p. 315)
Martin Seligman, *Aprenda a ser otimista* (p. 329)

Os pensamentos de autoajuda ampliam a ideia que temos do que é possível. Eles fazem acreditar em nossos sonhos e a pensar grande. "Vou fazer isso!", dizemos, "Eu vou ser aquilo!". Não vamos mais pensar pequeno. No entanto, ao acordar para mais um dia e sentir o peso da "realidade", aqueles sonhos de repente parecem mais ficção do que biografia. Em dois minutos estamos racionalizando a vida que temos agora, e o medo que tirou uma pequena folga está de volta.

Como chegamos ao ponto onde a busca pelo sonho é a norma diária? Entre a experiência de hoje e a visão há um Grand Canyon de dúvida e medo que nos impede por completo, e parece muito mais fácil virar e retornar para a segurança e para a rotina. Mas Susan Jeffers diz que as pessoas veem o medo de forma completamente errada. Em vez de um indicador de que estamos atingindo nossos limites, é uma luz verde informando que devemos continuar. Se não estiver sentindo nenhum medo, você pode ter parado de crescer. Não ignore a trepidação, mas dê o passo de qualquer maneira – os navios não foram projetados para permanecer no porto!

A seguir estão alguns pontos-chave na filosofia do destemor apresentada por Jeffers.

Lidando com o medo

Há diferentes tipos de medo, mas um é o assassino: a crença simples, mas poderosíssima, de que você não será capaz de lidar com algo. Não vamos tocar a vida se o nosso cônjuge nos deixar, não conseguiremos fazer isso se não tivermos uma determinada renda e assim por diante. O trabalho básico a ser feito é chegar a um ponto onde você sabe que pode enfrentar qualquer coisa que cruzar o seu caminho – boa ou má. Isso soa como uma banalidade, mas o ponto em questão apresentado por Jeffers é de que o medo não é um problema psicológico, mas educacional. Você deve se reeducar de modo a aceitar o medo como uma parte necessária do crescimento e, então, seguir em frente.

Dizer "sim" ao seu universo

De forma revigorante, Jeffers não diz que podemos controlar totalmente o nosso mundo. As coisas acontecem por um motivo. O segredo para não submergirmos ao medo é assumi-lo. Isso não se aplica somente a pequenas coisas, como, por exemplo, perder uma carteira, mas até as coisas mais significativas, como a dor. O pensamento positivo pode não sumir com a dor, mas se você incluí-lo como parte de seu universo – se não negar o direito de ser – ele perde o terror que representa. Jeffers menciona o clássico de campo de concentração *Em busca de sentido*, de Viktor Frankl, livro que descreve algumas das condições mais hediondas que os seres humanos tiveram de suportar, mas mesmo atrás das cercas de arame farpado o autor ainda conseguiu encontrar pessoas que diziam "sim" a tudo, escolhendo a responsabilidade em vez de desistir.

Somos instruídos ao longo da vida a assumir a responsabilidade. Interpretamos isso como frequentar uma faculdade, conseguir um emprego, comprar uma casa, casar. A compreensão que Jeffers tem do assunto é muito próxima do ideal de autoconfiança de Emerson, isto é, sermos responsáveis pela forma como interpretamos nossas experiências de vida. Odeia seu trabalho? Tome uma decisão consciente de ficar e fazer algo a respeito (um "sim" vigoroso) ou se demita.

Por que o pensamento positivo funciona?

O pensamento positivo é algo bom, mas não reflete a realidade. É muito "Poliana"[1]. Esta é a acusação comum, mas Jeffers pergunta: se 90% das coisas com as quais nos preocupamos nunca acontecem (conforme demonstram os estudos), como a negatividade pode ser mais "realista" do que a positividade? O fato é que a realidade de-

1. Poliana é o nome da personagem principal e título do livro de Eleanor H. Porter. O livro aborda a atitude positiva em diversas situações vividas pela protagonista. [N.T.]

pende de nós, e de como moldamos nossos pensamentos. A atitude positiva não irá poupá-lo de más notícias, mas as suas reações a elas podem ser diferentes. Substitua "É terrível!" por "É uma experiência de aprendizagem". Ok, mas e as coisas sérias, como, por exemplo, ter câncer? Jeffers diz que essa atitude fez toda a diferença na experiência que ele teve com o câncer. Se a regra se aplica a situações tão extremas, então não há desculpa para reações exageradas no dia a dia. Amamos condenar as coisas e sermos reis e rainhas do drama, mas Jeffers pede-nos para ver o quanto isso nos enfraquece.

A solução para o pensamento positivo, o aspecto mais elementar, e ainda assim o mais ignorado, é que você deve praticá-lo o tempo todo. Mesmo Susan Jeffers, uma figura motivacional famosa, não pode se dar ao luxo de passar um dia sem o reabastecimento mental positivo. Não ficamos sem café da manhã, ou uma corrida matinal, ou um abraço de um filho, ela diz, então por que vemos como opcional um programa de energização positiva diária? Construa uma coleção de livros e fitas inspiradoras e leia/toque-a diariamente, ela aconselha. O efeito será provavelmente muito maior do que imagina, tanto em você quanto no mundo em que habita. Escreva suas citações inspiradoras favoritas e as mantenha próximas ao seu computador, no seu carro, ao lado da sua cama. A positividade que você criar começará a ficar mais próxima de como as coisas deveriam ser ("realidade") do que da forma com a qual está acostumado. Você começará a ver sua vida antiga como se a tivesse vivido em uma névoa cinza.

Programe o subconsciente

Tenha certeza de que tudo o que existe no seu subconsciente encontrará uma maneira de se expressar na vida real. Portanto, é fundamental assumir o controle das ideias e o trabalho mental em todos os níveis. Uma forma importante de gerar mudança e de superar o medo, que exige pouco trabalho ou coragem, é por meio de afirmações. Jeffers define as afirmações como declarações que confirmam que algo já está acontecendo. Uma afirmação como "nunca mais vou ficar triste ou abatido" não vai funcionar. A declaração deve ser positiva e estar no tempo presente. Por exemplo, "sou uma pessoa confiante em qualquer situação". Você não precisa nem acreditar nas afirmações para que elas funcionem, contanto que elas se tornem o seu mantra. A mente reage ao que recebe, seja isso algo verdadeiro ou falso. Podemos ouvir a nossa "superficialidade tagarela" ou o nosso eu superior.

Outros pontos

Há muitas outras mensagens boas no livro, incluindo:

- Há sempre muito tempo. "A maior armadilha no caminho da sua vida é a impaciência." A impaciência é somente uma autopunição, que cria estresse, insatisfação e medo. O indivíduo tem de confiar que o que quer que esteja fazendo está se revelando perfeitamente e no tempo certo.
- Como tomar decisões "sem perda". Pare de acreditar que normalmente existe apenas um caminho "certo" ou "errado" para seguir. Temos de assumir uma posição na qual não nos colocamos mais como reféns de um único resultado, mas temos consciência de que o mundo apresenta infinitas possibilidades para alcançarmos o que queremos.
- Nunca tenha medo de errar. Lembre-se de que até mesmo os melhores rebatedores de beisebol têm uma média de 40% de acerto. O melhor deles perde seis em cada dez rebatidas! Anime-se e fique feliz por ter passado por uma experiência, mesmo se não ela não tiver sido bem-sucedida dessa vez. Você já é um sucesso porque tentou.
- Sobre o medo de compromisso nos relacionamentos. Precisamos perceber que estamos nos comprometendo com a pessoa e com

o aperfeiçoamento e bem-estar dela, não necessariamente com uma união inflexível por toda a vida.

Comentários finais

No início do livro, Jeffers estabelece uma quantidade de "verdades temidas". A mais profunda é a número cinco:

> *"Forçar-se por meio do medo é menos assustador do que viver com o medo subjacente que nasce do sentimento de impotência e desamparo."*

Em outras palavras, aqueles que nunca correm riscos vivem ironicamente com o medo de algo dar errado. Eles procuram segurança acima de tudo, mas o efeito é a insegurança crônica. É realmente mais fácil (e infinitamente mais realizador e gratificante) tentar coisas novas. A decisão de incorporar mais desafios em nossa vida traz um sentimento de segurança, pois sabemos que podemos enfrentar qualquer coisa.

Este tipo de percepção direta é típico de *Como superar o medo*. Tem uma empatia que nos faz sentir que não estamos sozinhos, sentimento essencial dada a sensação de isolamento causada pelo medo. E há uma leveza no trato da escrita que dá aquela sensação de revigoramento conforme nos aprofundamos na leitura do livro.

Está com vergonha de comprar um livro de autoajuda? Sinta o medo e caminhe até o caixa de qualquer maneira...

Susan Jeffers

Jeffers era uma mãe jovem de dois filhos, quando decidiu ir para a faculdade, e fez um doutorado em Psicologia pela Universidade de Columbia. Na graduação, ela se tornou diretora executiva do Floating Hospital (um hospital em um barco), na cidade de Nova York, onde permaneceu por quase uma década.

Como superar o medo evoluiu de um curso na New School for Social Research, em Nova York. O manuscrito recebeu muitas cartas de rejeição, a pior delas afirmando que "A princesa Diana poderia sair por aí andando de bicicleta nua pela rua distribuindo o livro e mesmo assim ninguém iria lê-lo" (conforme citação no *site* de Jeffers).

Outros livros incluem *Tenha medo e siga em frente*, *End the Struggle and Dance with Life* [Pare de brigar e dance com a vida], *Dare to Connect* [Ouse se relacionar], *Opening Our Hearts to Men* [Abrindo nosso coração aos homens] e *The Journey from Lost to Found* [A jornada de volta ao caminho]. O livro mais recente, sobre paternidade, é intitulado (em homenagem ao clássico de Thomas Harris) *I'm Okay... You're a Brat* [Eu estou bem... você é um pirralho]. Conhecida por seus seminários e cursos inspiracionais, a autora já foi muitas vezes ao programa da Oprah. Ela mora em Los Angeles.

32 | Richard Koch

1998

O PRINCÍPIO 80/20: O SEGREDO DE SE REALIZAR MAIS COM MENOS

"O princípio 80/20 tem ajudado a moldar o mundo moderno. Ainda assim, ele é um dos grandes segredos de nosso tempo – e até mesmo o grupo seleto de especialistas que conhecem e utilizam o princípio 80/20 explora apenas uma pequena proporção do poder oferecido por ele."

"A sabedoria convencional é a de não colocar todos os ovos na mesma cesta. A sabedoria 80/20 é a de escolher uma cesta com cuidado, colocar todos os ovos dentro dela e depois vê-la como um falcão."

"O princípio 80/20, como a verdade, pode libertá-lo. Você pode trabalhar menos e, ao mesmo tempo, ganhar e aproveitar mais."

Em poucas palavras

Ao identificar no que você é bom e, então, fazer muito isso, o sucesso será atingido facilmente.

Na mesma linha

Martha Beck, *Encontrando sua estrela-guia* (p. 39)
Mihaly Csikszentmihalyi, *A psicologia da felicidade* (p. 137)

Esse livro fascinante pode revolucionar a sua vida. Koch escreve sobre o bem-documentado, mas contraintuitivo, princípio de que 80% dos efeitos ou resultados vêm de apenas 20% dos esforços. A maioria das vendas virá de apenas 20% da linha de produtos. Vinte por cento de um tapete fica com a maior parte do desgaste. E aplicado à vida pessoal, 80% da felicidade vem de menos de 20% de seu tempo.

Embora os índices específicos variem, o princípio tem como objetivo nos mostrar a maneira fundamentalmente desequilibrada como o mundo funciona. Esse é o primeiro livro que trata exclusivamente do princípio 80/20, e o primeiro a aplicá-lo à vida pessoal. Originalmente destacado pelo economista italiano Pareto (e também conhecido como Lei de Pareto), o princípio tem sido a base para os consultores de gestão de estratégia e o segredo de empresas bem-sucedidas. Os resultados desse princípio podem parecer mágica para aqueles que não têm consciência dele, porque o princípio desafia a teoria econômica convencional. Não é de se surpreender que ele também tem sido chamado de "Lei do menor esforço".

No entanto, o princípio não é uma teoria, mas simplesmente uma observação da realidade. Ao contrário das leis espirituais ou filosóficas de muitos dos clássicos de autoajuda, o princípio 80/20, diz Koch, funciona, acredite você ou não nele.

A crença dos 50:50 *versus* a regra dos 80:20

Em um nível intelectual, uma proporção de 50:50 faz sentido em relação ao esforço empenhado e resultados obtidos. Se você empenhar um "bom" esforço, obterá um "bom" resultado. Se você "trabalhar duro", poderá esperar certo nível de recompensa. Esta é a mentalidade que tem conduzido a sociedade por gerações, e há algum mérito nela em termos de manter a coerência da sociedade. Uma equação trabalho-recompensa clara cria uma sociedade estável, na qual a mediocridade é aceita e a conformidade é recompensada. Infelizmente, conforme ilustra Koch, esse não é mais o mundo em que vivemos.

O novo mundo diz que só "acompanhar" não será mais suficiente, que somente a competência em alguma coisa não pode mais ser recompensada com sucesso. Você deve fazer algo que flua com naturalidade e facilidade e que você ame para ter uma enorme vantagem sobre as outras pessoas e conseguir chegar ao topo da sua área.

Somente esse tipo de esforço, que pode, na verdade, não parecer com "trabalho" em comparação ao que outros fazem, proporcionará grandes recompensas. No mundo de 80/20, diferente do antigo, aqueles que aplicam essa lógica podem esperar retornos exponencialmente maiores comparados aos esforços. No entanto, esse esforço deve ser de um padrão alto e único e refletir a singularidade do doador.

De acordo com o princípio 80/20, faz todo o sentido o fato de Michael Jordan conseguir ganhar de mais de seis times de basquete juntos, por causa das incríveis habilidades exibidas e o entretenimento correspondente oferecido. As pessoas famosas, conhecidas como estrelas, estão ganhando muito mais agora em relação ao que ganhavam no passado (dê uma olhada nos atores mais famosos), mas esse não é o verdadeiro problema. Koch se refere a eles apenas para demonstrar a aplicabilidade de seu princípio em relação a todos nós, que "somente nos realizando é que todo o valor extraordinário será criado".

Tornar-se um revolucionário do tempo

Muito do que consideramos valioso vem de apenas uma fração de como gastamos nosso tempo. Para aumentar grandiosamente a nossa eficácia, felicidade ou o que ganhamos, precisamos ampliar essa fração de 10 ou 20% para uma porcentagem muito maior de nosso tempo. Koch diz que a valorização que a nossa sociedade emprega ao tempo é ruim. "Não precisamos de gestão de tempo", diz ele, "precisamos de uma revolução do tempo".

O gerenciamento convencional de tempo trata do aumento da eficiência do que fazemos e de nos tornarmos melhores quando o assunto é priorização. Koch acredita que a falha de todos os tipos de gerenciamento de tempo está no fato de eles pressuporem, logo de início, que sabemos o que é e o que não é um bom uso do nosso tempo. Uma segunda falha está no fato de presumirmos que o tempo é curto, que temos muitas coisas importantes para fazer e que estamos sob constante pressão.

Mas, para melhorarmos fenomenalmente o nosso uso do tempo, o princípio 80/20 solicita que consultemos nossas "prioridades" e vejamos se elas realmente refletem o melhor uso da nossa vida no geral. Koch é contundente sobre isso: "A maioria das pessoas emprega esforço demasiado nas coisas erradas". Uma vez que o princípio reflete o desequilíbrio da natureza na forma como as coisas realmente funcionam, não vale a pena pensar no tempo de forma racional. Buscar melhorias de 15-25% em nosso uso do tempo (como prometem os organizadores de gestão de tempo) constitui "aparar as arestas". A realidade inesperada e irracional é que há uma abundância de tempo quando começamos a gastá-lo nos 20% que realmente importa. Em vez de estarmos sempre sem tempo, observa o autor, a perigosa verdade é a de que estamos realmente inundados dele, mas "somos perdulários com ele".

Não há problema ser preguiçoso, se você for inteligente com relação a isso

Você se esforça constantemente mesmo não chegando a lugar algum? Koch nos apresenta a matriz de Von Manstein. Von Manstein foi um general alemão que concluiu que os melhores oficiais, aqueles que cometeram menos erros e foram os mais corajosos, foram inteligente e, por inclinação, preguiçosos. Koch aplica a matriz à economia atual, afirmando que a chave para se tornar uma estrela é "simular, fabricar e implantar a inteligência preguiçosa". Em vez de escolher a dificuldade, ou uma meta genérica que acreditamos que nos trará o respeito, deveríamos nos concentrar no que vem fácil.

Surpreendentemente, o capitalismo permite que uma pessoa seja bem-sucedida e rica sendo apenas ela mesma: ao realizar sua mais alta expressão, a pessoa cria automaticamente um nicho muito pequeno, mas altamente valioso. Isso está em pleno acordo com uma economia da informação que exige uma especialização cada vez maior, porque ninguém faz o que fazemos, da mesma forma como fazemos. Isso se aplica inclusive em mercados em que parece haver fonte infinita e pequena demanda, como, por exemplo, o teatro e o esporte. Há centenas de tenistas profissionais, mas só um Andre Agassi, cuja aparência e atitude singulares proporcionaram a ele muitas vezes os endossos de jogadores de posição semelhante. Em todas as áreas, a chave para a liderança é o entusiasmo, a curiosidade inveterada e o aprendizado contínuo. No entanto, essas coisas não são o trabalho.

O pensamento 80/20 é a combinação de ambição com uma forma descontraída e confiante. Trata-se de pensamento reflexivo (permitir o surgimento dos *insights*, em vez de pular essa etapa e partir para a ação), do uso não convencional do tempo e de uma filosofia hedonista. Koch acredita que, em nossa cultura de "trabalho igual a sucesso", o hedonismo foi difamado. O hedonismo não significa egoísmo: quanto mais amamos fazer algo, melhor seremos nisso, aumentando, portanto, a probabilidade dessa ação em beneficiar outras pessoas.

Comentários finais

O princípio 80/20 é um livro de receita para se livrar da "corrida de ratos" e viver seu potencial. Ele mostra como trivialidades bloqueiam a vida e como protestos de "negócios" muitas vezes ocultam a ausência de propósito. Esses são temas familiares na literatura de autoajuda, mas é a aplicação que Koch faz de uma das "leis do poder" do universo que dá a esses *insights* um peso especial. Quem poderia ignorar uma lógica de ação baseada no "trabalho com o grão do universo, em vez de contra ele?"

O livro é particularmente bom para a compreensão da alquimia do sucesso na economia do mundo de hoje, conseguindo ser tanto uma obra de negócios quanto um empolgante guia de vida. Koch menciona a declaração de Joseph Ford de que, embora Deus jogue dados com o universo, os dados estão carregados. Para nos mostrar como o universo é "previsivelmente desequilibrado", o princípio

80/20 nos permite manipular as probabilidades de forma natural em nosso favor. Expressar e refinar nossos talentos singulares, em vez de buscar a "excelência" em algo que não amamos, é o ponto-chave. As grandes recompensas nunca são dadas ao meramente excelente, mas ao excepcional.

Richard Koch

Koch é um empresário bem-sucedido e autor de *best-seller*. Tem formação em consultoria de gestão (Bain & Co., Boston Consulting Group, cofundador da LEK Partnership) e já aconselhou muitas empresas conhecidas na Europa e nos Estados Unidos. Seus interesses comerciais incluem hotéis, gim premium, restaurantes, organizadores pessoais e, mais recentemente, apostas pela bolsa Sporting. Ele continua aconselhando os grupos de capital de risco no Reino Unido e na África do Sul.

Livros incluem *Gerência sem gerência*, *Things to Know about Strategy* [Coisas a saber sobre estratégia] e *The Third Revolution* [A terceira revolução], que fala da relação entre capitalismo e democracia. *O princípio 80/20* é um *best-seller* nos Estados Unidos, Ásia e Europa e já foi traduzido para 18 idiomas. Algumas de suas sequências incluem *As leis do poder: a ciência do sucesso*, que utiliza as leis científicas para explicar o sucesso do negócio, e *The 80/20 Revolution* [A revolução 80/20], um manual para ajudar o indivíduo a criar riqueza e bem-estar.

Koch tem casa em Londres, Marbella e na Cidade do Cabo.

33 | Ellen J. Langer

1989

ATENÇÃO: ESCOLHA E CONTROLE NA VIDA COTIDIANA

"Diferente dos exóticos 'estados alterados de consciência' sobre os quais tanto lemos, a atenção e a desatenção são tão comuns que poucos de nós apreciam sua importância ou utilizam o poder que ela tem para alterar nossa vida. Este livro trata do preço que pagamos pela desatenção: seus custos físicos e psicológicos. Mais importante ainda, trata dos benefícios da atenção: mais controle sobre nossa vida, mais escolhas e a capacidade de tornar possível o aparentemente impossível."

"Quando nos comportamos de modo desatento, isto é, quando confiamos em categorias herdadas do passado, os pontos extremos do desenvolvimento parecem fixos. Somos, então, como projéteis movendo-se ao longo de uma trajetória predeterminada. Atentos, vemos todo tipo de escolhas e geramos novos pontos extremos."

Em poucas palavras

Os hábitos mentais cegam a vida. Ao recuperar o controle sobre o pensamento, podemos vivenciar uma nova vida.

Na mesma linha

Dalai Lama e Howard C. Cutler, *A arte da felicidade* (p. 145)
O Dhammapada (p. 151)
Daniel Goleman, *Inteligência emocional* (p. 201)
Martin Seligman, *Aprenda a ser otimista* (p. 329)

Você já disse, alguma vez na sua vida, "com licença" a um manequim em uma loja ou preencheu um cheque em janeiro com a data do ano anterior? Para a maioria das pessoas, a resposta é provavelmente "sim", mas esses pequenos equívocos são, acredita Ellen Langer, a ponta do *iceberg* da desatenção. Langer é professora de Psicologia em Harvard e sua pesquisa sobre a rigidez mental levou a observações sobre a fluidez mental ou a atenção.

Um dos principais temas da literatura de autoajuda é a necessidade de nos libertarmos de hábitos e normas inconscientemente aceitos, e o clássico de Langer mostra exatamente como podemos fazer isso. O livro tem lugar na melhor tradição de pesquisa científica ocidental e está recheado de relatos de experiências fascinantes que deve atrair o interesse dos leitores que apreciam os clássicos *Inteligência emocional* e/ou *Aprenda a ser otimista.*

Quem ou o que é uma pessoa atenta? Langer sugere as qualidades fundamentais:

- Ter a capacidade de criar novas categorias.
- Ter a mente aberta para novas informações.
- Ter ciência da existência de mais de uma perspectiva.
- Dar mais atenção ao processo (o fazer) do que ao produto (os resultados).
- Confiar na intuição.

Novas categorias

Langer diz que vivemos e experimentamos a realidade de uma forma conceitual. Não vemos as coisas como novidade toda vez que as examinamos; em vez disso, criamos categorias e inserimos tudo nelas, o que representa uma forma mais conveniente de lidar com o mundo. Além das categorias mais simples, como, por exemplo, definir um vaso como japonês, uma flor como orquídea ou uma pessoa como chefe, há também as categorias mais complexas, que envolvem, por exemplo, religiões, ideologias e sistemas de governo.

Cada uma delas nos proporciona um nível de certeza psicológica e nos poupa o esforço de desafiar constantemente nossas próprias crenças. Dividimos os animais em "de estimação" e "para consumo" de modo que conseguimos nos sentir bem amando um e comendo o outro, por exemplo.

A desatenção surge quando não sabemos que as categorias nas quais nos encaixamos são categorias e as aceitamos como nossas sem pensar. Criar novas categorias e reavaliar as antigas exige atenção. Ou, como diz William James:

"Talento [...] significa pouco mais que a faculdade de perceber de uma forma não habitual."

Novas informações

Langer afirma que os "compromissos cognitivos prematuros" são como fotografias em que o significado, mais que o movimento, está congelado. Para evocar o perigo das imagens falsas e congeladas, a autora nos lembra Miss Havisham, personagem de *Grandes esperanças*, de Dickens, que ainda usava o vestido de noiva que vestia no dia em que fora abandonada no altar, mas que agora caía como uma cortina desbotada sobre o seu corpo envelhecido.

Em uma atmosfera mais prosaica, uma criança pode conhecer um velho mal-humorado e adotar a imagem de que "os velhos são mal-humorados" e levá-la para a vida adulta. Ao não se preocupar em substituir imagens como a do velho, o indivíduo virará prisioneiro de uma falsa percepção que tende a se refletir em sua própria vivência. Ele também se tornará um velho mal-humorado.

Isso se aplica a outros aspectos da vida. Se ficarmos atentos, estaremos menos propensos a assumir "genes" como uma desculpa para o nosso comportamento ou falta de iniciativa. Só porque nossos pais nunca ultrapassaram a escala mediana em suas carreiras, não significa que não podemos nos tornar presidentes de uma empresa.

Perspectiva e contexto

A desatenção ocorre quando as pessoas aceitam informações em uma forma descontextualizada. A capacidade de transcender o contexto, diz Langer, é a marca singular da atenção e da criatividade. Ela afirma que a dor depende muito do contexto: contundir-se em um campo de futebol doerá muito mais que em casa. A imaginação é a chave que nos faz enxergar a diferença da percepção. Um prisioneiro de Alcatraz, conhecido como homem-pássaro, que permaneceu em uma cela por mais de quarenta anos, conseguiu enriquecer sua vida cuidando de pássaros feridos.

A implicação no desenvolvimento pessoal é clara: podemos suportar qualquer coisa, contanto que seja dentro de um contexto positivo. Sem uma visão pessoal definida, a vida pode parecer uma sequência de preocupações e aborrecimentos constantes; com ela, porém, tudo é colocado em perspectiva. Como disse Nietzsche, se você sabe o "porquê", pode suportar qualquer "como".

Processo de orientação

Outra característica essencial da atenção é o foco no processo mais que no resultado, ou no "fazer em vez de atingir". Olhamos para a descoberta de um cientista e dizemos: "É um gênio", como se o que ele descobriu tivesse acontecido da noite para o dia. Com raras exceções, como no grande ano das descobertas de Einstein, a maior parte do sucesso científico é o resultado de anos de trabalho, que podem ser dividido em etapas. Um estudante universitário olha admirado para o livro do professor e pensa: "Nunca conseguirei escrever algo tão bom", pressupondo que foi uma inteligência superior, e não de anos de estudo e trabalho, que deu luz ao pesado volume. Trata-se de uma comparação equivocada.

O processo de orientação solicita que perguntemos "Como posso fazê-lo", e não "Será que consigo?". Assim não só aguçamos nosso julgamento como também nos sentimos muito melhor com nós mesmos, diz Langer.

Intuição

A intuição é um importante caminho para a atenção, pois seu uso exige muito que ignoremos os velhos hábitos e expectativas para experimentar algo que talvez contrarie a razão. Todavia, os melhores cientistas são intuitivos, e muitos deles passam anos validando metodicamente a verdade intuitiva que lhes ocorreu num lampejo.

O surpreendente sobre a atenção e a intuição é que ambas não exigem quase nenhum esforço: "As duas são alcançadas fugindo-se do esforço pesado e determinado da maior parte da vida". A intuição nos traz informações valiosas sobre nossa sobrevivência e sucesso; não conseguimos explicar de onde ela vem, mas pagamos caro se a ignorarmos. A pessoa atenta segue o que dá certo, mesmo que não faça sentido.

Comentários finais

Na essência, ter atenção significa preservar nossa individualidade. Ao escolher uma mentalidade de recursos limitados, ao optar por focar nos resultados em vez do processo e ao fazer comparações errôneas com outras pessoas, tornamo-nos quase robôs. O verdadeiro indivíduo é caracterizado pelo fato de estar aberto ao novo, sempre reclassificando o significado do conhecimento e da experiência e tendo a habilidade de enxergar as ações cotidianas por um prisma mais amplo e conscientemente escolhido.

Langer reconhece os paralelos com a religião oriental em sua obra, como, por exemplo, o entendimento de que a meditação budista significa desfrutar de um estado atento que leva à "ação correta". Langer supõe que a atenção pode ter o mesmo efeito e, portanto, implicações importantes na saúde da sociedade, não apenas na saúde do indivíduo. A beleza desse sentimento de atenção é que ele não é trabalhoso; na verdade, por levar a um maior controle do nosso próprio pensamento ele é, usando as palavras de Langer, "estimulante" e cria, de uma forma tranquila, uma emoção a partir do que é possível.

Embora suas ideias pareçam difíceis, *Atenção: escolha e controle na vida cotidiana* foi escrito visando ao público geral. Ele pode até ser menos direto que a maioria dos livros de autoajuda, mas suas ideias tendem a se fixar em nossa mente.

Ellen Langer

Langer graduou-se em Psicologia pela Universidade de Nova York, em 1970, e recebeu título de doutora pela Universidade de Yale, em 1974. Como professora de psicologia da Universidade de Harvard, ela produziu vários trabalhos acadêmicos, artigos e capítulos em coletâneas publicadas.

Atenção: escolha e controle na vida cotidiana é o resultado de mais de cinquenta experiências, a maioria com pessoas idosas. Essas pesquisas levaram Langer a acreditar que a proteção das enfermarias levava a uma menor autonomia e responsabilidade, o que acelera o envelhecimento. O livro foi traduzido para mais de treze idiomas e teve dez edições.

Outras obras populares de Langer são: *Personal Politics* (com Carol Dweck, 1973) [Política pessoal], *The Psychology of Control* (1983) [A psicologia do controle], e *The Power of Mindful Learning* (1997) [O poder do aprendizado da atenção]. Ela escreveu o verbete "Mindfulness/Mindlessness" [Consciência/inconsciência] para a Enciclopédia de Psicologia (R. Cosini (ed.), 1994). Langer mora em Massachusetts.

34 | Lao Tsé

Séculos V-III a.C.

TAO TE CHING

"Contorne os obstáculos, não os enfrente. Não lute para conseguir. Espere o momento certo."

"Tentar entender é como se esforçar para enxergar através da água barrenta. Fique parado e espere a areia assentar. Permaneça parado até chegar a hora de agir."

"Pare de se apegar à sua personalidade e veja todos os seres como vê a si mesmo. A uma pessoa assim pode-se confiar todo o mundo."

"Diante do amigo ou do inimigo, da vitória ou da derrota, da fama ou da desonra, o sábio permanece equânime. É o que o torna extraordinário."

Em poucas palavras

Torne a sua via mais fácil e eficaz sintonizando-se com o "fluxo" natural do universo.

Na mesma linha

Deepak Chopra, *As sete leis espirituais do sucesso* (p. 115)

O *Tao Te Ching* é um dos maiores clássicos filosóficos e espirituais do mundo, além de ser reverenciado por milhões de pessoas. Ele é, ao mesmo tempo, a escritura taoísta mais antiga e um texto de meditação, além de representar uma Filosofia atemporal de poder com base na harmonia com a natureza. O *Tao Te Ching* vem sendo adotado como um manual de liderança moderno e cai como uma luva à vida contemporânea.

Em português, o título significa "O caminho do poder" ou "O clássico (*Ching*) do caminho (*Tao*) e da virtude (*Te*)". O *tao* determina o *te*, ou a maneira como deve agir uma pessoa que está em sintonia com o *tao*. Tudo que pode ser definido não é o *tao* – o espírito atemporal que percorre toda a vida, criando a unidade essencial do universo. O *tao* não é nem mesmo "deus", entidade que surgiu dele.

O *Tao Te Ching* pinta um retrato de uma pessoa em total sintonia com o *Tao* e, portanto, com o universo. Martin Palmer, em sua introdução à tradução da obra para o inglês feita por Timothy Freke, diz que ele representa "um mundo de ordem com que devemos trabalhar, não um mundo em que devemos lutar por nós mesmos". Neste mundo onde não lutamos mais, descobrimos que é a sintonia, não o esforço mecânico, que nos dá o que precisamos.

A ideia do *Tao* é a de que, quando você se harmoniza com ele, suas ações deixam de parecer uma "ação". Csikszentmihalyi chama esse sentimento de "fluxo"; já o físico Bohm fala dele como parte do "desdobramento". Em contraste, a ação comum implica um esforço da vontade de realizar algo que geralmente envolve a manipulação ou até mesmo a exploração. Enquanto a ação *tao* integra, sua alternativa fragmenta.

Liderança *tao*

Para Lao Tsé há dois tipos de líder: o convencional, um guerreiro que usa a força para atingir seus objetivos, simbolizado pelo *yang*, ou aspecto masculino; e o xamã, simbolizado pelo *yin*, ou aspecto feminino, que é o conceito de "liderança servidora", na qual o líder se mistura ao ambiente para que seus colaboradores possam brilhar.

No mundo dos negócios há quem diga que, quanto mais poder tem um líder, menos ele deve usá-lo. Isso é comprovado pelo trabalho em equipe, sinergia e hierarquias planas de empresas bem geridas e que visam aumentar sua eficácia dividindo o poder. Essas empresas têm maiores chances de criar ideias ou produtos que melhoram verdadeiramente a vida.

Talvez seja difícil identificar o líder ideal até 2020, porque a posição e a riqueza não serão mais bons indicadores de impacto ou influência. Nas palavras de Lao Tsé:

> *"Os sábios excedem/ porque se veem como parte do todo./ Brilham,/ porque não querem impressionar./ Realizam grandes coisas/ porque não buscam reconhecimento./ Sua sabedoria está contida no que são,/ não no que dizem./ Como se recusam a discutir,/ ninguém discute com eles."*

Ouvir, ceder, cooperar, estar aberto, buscar o melhor resultado possível – esses aspectos *yin* devem equilibrar a força empreendedora do *yang*, responsável pela civilização como a conhecemos. A integração dos dois será a marca do novo líder, cuja credibilidade reside não no que ele diz ou realizou até aqui: "sua sabedoria está contida no que ele é".

Sucesso *tao*

Para um livro que trata essencialmente de ter uma vida bem-sucedida, o *Tao Te Ching* oferece conselhos que parecem muito estranhos, como, por exemplo: "Desista e você conseguirá".

Como conciliar essa afirmação com tantas outras mensagens motivacionais sobre passos ativos que devemos dar na busca do sucesso? Consideremos *Desperte o gigante interior*, de Robbins, livro arquétipo do desenvolvimento pessoal moderno. Com o subtítulo "Como assumir o controle do seu destino mental, emocional, físico e financeiro!", esse livro encapsula a ética da autocriação plena baseada na crença de que sabemos o que queremos, o que nos fará felizes e o que tornará nosso potencial ilimitado.

Por outro lado, o *Tao Te Ching* trata de levar uma vida muito simples, que não busca poder, fama ou riqueza. Há um êxtase silencioso no viver para o momento, não tentar forçar nenhum acontecimento nem conseguir que os outros façam as coisas do nosso jeito. É um livro sobre o poder do momento certo:

> *"Fique parado e deixe a areia assentar. / Continue parado até chegar a hora de agir."*

Qual é o melhor caminho? Usar o foco e a perseverança para realizar algo ou seguir o "fluxo" e "deixar" que algo se manifeste? Em última instância, tudo se resume a onde está a nossa fé: em nós mesmos (bastante razoável) ou na inteligência que rege o universo (*tao*). Na mente de Lao Tsé, o *tao*, que tudo criou, é capaz de nos dar paz, alegria e poder pessoal. A compulsão de lutar certamente surge da percepção de que precisamos dominar o mundo, ou uma pequena parte dele, para nos sentirmos completos. Portanto, é mais provável que lutar para criar algo, embora seja uma forma natural de expressar nossa identidade, não seja de fato o melhor caminho para o sucesso. Em vez disso, devemos admitir prontamente que o objetivo pelo qual lutamos é apenas um símbolo da unidade maior sugerida pelo *Tao Te Ching*, que a descreve como "o caminho do céu".

Comentários finais

De início, o *Tao Te Ching* parece uma voz estranha, mas essa voz pode mudar e provavelmente ampliar suas ideias atuais sobre a vida e o sucesso. Você pode decidir que precisa incorporar sua visão de mundo à dele, não o contrário.

Como não há narrativa, apenas medições de algumas linhas fragmentadas em pequenos capítulos, que, por sua vez, parecem não ter relação uns com os outros, o livro não deve ser lido do começo ao fim. Seu poder hipnótico é resumido em uma de suas próprias estrofes:

> *"Um viajante pode parar para comer boa comida e ouvir boa música, / mas toda descrição do* Tao *parece frágil e insípida. / Não parece ser nada de especial. / Não soa como nada especial. / Mas siga-o e você nunca se cansará dele."*

35 | Maxwell Maltz

1960
Psicocibernética

"O homem é, por natureza, um ser que persegue objetivos. E por ser 'feito assim', ele não fica satisfeito enquanto não estiver funcionando da forma como deveria, ou seja, como um ser que persegue objetivos. Portanto, o verdadeiro sucesso e a verdadeira felicidade não apenas andam juntos como se reforçam mutuamente."

"Até onde diz respeito às suas funções, o cérebro e o sistema nervoso formam uma maravilhosa e complexa 'máquina de perseguir objetivos', um sistema automático de orientação que trabalha para você como uma 'máquina de sucesso' ou contra você como uma 'máquina de fracasso', dependendo de como 'VOCÊ', o operador, opera-a e dos objetivos que estabeleceu para ela."

Em poucas palavras
Nosso corpo/cérebro é um sistema completo de realização de objetivos. Use-o.

Na mesma linha
Steve Andreas e Charles Faulkner, *PNL* (p. 23)
Anthony Robbins, *Desperte o gigante interior* (p. 315)

De acordo com a Psycho-Cybernetics Foundation [Fundação Psicocibernética], as vendas mundiais desse livro, incluindo as edições de cinco editoras norte-americanas, as muitas traduções publicadas em outros países desde 1960, ultrapassaram a barreira dos 25 milhões de exemplares.

Essa gigantesca quantidade de leitores por si só já faz valer a pena investigar a obra, mas isso também se torna um enigma quando percebemos que o dr. Maltz nunca se tornou famoso como Dale Carnegie ou Norman Vincent Peale. O que atraiu as pessoas para esse livro de aparência nada especial?

O que é a cibernética?

A palavra vem do grego e significa "piloto", e no sentido moderno ela geralmente se refere a sistemas de controle e comunicação em máquinas e animais; por exemplo, um computador ou um *mouse* se organiza para realizar uma tarefa. Maltz aplicou os princípios da ciência da cibernética aos seres humanos para formar a psicocibernética. Embora se inspire no desenvolvimento de máquinas sofisticadas, seu livro rejeita a ideia de que o homem pode ser reduzido a uma máquina. A psicocibernética, por sua vez, preenche uma lacuna entre os modelos mecanicistas do funcionamento do cérebro (clichês do tipo "Seu cérebro é um computador maravilhoso") e a certeza de que somos muito mais do que máquinas.

Maltz disse que os seres humanos têm uma "essência", ou força vital, que não pode ser reduzida meramente a um cérebro e a um corpo físico. Jung chamou essa força vital de "libido"; Bergson, de "élan vital". Uma pessoa não pode ser definida por seu corpo físico ou cérebro, da mesma forma como a eletricidade não pode ser definida pelo fio através do qual viaja. Pelo contrário, somos sistemas em fluxo constante.

Alguns leitores se incomodarão com a distinção entre cérebro e mente, mas ela faz sentido com relação à afirmação essencial feita por Maltz: "O homem não é uma máquina, mas possui e utiliza uma". Essa distinção é crucial para entender o tema mais amplo do livro: estabelecer e alcançar objetivos.

Tecnologia de mísseis teleguiados aplicada aos seres humanos

O fundador da cibernética foi o matemático norte-americano Norbert Wiener, que passou a Segunda Guerra Mundial aperfeiçoando a tecnologia de mísseis teleguiados. Ao enfatizar as similaridades entre máquinas, animais, cérebros humanos e sociedades, Wiener se colocou muito à frente de seu tempo ao prever que não haveria nada que impedisse que as máquinas "pensassem" como os seres humanos. Para ele, tanto os computadores quanto o cérebro dos seres humanos recebem dados de baixa energia e criam novas conexões a serem utilizadas em interações com o mundo exterior. O *feedback* do ambiente externo é utilizado para reforçar as comunicações subsequentes com o próprio ambiente.

O ciclo virtuoso controle-comunicação-*feedback* é a característica-chave de um "servomecanismo" necessário para alcançar um objetivo predefinido. Uma vez que um míssil sabe seu destino, ele atinge o alvo por meio da comunicação e *feedback* constante consigo mesmo.

Maltz pensou: "Por que essa tecnologia não pode ser aplicada a propósitos humanos?". Ele percebeu que, ao fixar claramente o objetivo, o processo ganha automaticidade. É semelhante a quando estamos aprendendo a dirigir e temos de nos preocupar com todos os carros na rua e processar todos os sinais à nossa frente – o resultado é que você anda devagar e ainda está propenso a se perder. Com o tempo, porém, dirigir se torna algo natural, pois você sabe o seu destino ao se sentar ao volante, e o corpo e a mente fazem automaticamente o necessário para alcançá-lo.

A cibernética se mostrou tão revolucionária para Maltz porque ele viu que uma das implicações dessa ciência era a de que a conquista é uma questão de escolha. Na dinâmica da realização, "o quê" (alvo) é mais importante que o "como" (caminho). Os lobos frontais, a parte consciente do cérebro, podem projetar o alvo ou criar a imagem da pessoa que você deseja ser, e o subconsciente se encarregará da sua realização. O mecanismo "programe e esqueça" dos mísseis teleguiados também funcionaria por nossos mais profundos desejos.

A importância da autoimagem

Maltz era cirurgião plástico. Famoso em seu campo, ele sempre quis entender por que alguns pacientes, mesmo após terem removido cicatrizes e outras deformações, não se sentiam mais felizes depois da operação do que antes. Essa curiosidade o levou a se interessar pela nova Psicologia da autoimagem, que dizia que geralmente moldamos em ação e pensamento essa imagem interior que temos de nós mesmos. Sem uma mudança dessa imagem interior, os pacientes ainda vão se sentir feios, por mais perfeita que seja a plástica.

Ele chegou a acreditar que a autoimagem fosse a "chave-mestra" para uma vida melhor. Sem uma compreensão dessa autoimagem, podemos ficar brincando eternamente com "a circunferência do eu", em vez de com o centro dele. O pensamento positivo, por exemplo, pode ser inútil se relacionado apenas a circunstâncias externas específicas. Dizer "Eu vou conseguir esse emprego" não adiantará em nada se o desejo não for consistente com a forma como você se vê interiormente.

Como funciona?

A autoimagem é adquirida por meio de nossas crenças acerca de nós mesmos, desenvolvidas a partir das experiências passadas de sucesso, de fracasso e da forma como os outros nos veem. Maltz argumentou que nenhuma delas é digna do privilégio de determinar nosso modelo psicológico básico. O ponto crucial e fascinante com relação à autoimagem é que ela é um valor neutro; em outras palavras, não importa se ela fortalece ou destrói, ela se formará simplesmente de acordo com o alimento psicológico do qual é alimentada. Podemos criar uma imagem do eu capaz de acomodar prosperidade, paz e grandeza ou adotar um eu defeituoso que não consegue nem mesmo nos tirar da cama pela manhã. A questão é que uma autoimagem positiva, que consegue fazê-lo realizar seus sonhos, não surge do nada – ela deve ser analisada e fabricada.

Como realmente mudar a autoimagem? E se a pessoa só experimentou fracassos? Essas eram questões perturbadoras para Maltz, uma vez que a evidência era a de que a autoimagem é modificada pela experiência, não pelo intelecto. Mas não era o caso porque – e este é um dos pontos mais importantes do livro – psicólogos clínicos e experimentais estabeleceram, sem sombra de dúvida, que o cérebro não é muito bom em diferenciar uma experiência real de uma imaginada com detalhes completos e vívidos. (Esses resultados foram vistos anos antes por William James.) Exemplificando: imagens vitoriosas do eu podem substituir as imagens negativas, retirando toda autoridade aos acontecimentos passados. A beleza da autoimagem é que, ao mesmo tempo em que é essencial para determinar o sucesso ou o fracasso, ela se mostra extremamente maleável.

Vivendo a imagem

Como o cérebro pensa por imagens, se você conseguir visualizar conscientemente a imagem desejada de si mesmo, o cérebro e o sistema nervoso fornecerão automaticamente um *feedback* contínuo para assegurar que ela "viva" de acordo com o que foi pré-programado. Em um experimento clínico famoso, um grupo de jogadores de basquete foi fisicamente treinado para lançar bolas na cesta, enquanto o outro foi treinado somente para visualizar o exercício. Apesar da falta de qualquer prática física, o segundo grupo teve um desempenho muito superior ao do primeiro.

O cérebro, o sistema nervoso e os músculos são servos obedientes das imagens colocadas em nossa mente. Mas a capacidade do corpo e do cérebro de realizar a autoimagem desejada depende da capacidade de continuidade para o que foi desejado. A imagem deve ser tatuada no cérebro. Com uma imagem tão forte nossa, fica difícil não viver e manifestar tudo que está associado a ela. Em vez de só "ter objetivos", tornamo-nos os próprios objetivos.

Comentários finais

Grande parte da literatura de autoajuda trata de objetivos, mas como funciona esse estabelecimento de objetivos ou metas? Por que esse processo funciona? Maltz foi o primeiro a explorar as suas máquinas reais, e, ao fazer isso, ele se tornou uma influência importante para uma geração de escritores de sucesso. A ênfase na autoimagem positiva pavimentou o caminho para centenas de livros sobre o poder da afirmação e das técnicas de visualização; isso porque *Psicocibernética* – além de ter vendido seus milhões de exemplares – provê uma justificativa científica para a realização dos sonhos.

Embora tenha um estilo acessível, ele é um livro acadêmico. Suas referências à ciência e à tecnologia estão agora ultrapassadas, mas os princípios da teoria cibernética só cresceram em influência. As teorias da complexidade, da inteligência artificial e da ciência cognitiva nasceram da compreensão cibernética de como o não físico, o "fantasma da máquina", conduz a matéria. Isso torna *Psicocibernética* um livro de autoajuda perfeito para uma cultura tecnológica.

A obra é admirável porque foi escrita em uma época em que o behaviorismo e os estudos de tempo e movimento, que tendem a reduzir as pessoas a uma forma mecânica, estavam no auge. A genialidade de Maltz está em dizer que, embora sejamos "máquinas" e a dinâmica do estabelecimento de objetivos e da autoimagem possa ser mais bem descrita em termos mecanicistas, a fantástica variedade de nossos desejos e a nossa capacidade de criar novos mundos são exclusivamente humanas. O que poderia nunca ser reduzido a analogias mecanicistas são os fogos da imaginação, da ambição e da vontade.

Maxwell Maltz

Nascido e educado na Europa, Maltz passou a maior parte da vida adulta em Nova York, onde abriu uma clínica de cirurgia plástica. Seu livro *New Faces, New Futures* [Novos rostos, novos futuros] consiste de uma coletânea de histórias de pacientes cujas vidas foram transformadas pela plástica facial. Sua pesquisa posterior sobre poucos pacientes cujas vidas não melhoraram radicalmente levou-o ao trabalho do psicólogo Prescott Lecky sobre "autoconsistência". Ele estava na faixa dos sessenta anos na época em que *Psicocibernética* foi publicado.

Com o sucesso do livro, Maltz se tornou um conferencista motivacional popular nos anos 1960 e início dos anos 1970. O grande público do livro incluía Salvador Dalí, que pintou um quadro "psicocibernético" como um presente para o autor. Maltz faleceu em 1971, aos 76 anos de idade.

Embora pouco conhecidos, outros títulos de Maltz incluem *A imagem de si mesmo*, *Live and Be Free through Psycho-Cybernetics* [Viva e seja livre por meio da Psicocibernética], três romances e uma autobiografia, *Dr. Pygmalion*. Uma versão atualizada chamada *Psycho-Cybernetics 2000* [Psicocibernética 2000] foi editada por Bobbe Summer e Anna Maltz. A Psycho-Cybernetics Foundation (www.psycho-cybernetics.com) se dedica a promover sua obra.

36 | Abraham Maslow

1954
Motivação e personalidade

"Ser um humano – no sentido de pertencer à espécie humana – deve ser definido também em termos de tornar-se ser humano. Nesse sentido, um bebê é apenas potencialmente um ser humano, ele ainda deve crescer e amadurecer de forma a atingir sua humanidade."

"Eu certamente aceitei e tenho trabalhado em dados disponíveis da Psicologia e da Psicanálise experimental. Também adotei o espírito empírico e experimental da primeira e a capacidade de sondagem e revelação da segunda, embora rejeitando as imagens do homem que as duas geraram. Ou seja, esse livro representou uma Filosofia diferente da natureza humana, uma nova imagem do homem."

Em poucas palavras
A saúde mental plena não é a ausência de neuroses, mas a realização do nosso potencial.

Na mesma linha
Pierre Teilhard de Chardin, *O fenômeno humano* (p. 345)

No verão de 1962, Abraham Maslow dirigia em meio a uma forte neblina pela estrada traiçoeira da região litorânea de Big Sur, Califórnia, quando viu um letreiro interessante e decidiu parar. O lugar onde havia parado era justamente o primeiro centro mundial de desenvolvimento pessoal, o Esalen, onde, coincidentemente, os funcionários desempacotavam exemplares de seu primeiro livro, *Towards a Psychology of Being* [Em direção à psicologia do ser].

Diante disso, era inevitável que Maslow se tornasse o guru do movimento da década de 1960. Por meio de sua ideia central de "autorrealização pessoal", *Motivation and Personality* [Motivação e personalidade] propôs uma nova imagem da natureza humana, que inspirou toda uma geração. Junto de Rollo May e Carl Rogers, Maslow criou o ramo humanístico da Psicologia chamado "terceira força", e também sua extensão, a Psicologia transpessoal, que ultrapassa as necessidades e os interesses comuns das pessoas, e trata de seu contexto espiritual e cosmológico.

No entanto, Maslow não era um revolucionário comum. Como psicólogo acadêmico, seu trabalho científico fazia oposição ao behaviorismo – que, na opinião de Marlow, transformava as pessoas em autômatos – e à Psicanálise freudiana, que nos define como pessoas controladas por necessidades inconfessáveis. Ainda trabalhando dentro dos limites do método científico, *Motivation and Personality* procurou, em vez disso, desenvolver uma visão holística das pessoas, o que não era muito diferente de como os artistas e os poetas sempre nos imaginaram. Em vez da simples soma de nossas necessidades e impulsos, o autor nos enxergava como indivíduos inteiros, com campo ilimitado de crescimento. O que tornou o trabalho de Maslou tão influente foi essa clara crença na possibilidade humana e nas organizações e culturas que poderíamos construir.

Conceitos-chave: hierarquia das necessidades e autorrealização

A "hierarquia das necessidades" de Maslow é um conceito famoso na Psicologia. O autor organizou as necessidades humanas em três níveis gerais: fisiológico (ar, alimento e água); psicológico (segurança, amor e autoestima); e, finalmente, a autorrealização. Seu ponto de vista era de que as necessidades superiores são parte de nossa natureza tanto quanto as inferiores, que foram, na verdade, instintivas e biológicas. Equivocadamente, muitas das civilizações consideraram as necessidades superiores e inferiores como igualmente conflitante entre elas, enxergando os impulsos animais básicos como conflitantes com as nossas aspirações mais elevadas, como a verdade, o amor e a beleza. Maslow, ao contrário, viu as necessidades como um *continuum* em que a satisfação das necessidades inferiores vem antes do desenvolvimento mental e moral superior do indivíduo. Tendo satisfeito as exigências físicas básicas e atingido o estado em que nos sentimos amados e respeitados e em que desfrutamos de um sentimento de pertencimento – que inclui a identidade filosófica ou religiosa –, buscamos a autorrealização.

Indivíduos realizados são aqueles que atingiram "o pleno uso e exploração de seus talentos, capacidades, potencialidades, entre outros". São pessoas bem-sucedidas como indivíduos, à parte de demonstrações externas de sucesso, que não são de forma alguma perfeitas, mas aparentemente não têm grandes defeitos. Desde que Daniel Goleman escreveu seu *best-seller* sobre inteligência emocional, todo mundo "descobriu" que ela é a chave para o sucesso, mas, para os indivíduos realizados, este tipo de inteligência é natural.

A pesquisa de Maslow envolveu o estudo de sete personagens contemporâneos e nove históricos: os presidentes norte-americanos Abraham Lincoln e Thomas Jefferson, o cientista Albert Einstein, a primeira-dama e filantropa Eleanor Roosevelt, a pioneira da filantropia Jane Addams, o psicólogo William James, o médico e humanitário Albert Schweitzer, o escritor Aldous Huxley e o filósofo Baruch Spinoza. Algumas das dezenove características da pessoa realizada identificadas por Maslow são:

- Percepção clara da realidade (o que inclui uma alta capacidade de detectar falsidade e acertar no julgamento do caráter).
- Aceitação (de si mesmo e das coisas como elas são).

- Espontaneidade (vida interior rica e não convencional com uma capacidade de ver o mundo como as crianças, isto é, sempre como se fosse a primeira vez e a capacidade de apreciar a beleza das coisas mundanas).
- Concentração de problemas (foco em questões ou desafios externos, um sentido de missão ou propósito, resultando na ausência de mesquinhez, introspecção e jogos egocêntricos).
- Busca da solidão (quando apreciada voluntariamente, a solidão também traz serenidade e desprendimento do infortúnio e da crise, e ajuda a obter a independência de pensamento e de decisão).
- Autonomia (independência em relação à aprovação de outras pessoas, maior interesse na satisfação interior do que em *status* ou recompensas).
- Auge ou experiências místicas (aquelas experiências e sensações de que o tempo parou).
- Afinidade humana (um amor genuíno por todas as pessoas e o desejo de ajudá-las).
- Humildade e respeito (crença de que podemos aprender com qualquer pessoa e que mesmo a pior das pessoas tem aspectos positivos).
- Ética (noções claras, ainda que não convencionais, de certo e errado).
- Senso de humor (não achar graça em brincadeiras que ferem ou que insinuam inferioridade, mas, sim, no humor que destaca a tolice dos seres humanos em geral).
- Criatividade (não tem a genialidade inata de Mozart, mas consegue se expressar em tudo o que faz, diz ou age).
- Resistência à aculturação (capacidade de ver além dos limites da cultura e das épocas).
- Imperfeições (toda a culpa, ansiedade, autorrecriminação, ciúme, entre outros, que as pessoas comuns vivenciam, sem que estas nasçam de neuroses).
- Valores (baseados em uma visão positiva do mundo; o universo não é visto como uma selva, mas como um lugar essencialmente

abundante que fornece o necessário para que possamos dar a nossa contribuição).

Outra sutil diferença distingue as pessoas. A maioria vê a vida como uma luta para conseguir isto ou aquilo, quer se trate de bens materiais, de ter uma família ou de construir uma carreira vitoriosa. Os psicólogos chamam isso de "motivação por carência". As pessoas realizadas não lutam mais do que precisam para se desenvolver. Elas são ambiciosas ao ponto de conseguirem se expressar de forma mais plena e perfeita, desfrutando daquilo que são capazes de fazer.

Outro aspecto geral dessas pessoas é a sua profunda liberdade de pensamento. Independentemente das circunstâncias, e em contraste com as pressões para a conformidade que os cerca, as pessoas realizadas são exemplos vivos de livre-arbítrio, são a qualidade humana por excelência. Elas compreendem plenamente o que Stephen Covey chama de hiato entre estímulo e resposta, ou seja, o conceito de que nenhuma resposta deve ser automática. Em contraste, a pessoa meramente "bem ajustada" (ou seja, livre de neuroses) pode não saber realmente quem é nem se tem um propósito de vida definido. Como diz Theodore Rozsak em *Person/Planet* [Planeta/pessoa]:

> *"Maslow fez a pergunta essencial ao colocar a autorrealização como o objetivo ideal da terapia: por que nos atemos a padrões de sanidade tão cautelosamente baixos? Não podemos imaginar nenhum modelo melhor do que o consumidor obediente, o provedor bem ajustado? Por que não o santo, o sábio, o artista? Por que não tudo o que é superior e mais elevado em nossa espécie?"*

Maslow fez a intrigante observação de que, embora os indivíduos realizados compartilhassem das características acima e, portanto, pudessem ser agrupados como um tipo, eles eram mais plenamente individualizados do que qualquer outro grupo de controle jamais descrito. Este é o paradoxo da autorrealização: quanto mais dessas características se possui, maior a probabilidade de ser verdadeiramente singular.

Comentários finais

A grandeza de Maslow está em reimaginar o que o ser humano pode ser. Não aceitando a ideia de saúde mental como uma simples "ausência de neurose", ele enfatizava que a saúde psicológica exige a presença de traços de autorrealização. Essa reformulação fundamental da Psicologia tem implicações em todas as áreas da atividade humana.

Na época em que escreveu *Motivação e personalidade* Maslow acreditava que apenas uma pequena porcentagem da população era realizada, mas que esses poucos podiam mudar toda a cultura. Dado o impacto desse conceito sobre a contracultura da década de 1960, uma geração que mudou o mundo à sua imagem, somos obrigados a admitir que Maslow estava certo.

Sua hierarquia das necessidades foi, certamente, fundamental para o entendimento da motivação no trabalho, e a autorrealização do empregado se tornou uma preocupação séria no mundo dos negócios. Ele previu a tendência de o crescimento pessoal e emocional substituir o dinheiro como motivação maior na vida profissional de uma pessoa.

O princípio estabelece claramente padrões mais elevados para os indivíduos e para a sociedade, e a principal crítica de Maslow era a de que ele era utópico por ter criado uma natureza humana ideal que não existe. Ele morreu antes de poder abordar o problema que alguns o acusaram de ter ignorado: o mal. O desejo de autorrealização pode ser um fator favorável à propagação da democracia e do crescimento do reconhecimento dos direitos humanos, mas que luz ele lança sobre horrores como os genocídios em Ruanda e em Kosovo?

Se a autorrealização é uma faceta da natureza humana, sua ausência cria um vácuo que será preenchido pela repressão, pela pobreza e pelo nacionalismo, tornando o mundo pronto para o mal. Por esse ponto de vista, a satisfação do eu nunca deveria ser pensada como um luxo. A evolução da espécie depende dela.

Abraham Maslow

Nascido em meio a uma família de imigrantes judeus russos em 1908, no Brooklyn, Nova York, Maslow era o mais velho de sete filhos. Tímido, neurótico e depressivo, mas com uma curiosidade apaixonada e uma incrível inteligência inata (um QI de 195), ele se destacou na escola.

Na faculdade, suas influências iniciais foram Harry Harlow, ilustre pesquisador de primatas, e o behaviorista Edward Thorndike. Enquanto esteve na Universidade de Columbia, a pesquisa de Maslow sobre a vida sexual das universitárias suscitou controvérsias. Durante seus quatorze anos de docência na Brooklyn College, estavam entre seus mentores Alfred Adler, Karen Horney, Eric Fromm e Margaret Mead. A antropóloga Ruth Benedict e o fundador da terapia Gestalt, Max Wertheimer, tornaram-se seus amigos e modelos da ideia da pessoa realizada. Em 1951, Maslow se transferiu para a Universidade Brandeis, onde permaneceu até um ano antes de sua morte e também onde escreveu *Motivação e Personalidade*.

Em 1962, Maslow foi consultor convidado de uma empresa californiana de alta tecnologia, o que resultou em sua adaptação do conceito de autorrealização para o ambiente de negócios, descrito em *O diário de negócios de Maslow*. *Towards a Psychology of Being* [Em direção à psicologia do ser] foi publicado em 1962 e o clássico *The Farther Reaches of Human Nature* [As mais avançadas conquistas da natureza humana] foi lançado um ano depois de sua morte, em 1970.

37 | Philip C. McGraw

1999

Estratégias de vida: fazendo o que importa, fazendo o que dá certo

"Os vencedores nesta vida conhecem as regras do jogo e têm um plano para que sua eficiência seja exponencialmente maior que a das pessoas que não têm. Isso não é nenhum mistério, apenas um fato."

"Torne-se um dos que chegaram lá. Decifre o código da natureza humana e entenda o comportamento das outras pessoas. Aprenda por que você e todas as outras pessoas fazem o que fazem e não fazem o que não faz."

"Fato: a vida é uma competição. Um placar é defendido e há um relógio marcando o tempo."

Em poucas palavras

Seja realista consigo mesmo e inteligente a respeito do mundo. Ninguém pode fazê-lo por você.

Na mesma linha

Steve Andreas e Charles Faulkner, *PLN* (p. 23)
Martha Beck, *Encontrando a sua estrela-guia* (p. 39)
Anthony Robbins, *Desperte o gigante interior* (p. 315)
Florence Scovell Shinn, *O jogo da vida e como jogá-lo* (p. 323)

Imitando o provérbio chinês "O começo da sabedoria é chamar as coisas pelos seus nomes corretos", Philip McGraw é conhecido como o homem que "diz as coisas tal como são". Suas sinceras observações costumam levar com frequência muitas pessoas às lágrimas, mas poucas se ressentem verdadeiramente disso.

Em meio ao tom sincero e simpático da maioria dos autores de autoajuda, McGraw é uma lufada de ar fresco. Ele se apresenta em *Estratégias de vida* com a observação: "Todo mundo faz algo na vida. Algumas pessoas constroem casas. Eu construo estratégias de vida".

Dr. Phil e Oprah

Em 1999, a apresentadora de TV Oprah Winfrey foi acusada de fraude, calúnia e difamação pela indústria da carne. A acusação decorreu de suas declarações na TV sobre os perigos do "mal da vaca louca" (encefalopatia espongiforme bovina) e sua relutância em comer hambúrgueres. Forçada a responder ao processo na "capital mundial da carne bovina", a cidade de Amarillo, no Texas – famosa por ser uma cidade branca e machista –, Oprah contratou o estrategista dr. Phil McGraw para ajudá-la na defesa.

Ela não conseguia acreditar no que estava acontecendo e achava a acusação um absurdo, mas mesmo assim enfrentou o processo correndo o risco de perder cem milhões de dólares, além de sua reputação, caso não vencesse. Além de tudo o que estava em jogo, McGraw achou que Oprah não estava levando a situação a sério. Conforme relato em *Estratégias de vida*, ele decidiu certa noite olhá-la nos olhos e dizer "acorda", "entre no jogo ou esses caras vão ferrar com você".

McGraw sabia que era algo pesado a se dizer a uma das a mulheres mais influentes dos Estados Unidos, mas obteve o efeito desejado. A partir daí, Oprah resolveu jogar o jogo deles. McGraw acredita que ela ganhou o processo naquele momento.

A mensagem

Oprah creditou de fato a McGraw uma posição crucial em sua vitória e o recompensou com tempo ilimitado em seu programa. Mas ele relata a história somente para demonstrar como o tribunal é um microcosmo da vida: as pessoas vão nos tirar muitas coisas a menos que lutemos pelo que é nosso por direito, mas como a vida se desenrola devagar, poucos de nós percebemos que, sem uma estratégia clara, estamos perdendo e abrindo mão do que é nosso por direito.

O verdadeiro propósito de *Estratégias de vida* é nos fazer ver que estamos sendo permanentemente julgados e que não há recesso. Se pudesse ser resumida em treze palavras, a mensagem do livro seria: a vida é algo muito sério e você é julgado por seus resultados.

As leis da vida

Antes de se tornar um estrategista jurídico e escritor, McGraw se dedicava aos estudos do que ele chama de "leis da vida". Ele diz:

> *"Ninguém vai lhe perguntar se você acha que essas leis são justas ou se acha que elas deveriam existir. Assim como a lei da gravidade, elas simplesmente existem."*

Não há espaço suficiente para abordar todas as leis aqui, mas o que se segue é uma pequena amostra.

Ou você entende, ou perde

Se você não "entender" qual comportamento gera um resultado, se não tem um plano de vida (contrário a aspirações e esperanças), está atrás daqueles que possuem as habilidades e estratégias básicas. Parte de ter esse plano é tornar-se uma pessoa que "conhece o sistema". Você deve se tornar um acadêmico na ciência da natureza humana e de como as coisas são feitas se realmente deseja conseguir o que deseja.

Para ajudá-lo a conseguir o que deseja, McGraw lista as dez características mais importantes de como as pessoas pensam e agem. As duas primeiras são: "O medo número um de todas as pessoas é a rejeição" e "A necessidade número um de todas as pessoas é aceitação".

Você cria a sua própria experiência

Você é responsável pela sua vida. Se não gosta do seu emprego, a culpa é sua. Se embarcou em um relacionamento ruim, a opção foi sua. Se não confia no sexo oposto, mesmo que tenha sofrido abuso sexual quando criança, você é que não está demonstrando confiança. Pare de ser a vítima e comece a ser responsável por todos os resultados e situações na sua vida. McGraw é direto ao dizer:

> *"Você precisa ser uma pessoa extremamente realista, que vê as coisas como elas são e não como gostaria que fossem."*

Ser menos que isso o impedirá de diagnosticar devidamente sua situação e de fazer as mudanças necessárias na sua vida.

As pessoas fazem o que recompensa

Por que acabamos fazendo exatamente as coisas que havíamos dito a nós mesmos que não faríamos? Embora determinados comportamentos pareçam desafiar a racionalidade, sempre haverá uma "recompensa" oculta quando os empregamos. Somente quando descobrimos o que é a recompensa é que mudamos nosso comportamento. No entanto, quando um comportamento "funciona", não necessariamente significa que ele é saudável – esse comportamento dá certo uma vez que, ao adotá-lo, evitamos alguma forma de risco ou rejeição.

Um dia, uma jovem com um problema sério de obesidade procurou McGraw. Ele descobriu que ela sofrera abuso sexual quando criança e que, toda vez que perdia peso, chamava a atenção dos homens e isso a lembrava do trauma horrível que sofrera. Com isso, ela começava a comer novamente. Ao identificar essa recompensa sutil sozinha, ela encerrou o ciclo de autossabotagem.

A moral da história é: identifique suas recompensas e terá o controle de seu comportamento e de sua vida.

Não podemos mudar o que não admitimos

Os psicólogos usam a expressão "defesa perceptiva" para descrever coisas que a nossa mente não consegue encarar. Essa defesa é comumente chamada de "negação" e prejudica todos os aspectos de nossa vida. Por quê? Sem enxergar e saber primeiro o nome do problema, nunca conseguiremos lidar com ele; com o passar do tempo, ele nos consumirá.

Veja como os Alcoólicos Anônimos veem a vida: você só consegue melhorar quando admite que tem o problema. "A maioria das pessoas não quer a verdade e, sim, a aceitação e o reconhecimento", diz McGraw. Queremos desesperadamente estar certos, mesmo quando o que fazemos não está dando nada certo. Para mudar, devemos agir de forma diferente.

A vida recompensa a ação

Devemos aprender que "o mundo não dá a mínima para os pensamentos sem ação", diz McGraw. Julgar a própria vida pelos resultados pode parecer teimosia, mas não importa muito se você gosta ou não dessa abordagem ou até mesmo se prefere viver pelas suas próprias regras – o mundo já tem as dele. Viver pelos resultados exige mudança e risco, mas você acaba tendo a satisfação incomparável de saber que está no controle.

"A diferença entre os vencedores e os perdedores é que os primeiros fazem coisas que os segundos não querem fazer", observa McGraw. Pode ser meio clichê, mas você deve realmente fazer o que for necessário para conseguir o que deseja; do contrário, continuará sendo um "passageiro". Isso se aplica tanto ao âmbito familiar quanto ao profissional. Diga à pessoa que está ao seu lado o que ela significa para você, não presuma que ela já saiba. Aja em consonância com o amor que sente ou se arrependerá por não tê-lo feito.

Não existe realidade, somente percepção

Entenda que o mundo não é necessariamente como você o percebe. Todos as pessoas têm "filtros" e somente ao reconhecê-los é que se começa a ter uma imagem mais clara das coisas. Mesmo em um relacionamento próximo, um ato simples pode ser visto de forma diferente. Um homem verá o ato de recolher o lixo como uma tarefa, enquanto a mulher, porque acha aquilo desagradável, perceberá essa ação como um pequeno ato de amor. Tente cultivar uma atitude mais atenta, crie novas categorias e conexões, considere que suas "visões" podem ser apenas preconceitos. Mais importante ainda, garanta que as percepções que retém ou adota sejam baseadas em fatos que podem ser provados e testados. Do contrário, qualquer ação que você tomar com base nas suas crenças terão como fundamento um terreno movediço.

As últimas quatro leis da vida são:

- A vida pode ser gerenciada; não tratada.
- Ensinamos as pessoas a como nos tratar.
- Há poder no perdão.
- É preciso conhecer o problema para poder reivindicar algo.

Comentários finais

O que destaca *Estratégias de vida* da multidão dos livros contemporâneos de autoajuda não é só porque McGraw "diz as coisas tal como são", mas porque ele é genuinamente engraçado. Veja este "Testes de Rotina":

"Pergunta 9: Você só vai a restaurantes onde fica olhando mais para a decoração do que para o próprio cardápio?

Pergunta 20: Para você conhecer uma pessoa nova, ela precisa se atirar no capô do seu carro ou colocar uma cadeira na frente da sua TV?"

McGraw se recusa a permitir que seu leitor contraia a "epidemia" do evitar decisões difíceis e da consistência gelatinosa da maioria das pessoas do século XXI. Ele cita Mark Twain: "Nós não lidamos muito bem com fatos quando se tratam de nós mesmos". Ainda assim, nossa vida repousa claramente em fatos (com quem estamos, o que fazemos, as condições em que vivemos), e embora possa parecer modismo dizer "o mais importante é você tentar", o mundo só vai querer saber dos bons resultados.

Phil McGraw

McGraw cresceu no Texas. Seus pais também vieram de família pobre, mas seu pai, com a ajuda de uma lei que beneficiava os veteranos da Segunda Guerra, conseguiu frequentar uma universidade e fez doutorado em Psicologia, clinicando por 25 anos. O próprio McGraw ganhou uma bolsa universitária por ser jogador de futebol americano e se formou em Psicologia. Em seu tempo livre, ele procurava fóruns onde podia falar sobre "as leis da vida".

Estrategista jurídico com mais quinze anos de experiência e presidente de uma empresa de consultoria jurídica, o autor foi um participante crucial na equipe do programa de TV "Change Your Life", de Oprah Winfrey. *Estratégias de vida* ainda é um *best-seller* no mundo, seguido por *Self Matters* [Assuntos pessoais] e *Resgate seu relacionamento*.

McGraw é casado e tem dois filhos.

38 | Thomas Moore

1992
Cuide de sua alma

"Cuidar da alma é uma forma fundamentalmente diferente de enfrentar a vida cotidiana e a busca da felicidade... Cuidar da alma é um processo contínuo que não está relacionado tanto com 'consertar' um defeito capital quanto com dar a mesma atenção aos pequenos detalhes da vida cotidiana que damos às grandes decisões e mudanças."

"A alma não pode crescer em um ritmo acelerado porque ser influenciado pelas coisas, absorvê-las e digeri-las requer tempo."

Em poucas palavras
Preencha o vazio interior vivendo plenamente. Deixe sua individualidade se expressar aceitando suas idiossincrasias e seu lado sombrio.

Na mesma linha
Robert Bly, *João de Ferro* (p. 57)
Joseph Campbell e Bill Moyers, *O poder do mito* (p. 91)
Clarissa Pinkola Estés, *Mulheres que correm com os lobos* (p. 173)
James Hillman, *O código do ser* (p. 221)
Henry David Thoreau, *Walden* ou *A vida nos bosques* (p. 353)

Cuide de sua alma ocupou o primeiro lugar durante quase um ano na lista de livros mais vendidos do *New York Times*, além de ter sido aclamado pela crítica, fato raro em se tratando de literatura de autoajuda. Embora seja um popular livro de autoajuda, não é como alguns que você já leu – imerso no sentido do sagrado e profundo, a tese de Moore é a de que a vida moderna carece de mistério, e o sucesso do livro parece indicar que a maioria de nós concorda.

Ao ler o livro, você também poderá vivenciar uma experiência apaziguante, quase como uma carta de um amigo que, mesmo sabendo tudo sobre você, mantém uma crença inabalável em sua pureza. Esse efeito pode resultar de uma combinação da experiência de Moore como psicoterapeuta, seus anos como monge e seu amplo aprendizado. Inspirado pelo mito, história e arte, o livro remete à riqueza da experiência humana. As principais influências de Moore são Freud (o mergulho no submundo da psique), Jung (a crença de que Psicologia e religião são indistinguíveis), James Hillman (ver *O código do ser*) e os pensadores renascentistas Ficino e Paracelso.

O que significa cuidar da alma?

Cuidar da alma é "a aplicação da poesia à vida cotidiana", que implica levar a imaginação de volta para as áreas mais carentes de nossa vida e reimaginar as coisas que acreditamos já ter entendido. Relacionamentos gratificantes, trabalho realizador, poder pessoal e paz de espírito são todos os dons espirituais, que são tão difíceis de adquirir porque a ideia da alma não existe para a maioria de nós; em vez disso, ela se faz conhecer por meio de sintomas físicos e queixas, angústia, sensação de vazio ou um mal-estar geral.

Trabalhar com emoção pode ser enganosamente simples. Muitas vezes nos sentimos melhor apenas aceitando e indo fundo em coisas que, aparentemente, detestamos, como, por exemplo, em um emprego, em um casamento ou em um lugar. O livro contém uma citação do poeta Wallace Stevens a respeito disso: "Talvez a verdade dependa de uma caminhada ao redor de um lago". Em vez de tentar eliminar cirurgicamente da mente qualquer sentimento ruim ou experiência negativa, é muito mais humano e honesto olhar diretamente para o "negativo" e ver o que ele tem a dizer. Não recebemos mensagens da alma se a perdermos de vista. A intenção de curar, tanto da parte do doente quanto da do médico, pode obscurecer a visão do que realmente está acontecendo.

A autoajuda convencional e a psicoterapia são opções para a solução de problemas. A literatura sobre a alma, exemplificada por Moore, é "percepção de problema e encantamento". A alma tem a ver com guinadas do destino, que contrariam frequentemente as expectativas e os desejos do ego e da vontade. Essa é uma ideia assustadora, mas a única forma de torná-la menos apavorante é começar a abrir espaço para os movimentos da lama e respeitar o seu poder. Como diz Victor Hugo em *Os miseráveis*:

> *"Só há um espetáculo mais grandioso que o oceano: o céu; só há um espetáculo mais grandioso que o céu: o interior da alma."*

Desfrutando de nossa profundidade e complexidade

Moore pede que examinemos o mito de Narciso, o belo jovem que se apaixonou por sua própria imagem refletida em um lago. Sua autoadmiração sem amor nem alma resultou em tragédia, mas a intensidade do ato acabou empurrando-o para uma nova vida de reflexão e de amor pelo seu eu mais profundo e pela natureza ao seu redor. "A pessoa narcisista simplesmente não sabe o quão profundo e interessante é a sua natureza", sugere Moore. Narciso é como o marfim: belo, porém frio e duro. Ele poderia tornar-se uma flor, com raízes e parte de um mundo inteiro de beleza. Matar o Narciso dentro de nós não é o melhor caminho a percorrer. Em vez de mudarmos para o extremo oposto da falsa humildade, o mais adequado é manter nossos ideais e sonhos elevados e encontrar formas mais eficazes de expressá-los.

Com essas análises dos mitos, Moore nos aconselha a evitar a determinação simplista de alguns textos de autoajuda. Há muitos aspectos para o eu, e acomodar suas contradições (por exemplo, solidão *versus* vida social) faz a vida se expandir para algo pleno. Podemos ora alimentar nosso ego, ora sermos sábios destacados. São duas ações válidas e não precisamos ter sempre certeza de que a vida tem sentido.

Ninguém tem uma alma como a nossa

"A singularidade de uma pessoa é composta pelo insano e pelo tortuoso, tanto quanto pelo racional e pelo normal", observa Moore. Essa afirmação é corroborada pelas biografias de quase todos que admiramos – até mesmo Abraham Lincoln é reexaminado. Por que seria diferente com você? *Cuide de sua alma* nos alerta para o fato de sermos especialmente cuidadosos para que nossos esforços na "remoção dos obstáculos" não sejam somente um impulso em prol da conformidade e uma triste perda de nós mesmos.

Atualmente, a maioria dos terapeutas se concentra em problemas específicos que podem ser facilmente resolvidos em um curto espaço de tempo, levando-nos de volta à "normalidade". Medicamentos, terapia cognitiva e ciências como a programação neurolinguística tornam a introspecção algo desnecessário. Mas o cuidado com a alma é infindável, uma vez que a própria alma está fora do tempo. Somente a mitologia, a natureza, as artes plásticas e os sonhos – coisas que desafiam o tempo – podem nos proporcionar uma visão adequada para dentro do nosso mistério.

O livro está divido em quatro partes e treze capítulos, que cobrem todo o leque da condição humana. Os temas a seguir são abordados nas primeiras duas partes.

Amor

Devemos tentar ver o amor não em termos de "fazer o relacionamento dar certo", mas como um "acontecimento da alma" que pode ter muito pouco a ver com a pessoa com quem você está –

assim como amor! O amor é alívio para a natureza mundana e empobrecida da vida moderna, uma passagem para o mistério, motivo pelo qual nos agarramos a ele com tanta força.

Ciúme

Moore tinha um cliente jovem que se atormentava freneticamente com as suspeitas da fidelidade da namorada. Ele acreditava, ao mesmo tempo, que a ligação romântica não era moderna nem aceitável. Essa pureza de ideais afastara a possibilidade de ligação real, e o resultado foi uma externalização desagradável do ciúme.

No entanto, o ciúme não é totalmente ruim, porque serve a alma pela criação de limites e enraizamento. Desafiando as ideias modernas sobre "codependência", Moore diz que é não há problemas em encontrarmos uma identidade em relação à outra pessoa.

Poder

O poder da alma é bem diferente do poder do ego. Com o ego planejamos, dirigimos e trabalhamos em prol de um objetivo. O poder da alma é mais como um curso d'água: mesmo não entendendo ou conhecendo sua fonte, temos de acomodá-la e deixá-la guiar a nossa existência. Com a alma precisamos abandonar a "lógica do consumidor" da relação de causa e efeito e o uso eficiente do tempo.

Violência

A alma adora o poder, mas a violência só irrompe quando não damos vazão ao lado negro da imaginação. Quando uma comunidade ou toda uma cultura carece de alma, esta se transforma em fetiche por meio de objetos, como, por exemplo, armas. Conforme sugerido por Oscar Wilde, a virtude não pode ser verdadeira quando se coloca à parte do mal.

Depressão

Moore diz que qualquer cultura que tenta se proteger contra o lado trágico da vida fará da depressão um inimigo, e que, em toda sociedade "devota à luz", a depressão será geralmente fortalecida para compensar sua ocultação artificial. Moore descreve a depressão como uma dádiva: ela revela nossos pequenos valores e objetivos, dando-nos uma chance de conhecer nossa alma.

Comentários finais

No final do livro, Moore fala do verão que passou trabalhando em um laboratório depois de deixar a vida monástica em que se enclausurara por doze anos. Ao desfrutar de sua liberdade recém-descoberta, ficou chocado quando um colega lhe disse com convicção: "Você sempre será e fará o trabalho de um sacerdote". O sucesso de *Cuide de sua alma* é um exemplo perfeito de como a literatura de autoajuda ocupou o lugar dos tradicionais pastores da alma, a cujos rituais e ensinamentos religiosos todos nós nos voltamos automaticamente uma vez na vida.

No lugar da "fantasia da salvação", que ele acredita caracterizar a autoajuda, Moore tenta nos levar de volta a uma busca pelo autoconhecimento que pode incorporar nossas sombras e complexidades. Seu livro tem como modelo os manuais de autoajuda menos ambiciosos da Idade Média e do Renascimento, que ofereciam conforto filosófico para as provações da vida. *Cuide de sua alma* pode se destacar dos textos atuais de autoajuda, mas continua fazendo parte de uma tradição antiga e venerável.

Os médicos renascentistas, diz Moore, acreditavam que cada alma era originada como uma estrela no céu noturno. Acredita-se atualmente que uma pessoa é "o que ela cria para si mesma". Temos de valorizar a liberdade de autocriação de que se desfruta atualmente, mas o livro de Moore nos proporciona algo completamente diferente: um estímulo para questionar o que há de eterno em nós.

Thomas Moore

Além de ter passado doze anos como um monge em uma ordem religiosa católica, Moore possui quatro títulos acadêmicos: doutorado em Estudos Religiosos pela Universidade de Syracuse, mestrado em Teologia pela Universidade de Windsor, mestrado em Musicologia pela Universidade de Michigan e bacharelado em Música e Filosofia pela Universidade DePaul.

Escritor e psicoterapeuta, ele foi um dos principais expoentes da Escola Arquetípica de Psicologia, que visa reintroduzir uma dimensão mítica à disciplina. Outros livros seus são: *The Planets Within* [O planetas interiores], *Rituals of the Imagination* [Rituais da imaginação], *Dark Eros* [O Eros negro], *Noites escuras da alma, O que são almas gêmeas?* e *A emoção de viver a cada dia.* Ele também editou *A Blue Fire* [Uma chama azul], uma antologia de textos de James Hillman. Suas obras mais recentes são: *The Book of Job* [O livro de Jó] (1998), *O self original* (2000), meditações acompanhadas de xilogravuras, e *The Soul's Religion* [A religião da alma] (2002).

Moore mora em New Hampshire com sua esposa e dois filhos.

39 | Joseph Murphy

1963
O PODER DO SUBCONSCIENTE

"O resultado do processo afirmativo da oração depende da sua adaptação aos princípios da vida, independentemente das aparências. Pense por um momento que existe um princípio da matemática, mas nenhum do erro; um princípio da inteligência, mas nenhum da desonestidade; um princípio da verdade, mas nenhum da ignorância; um princípio da harmonia, mas nenhum da discórdia; um princípio da saúde, mas nenhum da doença; e um princípio da abundância, mas nenhum da pobreza."

"O que quer que esteja gravado em nosso subconsciente se expressa no cenário espacial. Essa mesma verdade foi proclamada por Moisés, Isaías, Jesus, Buda, Zoroastro, Lao Tsé e por todos os videntes iluminados de todas as épocas. O que quer que você sinta como verdadeiro está subjetivamente expresso em condições, experiências e acontecimentos. Tanto no céu [sua própria mente] quanto na terra [seu corpo e ambiente]. Essa é a grande lei da vida."

"A lei da mente é a lei da crença. Isso significa acreditar na forma como ela funciona, acreditar na própria crença."

Em poucas palavras
Ao entender como o subconsciente funciona, pode-se aprender a transformar os sonhos em realidade.

Na mesma linha
Shakti Gawain, *Visualização criativa* (p. 195)
Florence Scovell Shinn, *O jogo da vida e como jogá-lo* (p. 323)

O dr. Joseph Murphy passou boa parte de sua vida estudando religiões orientais e era especialista em *I-Ching*, o livro chinês das adivinhações cujas origens se perdem na história. Ele também foi por 28 anos pastor na Igreja da Ciência Divina de Los Angeles, uma igreja do Novo Pensamento, isto é, que promove uma espiritualidade prática, livre do usual credo religioso e dogma. É um longo caminho do Oriente antigo para Los Angeles, mas Murphy sentiu que havia segredos que descobrira com relação ao subconsciente que iam além do tempo e da cultura, e que deveriam alcançar um público mais amplo.

Como o subconsciente funciona e o que ele pode fazer

Murphy viu o subconsciente como uma sala escura dentro da qual desenvolvemos as imagens que devem ser vividas na vida real. Enquanto o consciente vê um acontecimento, fotografa-o e o recorda, o subconsciente funciona por antecipação, "vendo" algo antes que isso aconteça (motivo pelo qual a intuição é infalível).

O subconsciente responde ao hábito e ao pensamento habitual. Sendo totalmente neutro no sentido moral, ele aceita qualquer hábito – bom ou mau – como "normal". Permitimos alegremente a entrada de pensamentos negativos no subconsciente a cada minuto de nossa vida e acabamos nos surpreendendo quando eles encontram expressão nas experiências e nos relacionamentos do dia a dia. Raramente acontecem coisas que nos escapam ao controle. Muito do mal que acontece já está em nós, esperando só a oportunidade de vir à tona.

Embora seja essa a dura realidade, o conhecimento do subconsciente também nos proporciona uma grande descoberta: significa que podemos nos reinventar simplesmente controlando os pensamentos e as imagens com que os alimentam. Isso faz do livro de Murphy, com suas instruções e afirmações que têm grandes efeitos sobre o subconsciente, uma ferramenta de libertação. Entender o subconsciente como um mecanismo fotográfico remove a emoção e o esforço empregados nas mudanças da sua vida, porque essas mudanças se tornam apenas uma questão de substituir as imagens mentais existentes por outras novas, fazendo-o enxergar a facilidade nesse processo.

Fé tranquila = Resultados

O subconsciente funciona de modo totalmente diferente do consciente. Ele não pode ser coagido e responde melhor à fé tranquila que facilitará seu trabalho de transformação. O esforço, que pode funcionar bem para uma determinada tarefa atribuída ao consciente, é algo que pode fazer fracassar a sua cara-metade subterrânea. Ele sugere ao subconsciente que há muita oposição ao que se quer fazer.

Juntamente da fé tranquila, a facilidade com que o subconsciente consegue as coisas aumenta de acordo com a emoção. Uma ideia ou um pensamento é o bastante para excitar a mente racional, consciente, mas o subconsciente gosta das coisas "dramáticas". Quando um pensamento se transforma em sentimento e a imaginação em desejo, o subconsciente lhe dá o que quer com rapidez e abundância.

Ainda que Murphy tenha dito que é menos importante saber como funciona o subconsciente do que desenvolver a fé que está ao alcance dele, William James, pai da Psicologia norte-americana, acreditava que a maior descoberta do século XIX foi o poder do subconsciente combinado com a fé. A ideia de que se pode mudar a vida ao transformar a paisagem da própria mente podia não figurar nos livros de história junto da descoberta de novos continentes, da eletricidade ou do vapor, mas todas as grandes mentes já o sabiam.

Acreditando que é assim

"A lei da nossa mente é a lei da crença", observou Murphy. Aquilo em que acreditamos nos torna aquilo que somos. William James observou que tudo aquilo que as pessoas esperam ser verdade assim será, independentemente de o objeto de sua crença existir ou não. No Ocidente fizemos da "verdade" o nosso valor mais elevado; embora importante, trata-se de uma motivação frágil comparada ao verdadeiro poder da crença na formação de nossa vida. Tudo o que você oferecer ao seu subconsciente – falso ou verdadeiro, bom ou ruim – será registrado como fato. Tenha cuidado e não brinque com o infortúnio, pois o subconsciente não tem nenhum senso de humor.

Uma pessoa mentalmente perturbada e uma pessoa saudável compartilham o mesmo poder de crença; a sã difere da insana apenas por conservar a objetividade de sua crença. Quando um homem em um sanatório diz que é Elvis Presley, ele não está "inventando", ele sabe que é Elvis. Devemos usar esse mesmo poder para fins construtivos, não apenas querer, mas saber que somos um cônjuge perfeito ou um gênio empresarial. O segredo é escolher algo praticamente insano (mas não muito), algo que parecia impossível um ano atrás, mas que ao mesmo tempo seria uma representação do nosso desejo mais profundo e sincero.

Saúde e prosperidade

Nos rituais antigos, com suas estranhas poções e encantamentos, era o poder da sugestão e aceitação presente no subconsciente que curava. Mesmo hoje, os médicos relatam o poder com o qual os placebos produzem curas milagrosas quando acompanhados de instruções inquestionáveis de que "vai dar certo". Os milagres da cura, diz Murphy, são o corpo simplesmente obedecendo ao conhecimento do subconsciente acerca da "saúde perfeita" quando a natureza de questionamento do consciente é silenciada.

O outro aspecto da cura mental é a premissa de que nossas mentes fazem parte de uma grande mente humana (como supunha Emerson), que, por sua vez, está conectada a uma "inteligência infinita". Murphy afirma que essa é a razão pela qual não há loucura nenhuma em acreditar que podemos curar pessoas que não estão nem mesmo fisicamente perto de nós, apenas pela visualização dessa pessoa recebendo toda a saúde, energia e amor do universo, da força da vida pulsando em cada célula do corpo dela, limpando-a e revigorando-a conforme a invade.

Assim como existe um princípio de saúde e de harmonia no universo, também existe um princípio de abundância. "O problema com a maioria das pessoas é que elas não têm meios invisíveis de apoio", comentou Murphy. Outras pessoas, cientes da lei da abundância, não sofrerão nenhum colapso nervoso se sua conta bancária entrar no vermelho ou seu negócio falir. Elas entenderão que isso é uma mensagem para que entrem em sintonia e se familiarizem novamente com o fato de que o universo é próspero.

O "sentimento de riqueza", diz Murphy, produz riqueza na realidade. O subconsciente entende e segue a ideia de juros compostos, ou seja, de que pequenos depósitos de pensamento feitos regularmente ao longo do tempo produzem uma ampla abundância mental. Murphy mostra ao leitor exatamente como enviar ao subconsciente os sinais certos para garantir que imagens de abundância se manifestem no mundo real.

Por que as orações são quase sempre vãs?

Vivemos em um universo de lei e ordem, escreve Murphy, portanto não deve haver nada de "místico" em obter respostas às nossas orações. Para Murphy, obter essas respostas é um processo não mais misterioso do que a construção de um edifício. Aquele que conhece o funcionamento do subconsciente vai aprender a rezar "cientificamente".

O que isso significa? As orações consistem tradicionalmente em apelos sinceros a Deus, seguidas da atitude de "esperar pelo melhor". Mas como estão marcadas pela dúvida, logicamente que essas orações terão pouco peso ou poder. A grande ironia da oração convencional (aquela que implora, deseja, espera) é que ela não envolve fé nenhuma. A fé verdadeira é simples: o conhecimento de que algo *está* acontecendo, *está* sendo providenciado; tudo no tempo presente. Quando as orações se tornam ocasiões de agradecimentos por alguma ajuda (mesmo que ainda não tenha se concretizado), elas deixam de ser um ritual místico que esperamos que Deus perceba para se tornar que um processo de cocriação com fins definidos.

Comentários finais

O poder do subconsciente é uma escrita simples que procura se distanciar de cultura ou religião. É um pouco repetitivo, mas isso já reflete a ideia do livro de programação subconsciente. A primeira metade, que explica como o subconsciente funciona, é a melhor. A segunda metade trata do papel e do poder empregado na transformação de áreas como o casamento, relações humanas, descobertas científicas, sono, medo, perdão e "juventude eterna". Para obter efeitos mais contundentes, o autor aconselha que o livro seja lido pelo menos duas vezes.

Ainda que a obra possa parecer "estranha" para algumas pessoas, muitas outras dizem que a vida delas nunca mais foi a mesma depois de tê-la lido. O subconsciente é algo poderoso, e o que aprendemos com Murphy é que, se nos recusarmos a tentar entender a parte irracional da nossa mente, nossos desejos e planos racionais serão eternamente sabotados.

Joseph Murphy

Murphy sempre se recusou a pedidos de entrevistas para perfis e biografias, alegando que sua vida podia ser encontrada em seus livros. Ele escreveu mais de trinta, inclusive *A força do poder cósmico do subconsciente*, *Segredos do I-Ching*, *O milagre da dinâmica da mente*, *O poder milagroso de alcançar riquezas infinitas* e *Sua força interior*.

Murphy foi influenciado por Ernest Holmes e Emmet Fox, ambos escritores conhecidos que abordam os princípios do "Novo Pensamento", mas a base de sua formação acadêmica foram as religiões orientais. Ele passou muitos anos na Índia e foi um pesquisador associado da Universidade da Índia.

40 | Norman Vincent Peale

1952
O PODER DO PENSAMENTO POSITIVO

"A fé é a única força contra a qual o medo não tem poder. Dia a dia, à medida que você enche a sua mente de fé, não restará nela espaço para o medo. Este é o grande fato que ninguém deve esquecer. Domine a fé e você dominará automaticamente o medo."

"Houve um tempo em que eu concordei com a ideia tola de que não existe relação entre fé e prosperidade; de que quem falava de religião não devia associá-la a realizações, pois ela só tem a ver com a ética, a moral e os valores sociais. Hoje eu me dou conta de que esse ponto de vista limita o poder de Deus e o desenvolvimento do indivíduo. A religião ensina que existe um tremendo poder no universo e que esse poder pode habitar a personalidade. É um poder capaz de implodir qualquer revés e elevar a pessoa acima de todas as situações difíceis."

Em poucas palavras
Você pode realizar qualquer coisa se tiver fé.

Na mesma linha
Florence Scovell Shinn, *O jogo da vida e como jogá-lo* (p. 323)

Não fosse a insistência da esposa de Peale, *O poder do pensamento positivo* – um dos títulos de autoajuda mais vendidos de todos os tempos e que transformou o autor em um dos fundadores do movimento do potencial humano – nunca teria sido publicado. Ele tinha mais de cinquenta anos de idade quando o escreveu e não havia recebido nada além de uma pilha de cartas de rejeição quando tentara encontrar um editor para o livro. Desalentado, jogara o manuscrito no lixo e proibira sua esposa de tirá-lo de lá. Ela levou aquilo ao pé da letra e, no dia seguinte, apresentou o manuscrito, dentro do cesto de lixo, àquele que viria a ser o seu bem-sucedido editor.

O livro já vendeu cerca de vinte milhões de exemplares em 42 idiomas e, junto de *Como fazer amigos e influenciar pessoas*, tornou-se um dos clássicos da autoajuda do século XX.

A percepção

Se o associássemos a um personagem de televisão, o livro de Peale seria Ned Flanders de *Os Simpsons*, o pai cristão que tem sempre uma palavra de ânimo para o seu vizinho Homer Simpson. Por meio de Homer, vemos o mundo como ele "realmente" é, enquanto que por meio de Ned Flanders vemos o mundo como ele é percebido pelas pessoas que estão sempre fazendo o bem. A ideia do livro em relação ao mundo foi associada à imagem de Poliana, que não vê nem ouve nenhum mal e acredita que um sorriso feliz pode superar todos os obstáculos. "Todos os dias, em todos os sentidos, estou cada vez melhor" é o famoso mantra do pensamento positivo de Emile Coué, que para a maioria dos ouvidos é superficial e até mesmo idiota.

Em *Os 7 hábitos das pessoas altamente eficazes*, Stephen Covey critica o pensamento positivo dizendo que antes de assumirmos justificadamente um pensamento positivo, primeiro temos de admitir que as coisas não estão indo bem e assumir a responsabilidade. Do contrário, estaremos camuflando a realidade.

A realidade

Mas, ao abrir o livro de Peale, lemos:

"Este livro foi escrito com uma profunda preocupação com a dor, a dificuldade e a luta da existência humana."

Ele prossegue dizendo:

> *"Ele ensina o pensamento positivo não como um meio de alcançar a fama, a riqueza e o poder, mas como aplicação prática da fé para superar a derrota e realizar valores criativos válidos na vida."*

Não são essas as ideias de alguém com uma visão nada realista da vida. Peale via muita infelicidade no seu trabalho cotidiano como pastor em Nova York, mas não se contentou em dar apenas um sermão semanal, ele queria provocar mudanças mensuráveis na vida das pessoas que conhecia. Ao longo dos anos, ele criou um "sistema simples, mas científico, de técnicas práticas para uma vida bem-sucedida que dá certo", testado e aperfeiçoado entre milhares de pessoas dentro e fora de sua igreja. E tal como Carnegie em *Como fazer amigos e influenciar pessoas*, Peale transformou essas ideias em um curso para adultos muito antes de elas serem reunidas na forma de um livro.

A fonte de pensamento positivo

Para Peale não há fonte maior de poder ou orientação pessoal do que a *Bíblia*. As citações bíblicas são a base do livro (complementadas por frases de Emerson, James William e Marco Aurélio) e, talvez, por estar sustentado na sabedoria atemporal, o clássico de Peale é incrivelmente poderoso. Quando trechos, como a frase a seguir, são destacadas, fica difícil argumentar com a convicção de Peale:

"Se Deus é por nós, quem será contra nós?" (Romanos 8:31)
"Tudo é possível para aquele que acredita." (Marcos 9:23)
"Que seja feito de acordo com a sua fé." (Mateus 9:29)

O tema de Peale é o de que não precisamos depender de nós mesmos; possuímos fontes incríveis de poder, precisamos apenas acreditar na existência delas. Tornamos a vida difícil, mas com o simples fato de apreciar tudo o que o universo tem a nos oferecer e tudo o que ele tem a nos proporcionar, conseguiríamos ver a vida tranquila e abundante. A vida parece difícil porque só acreditamos em nós mesmos. O autor expôs em seu livro o grande segredo da autoajuda: temos de estar dispostos a ir além do meramente pessoal para algo superior a nós mesmos se quisermos obter poder e paz.

O livro prossegue contando casos e histórias, alguns deles incrivelmente comoventes e, repleto com histórias da luta da humanidade, o seu objetivo é mostrar que a derrota não é permanente. Veja abaixo o resumo de alguns dos capítulos, com exemplos do seu conteúdo.

"Como ter energia constante"

Peale revela a fonte secreta de energia de todas as pessoas extraordinárias que conheceu: a sintonia com o infinito. O fato de saber que o que se faz é apoiado por algo maior e serve a um fim divino constitui uma fonte de energia sempre renovável. Trabalhar apenas em benefício próprio leva à exaustão.

"Experimente o poder da oração"

A prece é algo diferente do que você possa ter pensado – ela é um espaço para dizer o que se passa na sua mente, na linguagem que quiser. Em vez de fazer pedidos, agradeça antecipadamente pelo que deseja, deixe a graça nas mãos de Deus e visualize o bom resultado. A fórmula de Peale é: "Ore, imagine, realize". E surpreenda-se com a sua eficácia.

"Espere o melhor e obtenha-o"

Como criaturas amedrontadas que somos, tendemos a esperar sempre o pior. Mas a expectativa do melhor tem uma forma de reunir as forças a nosso favor. Ficamos menos propensos a nos resguardar. O subconsciente, que regula muitas de nossas ações, apenas reflete nossas crenças. Altere a sua crença acerca de um resultado e suas ações parecerão feitas da forma necessária para atingi-lo. A frase de Peale é: "A dúvida bloqueia o fluxo de energia. A fé o libera".

"Novos pensamentos podem proporcionar um novo eu"

Use apenas a linguagem positiva e cheia de esperança por um período de 24 horas e, então, volte a ser "realista" no dia seguinte. Repita isso por uma semana e verá que o que considerava realista até então parecerá pessimista agora. Em outras palavras, descubra que a "dificuldade é apenas mental".

Sua nova compreensão do que é realista o moverá para um patamar mais elevado e permanentemente positivo.

Comentários finais

Para realmente apreciar o *Poder do pensamento positivo*, é preciso entender o contexto em que o livro foi escrito. Peale veio de uma família modesta do centro-oeste norte-americano e acreditava que estava escrevendo, em suas palavras, "para as pessoas simples deste mundo". A maioria dos leitores vai achar essa afirmação curiosa ou divertida porque a linguagem lembra aquela utilizada por pessoas simples e que iam à igreja na década de 1950. Pode ser antiquado, mas só um cínico acharia a obra redundante – os princípios do livro são facilmente transportados de sua época e local de origem e aplicados à vida de hoje, como seria de se esperar de um clássico. É revigorante porque não há "técnicas de vendas"; espere encontrar apenas uma grande caixa de ferramentas para afastar o cinismo e a falta de esperança.

Embora o livro apresente coisas como "oração para vendedores", ele é muito mais do que uma miscelânea da moral cristã e capitalista. Consistente com a maioria dos clássicos de autoajuda, ele diz que a mais alta moralidade é a realização do potencial; "desistir" é negar a si próprio todas as recompensas materiais e espirituais que são suas por direito. Se você está se sentindo "para baixo", o livro de Peale apresenta uma lógica incontestável que pode acabar com todas as dúvidas e levantar o seu astral.

Norman Vincent Peale

Peale nasceu em Bowersville, Ohio, em 1898. Depois de se formar pela Universidade de Wesleyan, em Ohio, e trabalhar em jornais no *Jornal Detroit*, estudou Teologia na Universidade de Boston. Depois de sua ordenação, ele rapidamente se tornou um pregador popular capaz de aumentar em dez vezes o número das congregações. Durante o tempo em que passou na University Methodist Church, em Syracuse, Nova York, ele conheceu e se casou com Ruth Stafford, sua companheira de toda a vida e colaboradora.

Aos 34 anos, Peale se transferiu para a Marble Collegiate Church, em Nova York, onde permaneceu durante a Grande Depressão e a Segunda Guerra Mundial, até o início dos anos 1980. Seus sermões eram tão famosos que atraíam muitos turistas. Na década de 1930, ele também começou um programa de rádio, "A arte de viver", que ficou no ar semanalmente por 54 anos, e abriu uma clínica de psicoterapia cristã com o psiquiatra Smiley Blanton. Em 1945, Peale fundou a inspiradora revista *Guideposts*, que é popular até hoje. Quando se tratava de política, ele era conservador: viajou para o Vietnã, a pedido do presidente Nixon, e recebeu de Ronald Reagan a Medalha Presidencial da Liberdade.

Peale foi um orador prolífico. Com noventa anos de idade ainda dava cerca de cem palestras por ano. Morreu na véspera do Natal de 1993, aos 95 anos. O Peale Center, no estado de Nova York, dá continuidade a seu trabalho. A vida de Peale foi narrada por Carol V. R. George em *God's Salesman: Normal Vincent Peale and the Power of Positive Thinking* [O vendedor de Deus: Normal Vincent Peale e o poder do pensamento positivo].

41 | Carol S. Pearson

1986

O herói interior: seis arquétipos que orientam a nossa vida

"Cada arquétipo traz consigo uma visão de mundo, que vem carregada de objetivos e teorias de vida diferentes sobre o que dá significado à vida. Os órfãos buscam segurança e temem a exploração e o abandono. Os mártires querem ser bons e veem o mundo como um conflito entre o bom (cuidado e responsabilidade) e o mau (egoísmo e exploração). Os andarilhos querem independência e temem a conformidade. Os guerreiros lutam para ser fortes, para influenciar o mundo e para evitar a ineficácia e passividade. Os mágicos querem ser fiéis à sua vida interior e estar em equilíbrio com as energias do universo."

"Uma mudança de paradigma ocorre quando as pessoas passam de guerreiras a mágicas: sua percepção de realidade muda. Elas se dão conta de que ver o mundo cheio de perigos, dor e isolação, não corresponde ao que ele é, mas somente à percepção desse mundo durante as etapas de formação de suas jornadas."

Em poucas palavras
Cada um de nós tende a agir de acordo com os padrões ou "arquétipos". Tome consciência do seu poder e use-o em seu benefício.

Na mesma linha
Martha Beck, *Encontrando a sua estrela-guia* (p. 39)
Robert Bly, *João de Ferro* (p. 57)
Joseph Campbell e Bill Moyers, *O poder do mito* (p. 91)
Clarissa Pinkola Estés, *Mulheres que correm com os lobos* (p. 173)
James Hillman, *O código do ser* (p. 221)

Pearson observa na introdução de *O herói interior: os seis arquétipos que orientam nossa vida* que a maioria dos livros de autoajuda diz o que está errado e depois o que fazer a respeito. A obra de Pearson, pelo contrário, procura mostrar como você pode ser mais do que já é, começando a ver sua vida na forma de uma história ou jornada mítica. Pearson descreve seu *best-seller* como "um manual de instruções para a psique", que surgiu da crença de que os problemas individuais e sociais não seriam resolvidos se as pessoas continuassem vendo o heroísmo como algo externo a elas. A autora disse que escreveu para as pessoas comuns, que sentem que poderiam viver uma vida extraordinária, e se propõe de forma bastante convincente a mostrar que aproveitar o poder dos arquétipos míticos (por exemplo, o guerreiro, o altruísta, entre outros) é uma das chaves para a transformação pessoal.

O herói interior não é um texto acadêmico e sua acessibilidade tornou a Psicologia junguiana arquetípica compreensível a um público popular. Além de Jung, Pearson admite sua enorme dívida para com Joseph Campbell, o mitólogo que popularizou a ideia da "jornada do herói" (ver *O poder do mito*) e James Hillman (ver *O código do ser*).

O que é um arquétipo?

Carl Jung foi o primeiro a descrever os arquétipos – padrões da psique humana que se revelam ao longo do tempo. Os arquétipos são marcas permanentes de possibilidade, embora não possamos acessá-las se não as conhecemos. Por exemplo, a percepção de que passamos a vida como uma pessoa altruísta talvez seja o que precisamos para integrar mais o andarilho em nosso pensamento e comportamento. O reconhecimento do órfão ou do inocente dentro de nós pode provocar um desejo de despertar o guerreiro.

Os arquétipos não representam uma progressão que vai do pior para o melhor, cada uma deles representa um aspecto de nossa personalidade que vem à tona em resposta a situações, ou que precisamos desenvolver em diferentes estágios de nossa vida.

Síntese dos arquétipos

Arquétipo	Tarefas	Lemas
Órfão	Sobreviver às dificuldades.	A vida é sofrimento.
Andarilho	Encontrar-se.	A vida é aventura.
Guerreiro	Provar o próprio valor.	A vida é uma batalha.
Altruísta	Mostrar generosidade.	Compromisso com o bem maior.
Inocente	Alcançar a felicidade.	A vida é alegria.
Mágico	Transformar a própria vida.	Criar o mundo que almejo.

O órfão

Você já se sentiu traído, abandonado, vitimado? Pearson aconselha que não nos desesperemos, pois essas experiências são um "acontecimento mítico nos convocando para a missão". Em muitos mitos e histórias, o herói supera seu passado e se ergue para uma vida nova. Cinderela tem uma madrasta má e é tratada como criada; Édipo, quando recém-nascido, foi abandonado para morrer em uma montanha; e Oliver Twist, de Dickens, precisa fugir do terrível orfanato.

Todos nascemos inocentes, mas a tarefa do órfão é enfrentar a vida em vez de se fazer de vítima e continuar apegado à essa mentalidade de vítima e aos estados de dependência. Você incorpora o órfão que há dentro de você quando para de ansiar por proteção e segurança e se dispõe a dar a mesma liberdade aos outros, e também quando consegue equilibrar cautela com esperança, evitando a conclusão de que "a vida é sofrimento". Você conhece a sua dor, mas também sabe que ela não é tudo.

O andarilho

O andarilho torna-se o protagonista quando nos sentimos incompreendidos, alienados ou somos lançados em uma situação desconhecida. É um chamado para mudarmos rumo a outra vida menos restritiva e que tenha mais de "nós". O andarilho, simbolizado pelo cavaleiro, explorador, caubói ou *hippie*, vê a vida como uma aventura, mas o impulso por desbravar novas fronteiras se aplica tanto à mente e ao coração quanto ao mundo físico.

O arquétipo pode se revelar na adolescência, quando começamos a olhar objetivamente para o lugar que ocupamos no seio da família e da comunidade, mas outro momento crucial é a meia-idade, quando muitas pessoas se recusam a continuar sendo "máquinas responsáveis de desempenho". Mesmo que uma pessoa perceba que seu santuário virou sua gaiola, o chamado para se tornar um andarilho pode causar sentimentos de culpa. Se você decidir não mais assumir o papel de protetor, quem o fará?

A questão vital para o andarilho é saber se ele está simplesmente fugindo de problemas ou em busca de um novo eu. O chamado pode significar rupturas dolorosas e saltos terríveis rumo ao desconhecido – mas sem eles não crescemos.

O guerreiro

Pearson diz que é possível explorar a "vitalidade intensa" e a força desse arquétipo sem se tornar um agressor insensível. Talvez por causa de sua imagem negativa, muitos evitam assumir as características do guerreiro. Entretanto, sem ele ficamos enfraquecidos. O órfão e o inocente podem temer o arquétipo do guerreiro e as mudanças que ele pode lhes causar, mas às vezes fica claro que precisamos assumir uma posição firme em algumas situações como as do guerreiro. Ao incorporar esse arquétipo não nos tornamos monstros; na verdade, abrimo-nos para "a dança da vida", como diz Pearson.

O poeta do arquétipo, Robert Bly (ver *João de Ferro*), resume bem o valor do arquétipo: "Cada vez que usamos bem o guerreiro, não estamos só travando batalhas, estamos despertando o rei".

O guerreiro de hoje compete menos com os inimigos do que consigo mesmo, procurando vencer suas limitações pessoais e atingir a excelência. Em vez de vantagem sobre os outros, o novo guerreiro busca soluções melhores e mais criativas.

O altruísta

Em uma cultura de guerreiros a conquista é tudo, mas mesmo assim todos gostamos de ser valorizados como pessoas, independentemente de nossas realizações ou feitos. Retire da sociedade as pessoas que trabalham de graça, que dão amor e carinho, sem expectativa de retorno e verá que ela não terá mais características de uma sociedade. Precisamos de um significado maior para guiar nossas ações, de modo que elas não nasçam apenas do desejo de poder pessoal ou dinheiro – esse é o valor do altruísta.

O lado negativo desse arquétipo é o sacrifício desnecessário. Muitas pessoas vão sempre abrir mão de suas ambições e desejos em benefício dos outros, mas o sacrifício, que pode ser muitas vezes visto como obrigatório, não é recompensado. O altruísta simboliza abundância e doação, mas apenas o tipo de doação apaixonada, não o que achamos que o mundo espera de nós.

O inocente

Nascemos inocentes, mas parte de nós continua buscando possibilidades utópicas, apesar da "realidade" adversa com a qual nos deparamos. Podemos voltar a esse lugar, diz Pearson, mas somente depois de darmos início a nossas próprias jornadas heróicas. Na fábula contada por Paulo Coelho em *O alquimista*, por exemplo, o personagem Santiago encontra o seu tesouro apenas depois de passar por uma série de aventuras de vida enriquecedoras. O sentimento de confiança no universo que tínhamos quando crianças pode ser recuperado ao despertarmos o inocente dentro de nós.

Enquanto o guerreiro aprende que "a vida só depende dele mesmo", o inocente vive protegido por uma aura de fé e pela crença na abundância essencial do universo. O guerreiro acredita que a vida é uma corrida contra o tempo, uma competição com as outras pessoas pela posse de recursos limitados, enquanto que o inocente acredita que a sincronicidade proverá o que for necessário.

O mágico

O mágico vê a vida de uma forma semelhante à do inocente, mas reivindica mais poder. Enquanto o inocente delega ao universo a tarefa de fazer as coisas acontecerem, o mágico é um agente de mudança mais ativo. Os mágicos estão dispostos a assumir uma posição mais firme, mesmo que isso seja algo arriscado ou revolucionário. No entanto, diferente do guerreiro, ele não tem a ilusão de controle total sobre sua vida, o que lhe proporciona a capacidade de entender o fluxo e se mover com maior eficácia. É por isso que parece que eles fazem coisas "mágicas".

Em sua jornada pessoal, o mágico permite ser transformado e sua recompensa é o poder. Entre os mágicos famosos, podemos citar Mahatma Gandhi e Martin Luther King.

Comentários finais

A observação mais interessante de Pearson é a de que estamos vivendo a transição de uma cultura guerreira para uma cultura mágica. A primeira se caracteriza pelo espírito de "estar à frente", mesmo se o que conseguimos já não signifique muito ou nem nos faça bem. A cultura mágica é mais aberta à mudança e à transformação, com formas menos definidas e, em vez de tentar ser um vencedor neste mundo imperfeito, você deve estar disposto a criar um novo mundo.

Enquanto os guerreiros criam estratégias utilizando vontade e tenacidade para promover a mudança, os mágicos preveem, acreditando que o poder da visão criará seu próprio impulso. Qual é o melhor arquétipo? Como os mágicos procuram reunir forças maiores do que as suas próprias, eles parecem, em última instância, mais poderosos. A maioria das pessoas preferiria fazer mágica a lutar batalhas.

O herói interior foi publicado pela primeira vez em 1986. As edições posteriores mostram aos leitores como se adaptar e integrar os arquétipos a suas vidas diárias e elas podem conter referências contemporâneas. Não se preocupe se não conseguir encontrar nenhuma dessas versões, a parte essencial do livro é apreciar os arquétipos, que não estão sujeitos a muita mudança.

Carol Pearson

Pearson cresceu em meio a uma família cristã fundamentalista no sul dos Estados Unidos. Na faculdade, a leitura de *O herói de mil faces*, de Joseph Campbell, mudou sua vida. Ao adotar a sugestão do livro de "seguir sua bem-aventurança", ela mergulhou em textos sobre mitologia e Psicologia arquetípica e acabou transformando seu conhecimento nessas áreas numa profissão. Pearson escreveu *O herói interior: seis arquétipos que orientam a nossa vida* durante suas férias sabáticas na Universidade de Maryland, onde lecionou no Women's Studies Program [Programa de estudos das mulheres].

Trabalhando como consultora corporativa por muito tempo, Pearson também escreveu *Magic at Work: Camelot, Creative Leadership and Everyday Miracles* [Mágica no trabalho: Camelot, liderança criativa e milagres cotidianos] (com Sharon Seivert, 1995) e fundou o Center for Archetypal Studies and Applications [Centro de Estudos e Aplicações Arquetípicas] em Washington, D.C. Dentre seus livros mais recentes estão *O herói e o fora da lei* (2001), o primeiro grande estudo sobre como as empresas podem usar arquétipos em imagem corporativa e no desenvolvimento de marca, e *Mapping the Organizational Psyche* [Mapeamento da psique organizacional] (2002).

42 | M. Scott Peck

1978

A TRILHA MENOS PERCORRIDA

"A maioria não consegue enxergar a verdade de que a vida é difícil. Em vez disso, queixa-se de forma mais ou menos incessante, barulhenta ou sutil, da enormidade de seus problemas, suas obrigações e suas dificuldades, como se a vida fosse geralmente fácil, como se devesse ser fácil."

"Como disse Benjamin Franklin: 'Aquilo que fere instrui'. É por isso que as pessoas sábias aprendem a não temer, mas a acolher os problemas e, na verdade, a acolher a dor dos problemas."

"Quais são as ferramentas, as técnicas de sofrimento, os meios de vivenciar de forma construtiva a dor dos problemas que chamo de disciplina? Há quatro: adiamento da gratificação, aceitação da responsabilidade, dedicação à verdade e equilíbrio[...] são ferramentas simples e praticamente toda criança está apta a usá-las aos dez anos de idade. Mas há presidentes e reis que esquecem de usá-las até sua queda."

Em poucas palavras

Uma vez que você admitir que "a vida é difícil", este fato já não terá grandes consequências. Uma vez que você aceitar a responsabilidade, conseguirá fazer melhores escolhas.

Na mesma linha

Alain de Botton, *Como Proust pode mudar sua vida* (p. 71)
Thomas Moore, *Cuide de sua alma* (p. 275)
Marianne Williamson, *Um retorno ao amor* (p. 361)

A trilha menos percorrida é o livro de autoajuda lido por pessoas que não leem esse tipo de literatura. Ele não tem nenhuma das atraentes promessas de alegria e felicidade ilimitadas características dos textos de desenvolvimento pessoal, mas ainda assim é um grande sucesso de vendas. Peck inicia seu livro com a frase "A vida é difícil" e aborda temas tristes como o mito do amor romântico, o mal, a doença mental e as crises psicológicas e espirituais do autor.

Talvez pelo fato de a obra não partir de uma visão de mundo cor-de-rosa, é fácil depositar nossa confiança no livro – ele parte da premissa de que uma vez conhecido o pior, estamos livres para ver o que há além. *A trilha menos percorrida* é um texto inspirador, embora se mostre tradicionalista ao colocar a autodisciplina no topo da lista de valores de uma vida boa. Se você acredita que não há um caminho fácil para a iluminação ou mesmo para uma saúde mental completa, que fatores como compromisso e responsabilidade são as sementes de realização, o território do dr. Peck é o seu lugar.

Peck é um psicoterapeuta de formação convencional, mas tem influenciado o movimento que tenta fazer a Psicologia reconhecer as etapas do crescimento espiritual. Para ele, a grande característica da nossa época é a reconciliação das visões de mundo espiritual e científica. *A trilha menos percorrida* é sua tentativa de preencher ainda mais essa lacuna, no que foi claramente bem-sucedido. O livro tem sido aceito por qualquer pessoa que se encontra dividida entre a ciência da Psicologia e a busca espiritual.

Disciplina

Autocontrole é a essência do traço da autoajuda de Peck:

> *"Sem disciplina, não podemos resolver nada. Somente com alguma disciplina é que podemos resolver alguns problemas. Com total disciplina, podemos resolver todos os problemas."*

Uma pessoa que consegue adiar uma gratificação tem a chave para a maturidade psicológica, enquanto que a impulsividade é um hábito mental que, ao negar as oportunidades de vivenciar a dor, cria neuroses. A maioria dos grandes problemas que temos é resultado de não termos enfrentado mais cedo os pequenos problemas, de não termos nos "dedicado à verdade". O grande erro que a maioria das pessoas comete é acreditar que os problemas irão embora por si mesmos.

Essa falta de responsabilidade nos prejudicará de outras formas. Nossa cultura coloca a liberdade em um pedestal, mas, como Eric Fromm mostrou em seu livro *O medo, a liberdade*, as pessoas têm uma disposição natural para abraçar autoritarismo político e a renunciar a seu poder pessoal. Nesse momento, evitamos a verdadeira liberdade e escolha tanto quanto evitamos obviamente as coisas negativas. A disciplina não significa apenas "crescer" em termos de aceitar a realidade, mas em termos de apreciar o gigantesco leque de opções que temos diante de nós.

A trilha e suas recompensas

Uma das grandes ideias do livro é a de como poucas pessoas realmente escolhem o caminho espiritual. Peck observa que, assim como existem muitos sargentos bem qualificados que relutam em se tornar oficiais, as pessoas em psicoterapia frequentemente têm pouco gosto pelo poder que vem com a saúde mental genuína. A vida no piloto automático é preferível a qualquer desafio.

A trilha menos percorrida apresenta muitas histórias de pessoas reais. Algumas dessas histórias são sobre transformação de vida, outras falam de pessoas que simplesmente se recusam a mudar ou que não fazem nenhuma questão de mudar. Será que é verdade? São nesses casos menos extremos que temos a oportunidade de ver a nossa própria e silenciosa rejeição a uma vida mais ousada e rica. Em vez do horror de uma doença mental, diz Peck, a maioria de nós tem de lidar com a angústia causada pelas oportunidades perdidas.

Mas por que isso acontece, se as recompensas são tão incríveis? *A trilha menos percorrida* pode ser o caminho espiritual, mas esse caminho também é muito mais rochoso e pouco iluminado do que o caminho normal da vida, no qual as outras pessoas parecem bastante felizes. Mas Peck diz que quem se pergunta "Por que mudar?"

não sabe nada sobre a alegria. As recompensas da vida espiritual são grandiosas: paz de espírito e ausência verdadeira de preocupação que a maioria das pessoas não faz nem ideia de que existem. Sempre haverá problemas, mas eles não serão uma exclusividade nossa.

Além disso, a espiritualidade profunda também traz responsabilidades, o que é inevitável conforme fazemos a transição da imaturidade espiritual para a maturidade espiritual. Peck cita Santo Agostinho, que disse: "Aquele que for amoroso e diligente poderá fazer o que quiser". Assim como a timidez e a preguiça espiritual anteriores resultaram (como podemos ver hoje) em uma existência muito limitada, a disciplina, por sua vez, abre a porta para uma experiência de vida ilimitada. Somente os mais esclarecidos conseguem se divertir com o fato de os outros pensarem que eles levam uma vida chata e limitada; as paredes que de fora parecem rígidas podem estar simplesmente nos protegendo do brilho do arrebatamento interior.

O amor é uma decisão

Qual é o combustível utilizado na trilha menos percorrida? Amor, é claro! Peck é fantástico na discussão daquilo que não pode ser adequadamente definido. Tendemos a pensar no amor como algo que não exige esforço e em se apaixonar como uma queda livre. Embora misterioso, o amor também exige esforço, o amor é uma decisão: "O desejo de amar não é em si o amor. O amor é como o amor quer". O êxtase de estar apaixonado é em parte uma regressão à infância, um momento em que nos sentimos um só ser com a nossa mãe; entramos novamente em comunhão com o mundo e tudo parece possível. Assim como o bebê percebe sua individualidade, o amante acaba se voltando para o seu próprio eu. É nesse ponto, diz Peck, que começa o trabalho do amor "real". Todo o mundo pode se apaixonar, mas nem todo o mundo pode decidir amar. Talvez nunca controlemos o nascimento do amor, mas podemos – com disciplina – permanecer no comando da resposta a ele. Uma vez utilizados, esses "músculos" do amor tendem a permanecer ativos, aumentando o nosso poder de canalizar o amor de uma forma mais criativa e adequada.

Comentários finais

O leitor perspicaz notará o contraste entre a crença, abordada por Peck, da mudança psicológica, necessariamente lenta, e a posição da Psicologia cognitiva de acreditar que nossas limitações podem ser eliminadas sem muita dificuldade se soubermos como (ver Martin Seligman, David D. Burns, Anthony Robbins). Este é um divisor de águas na literatura de autoajuda: a ética do trabalho duro, cujos componentes incluem a construção do caráter e a descoberta da alma, e a crença na tecnologia mental que considera que nossos problemas não estão profundamente enraizados e podem ser tratados por meio de métodos psicotecnológicos práticos. Se o primeiro caminho se caracteriza pela disciplina e pelo autoconhecimento, o segundo diz que, de posse das ferramentas certas, podemos criar quem queremos ser.

Os leitores que torcem exclusivamente pela segunda visão podem ganhar equilíbrio ao ler Peck. O autor discute, por exemplo, uma experiência que não tem referências na Psicologia moderna: "estado de graça". Uma súbita explosão de paz, gratidão e liberdade que é o ponto mais alto da experiência humana, fruto de uma vida de disciplina e propósito.

A insistência na moral, na disciplina e na admiração da longanimidade pode fazer o texto de Peck parecer antiquado. O livro não é nada conformista na forma como denuncia o fracasso da psicoterapia em reconhecer as pessoas como seres espirituais e surpreende muitos leitores com a adoção que faz dos conceitos junguianos e *New Age* da sincronicidade e do inconsciente coletivo. De alguma forma, essa mistura do cristianismo, *New Age* e Psicologia acadêmica funciona.

O clássico de Peck pode parecer um pouco superficial para algumas pessoas, ao mesmo tempo em que aparenta ser repleto de ideias revolucionárias para outras. É um dos gigantes do cânone de autoajuda, com mais de sete milhões de exemplares vendidos, e seu título entrou no idioma público. Apesar do que Peck diz sobre a resistência à espiritualidade, a trilha menos percorrida está claramente mais movimentada hoje em dia.

M. Scott Peck

Nascido em 1936, Scott Peck teve uma educação privilegiada em Nova York e frequentou escolas preparatórias exclusivas e Harvard. Formado em Medicina pela Universidade Case Western Reserve, em 1963, entrou para o corpo médico do Exército, onde serviu durante nove anos. Na década seguinte, abriu sua própria clínica psiquiátrica.

A trilha menos percorrida foi escrito em meados dos anos 1970, quando Peck tinha 39 anos, mas só conseguiu figurar a lista dos mais vendidos do *New York Times* em 1983. Daí para frente ficou tanto tempo na lista que entrou para o Guinness Book of Records. Sua continuação é *Além da trilha menos percorrida* (1993).

Alguns outros livros de Peck são *O povo da mentira* (1983), que fala da cura do mal humano, e *The Different Drum* [A batida diferente] (1987), sobre a vida comunitária. *Um mundo esperando para nascer* (1993) aborda a ideia de civilidade no nível pessoal e em sociedade, enquanto que *Denial of the Soul* [Negação da alma] (1998) trata da eutanásia e de doenças terminais.

Fumante e apaixonado por Martini, o autor não se adequa ao perfil comum do guru de autoajuda e já até escreveu sobre outra paixão que tem: o golfe [*Golfe e o Espírito*]. Ele mora com sua esposa Lily em Connecticut e Bodega Bay, na Califórnia.

43 | Ayn Rand

1957
Quem é John Galt?

"Ela olhou à frente, para uma bruma onde os trilhos e a distância se fundiam, uma bruma que podia se romper a qualquer momento em alguma forma de desastre. Ela se perguntava por que se sentia mais segura do que jamais se sentira numa cabine atrás do motor, onde parecia que, se surgisse um obstáculo, seu peito e o para-brisa seriam os primeiros a serem esmagados. Ela sorriu ao perceber a resposta: era a segurança de ser a primeira, com visão total e pleno conhecimento da própria trajetória – não a sensação cega de ser empurrada para o desconhecido por algum poder desconhecido à sua frente. Era a sensação mais extraordinária da existência: em vez de confiar, saber."

"Por que sempre sentira essa alegre sensação de confiança quando olhava para as máquinas?[...] Os motores eram um código moral forjado em aço."

"Não grite, quando alcançar seu destino, que a vida é frustração e que a felicidade humana é impossível; verifique o seu combustível: ele o levou até onde você queria ir."

Em poucas palavras
Forje o seu próprio destino, crie algo de valor, permita-se uma forma mais elevada de humanidade ousando pensar.

Na mesma linha
Ralph Waldo Emerson, *Autoconfiança* (p. 167)
Samuel Smiles, *Autoajuda* (p. 337)

Quem é John Galt? é um livro que tem o poder de criar debates em colunas literárias e grupos de discussão. Parece que as pessoas ou o amam ou o odeiam, e se houvesse uma lista de "livros mais fascinantes do século XX", o clássico de Rand teria de estar entre os dez primeiros. Rand foi uma filósofa que usou a ficção para influenciar as massas, uma emigrante russa que sentiu na pele e em primeira mão as restrições impostas à liberdade individual pela revolução bolchevique. Sua obra-prima pode levar os leitores a pensar pela primeira vez sobre o que significa estar livre e sobre a natureza do sistema capitalista. O livro aborda uma das questões básicas da existência: o grau de egoísmo que uma pessoa deve ter. Em um nível mais elevado, *Quem é John Galt?* é um tratado sobre os ápices que os seres humanos podem e devem alcançar.

O que realmente é *Quem é John Galt?*

Um romance misterioso e obsceno e um obra filosófica – tudo em um só livro. A protagonista, Dagny Taggart, é uma jovem e determinada executiva do ramo de ferrovias que tenta dirigir a Taggart Transcontinental ao mesmo tempo em que luta contra a corrupção em escala nacional. Outras personagens que se juntam a ela no elenco são o implacável industrial Hank Rearden e o extravagante e aristocrático barão de mineração Francisco D'Anconia.

Mas a personagem-chave do romance não é revelada até o fim do livro, quando obtemos as respostas a algumas perguntas intrigantes: por que o maior filósofo vivo trabalha como cozinheiro em uma lanchonete nas Montanhas Rochosas? Como pode o inventor mais importante do nosso tempo ser o chefe de marginais que ficam nessas ferrovias? O que acontece quando as pessoas que podem salvar o mundo optam por não fazê-lo? Quem é John Galt?

Razão (ou a responsabilidade de viver de acordo com um propósito)

O livro de Rand foi inspirado pela revolta da autora contra o fato de as pessoas desperdiçarem a capacidade singular que as diferencia dos animais: a razão. Aqueles que pararam de se perguntar "Por que estou vivo?" ou "O que devo fazer ou criar para justificar minha existência?" são, para Rand, pessoas mortas. Ela também afirma que a sociedade cria uma proteção para todo tipo de mediocridade, com pessoas que concordam em não apontar a falta de esforço das outras desde que a sua também não seja exposta. Essa disposição de aceitar menos para acomodar a "natureza humana" é para Rand algo verdadeiramente anti-humano. Uma das personagens diz que a maioria das pessoas não quer viver, mas "se safar da vida". E quando Dagny Taggart pergunta a Francisco D'Anconia que tipo de ser humano ele considera ser o pior, ele responde prontamente: "O homem sem um propósito".

O papel de Dagny na administração da Taggart Transcontinental é, aos seus olhos, uma responsabilidade sagrada. Ela se sente realmente viva somente quando está lá fora nos trilhos ou debruçada sobre números. Os trens representam uma metáfora do que ela entende por vida – eles viajam em alta velocidade, em um trajeto sem qualquer desvio e de encontro ao destino determinado. Em uma cena, conforme ela comanda uma locomotiva a mais de 160 km/h pela recém-construída linha John Galt, tem uma ideia repentina acima dos motores: não seria errado desejar sem se emocionar – ou mudar sem ter um objetivo?

A nobreza de enriquecer

Para Rand, a riqueza era um sinal de que o pensamento individual significativo havia ocorrido. Criar alguma coisa e ganhar dinheiro com ela era nada menos do que a essência da moral humana. Napoleon Hill disse a mesma coisa de forma bastante direta: "Pense e enriqueça". O dinheiro obtido por outros meios (inclusive herança, fraude, entre outros) é uma "pilhagem", ainda que no livro as pessoas que fazem avançar a civilização e mantêm o mundo girando são desprezadas como "materialistas vulgares" e "ladrões do povo".

A grande questão enfrentada por Dagny é: por que ainda deveria tentar salvar sua rodovia enquanto os saqueadores, em nome do "bem público", empobreciam-na. "Criadores de riquezas, orgulhai-vos!", clama o livro. Lutem pela liberdade de inovar e produzir e jamais aceitem a culpa dos não produtivos.

A melhor sociedade é aquela em que as pessoas negociam o melhor que criaram pelo melhor que os outros criaram. Alan Greenspan, o famoso ex-presidente do Federal Reserve Board dos Estados Unidos, é, provavelmente, o discípulo mais conhecido de Rand e fazia parte do círculo nova-iorquino da autora na década de 1950.

No livro *The Greenspan Effect* [O efeito Greenspan], os autores, Sicilia e Cruickshank, referem-se a uma declaração dada por Alan, que muitos consideraram como um arquiteto do *boom* econômico dos Estados Unidos. Antes de conhecer Rand, comenta Greenspan, ele era um "Adam Smith" economista, que apreciava a base técnica do capitalismo; depois de conhecer Rand ele se convenceu de sua força moral.

Quem é John Galt? e o indivíduo

Motivo de piada por muito tempo, as muitas ideias de Rand fazem parte agora da sabedoria convencional. Hoje, cultuamos o empresariado assim como ela o fez, e parece óbvio que um tipo mais puro de capitalismo faz o melhor uso dos talentos de cada pessoa e oferece produtos e serviços cada vez mais aperfeiçoados. A vida econômica no século XXI não é simplesmente um triunfo da tecnologia – ela é uma cultura da invenção gerada pela imaginação individual.

O tema que percorre *Quem é John Galt?* é o signo do dólar. Para Rand, para uma imigrante que amava os ideais norte-americanos, esse símbolo sagrado representou o triunfo da mente criativa sobre o Estado, a religião e a tradição – ele significava a libertação da mediocridade e de seu poder asfixiante. Esse culto ao dólar e ao interesse pessoal parece desagradável e inconveniente, mas *Quem é John Galt?* retrata brilhantemente o que acontece quando a ética do "bem maior" é levada ao seu fim lógico: ela reúne, eficazmente, o espírito de uma nação inteira. O interesse próprio, como observou Adam Smith, está, na verdade, de pleno acordo com a natureza e carrega, portanto, o fim da moral.

Rand é a santa padroeira do empreendedorismo do século XXI, porque apresenta uma moral de criação individual poderosa. Uma pessoa com disposição mental randiana se opõe, em princípio, à "igualdade" se ela significar sacrificar os próprios sonhos por causa dos outros. A busca da igualdade de direitos pode ser nobre, mas, em última instância, sufoca o espírito vital que sempre impulsionou o progresso humano.

Quem é John Galt? sustenta que o maior dever de uma pessoa é valorizar a alegria de estar vivo. Embora toda a existência de Dagny Taggart parece uma luta, ela se recusa a dar ao sofrimento qualquer autoridade sobre sua vida, ela não está disposta a dizer "é a vida", como todo mundo diz.

Comentários finais

Quem é John Galt? teve sua cota de maldição. Ele é geralmente pintado como um livro radical, simplista ou ingênuo, mas a melhor palavra para descrevê-lo é intransigente (como sua autora, que era uma pessoa genuinamente radical e que criou um ideal de humanidade desconfortável para a maioria e com ideias que ainda não foram totalmente digeridas).

A obra tem aproximadamente 1.080 páginas e, como os grandes romances, é um mundo que você adentra, e não apenas um livro que você lê. O livro certamente daria uma grande ópera e não surpreende que o herói literário de Rand fosse Victor Hugo. Ela pode ter sido extravagante, fumante compulsiva, homofóbica e anticomunista exacerbada, mas sua estrela continua brilhando. Rand pode ter sido assustadora para algumas pessoas, mas sua filosofia da máxima autoexpressão junto da luxúria do progresso tecnológico certamente se encaixa ao nosso tempo.

O livro provavelmente sobrevive às caretas das críticas e continua a inspirar, enquanto outros trabalhos classificados como "literatura" acabam só adquirindo o interesse acadêmico. Como muitos livros de igual tamanho, ele poderia ser mais conciso e melhor editado, pois há muita repetição e muitas frases que o leitor atento vai desaprovar. E mesmo que a prosa não seja uma das mais brilhantes, há um espírito por trás das palavras que fará o leitor ter a certeza de que está lendo algo importante.

Ayn Rand

Ayn Rand nasceu Alissa Rosenbaum, em 1905, na cidade de São Petesburgo. Quando irrompeu a Revolução Bolchevique, seu pai levou a família para a Crimeia; quando eles retornaram, o negócio da família havia sido tomado pelo Estado. Alissa se formou na Universidade de Petrogrado (Leningrado), em 1924, antes de começar um curso de roteirista. No ano seguinte viajou para Chicago para visitar um primo e nunca mais voltou. Depois de seis meses, ela se mudou para Hollywood para se tornar roteirista, mudando também seu nome para Ayn Rand. Ayn foi o primeiro nome de uma escritora finlandesa; Rand, o modelo de sua máquina de escrever da marca Remington. Em seu segundo dia em Los Angeles, conheceu a famosa Cecil B. de Mille, que lhe ofereceu trabalho como figurante em um filme rodado num *set* onde seu futuro marido, Frank O'Connor, estava.

Rand nunca deslanchou na carreira de roteirista, mas, em 1935, teve sua peça *Woman on Trial* montada na Broadway como *Night of January 16th*. Seus romances primeiros, *We the Living* [Estamos vivendo] (1936) e *Anthem* [Hino] (1938) foram bem recebidos pela crítica, mas não foram campões de venda. A sorte de Rand mudou com o sucesso de *The Fountainhead* [Nascente] (1943), uma história de setecentas páginas que fala sobre um arquiteto modernista que luta para realizar seu sonho. Lançou, em seguida, *Quem foi John Galt?*, um sucesso instantâneo.

Em 1958, Rand e Nathaniel Branden fundaram um instituto em Nova York para disseminar a filosofia objetivista. Dentre os escritos não ficcionais de Rand da época estão folhetins, a revista objetivista *For the New Intellectual* (1961) e *For the New Intellectual: The Unknown Ideal* (1966). Adversária das campanhas antitabagistas do governo, Ayn Rand morreu em 1982 de câncer no pulmão. A efigie da nota de dólar foi colocada sobre seu caixão.

44 | Anthony Robbins

1992
Desperte o gigante interior

"Sempre que tiver o desejo sincero de realizar uma mudança, a primeira coisa que você deve fazer é elevar seus padrões. Quando as pessoas me perguntam o que realmente mudou a minha vida oito anos atrás, eu lhes digo que a coisa mais importante foi mudar o que exigia de mim mesmo. Escrevi no papel tudo o que não ia mais aceitar em minha vida, tudo o que não ia mais tolerar e tudo o que eu ia me tornar."

"Não devemos permitir que nossa programação passada controle nosso presente e nosso futuro. Com este livro, você pode se reinventar organizando sistematicamente suas crenças e valores de uma forma que o coloca na direção do seu projeto de vida."

"Embora tenhamos o costume de negá-lo, o fato é que o que impulsiona nosso comportamento é a reação instintiva à dor e ao prazer, não ao cálculo intelectual. Intelectualmente, podemos acreditar que comer chocolate não é bom, mas mesmo assim o comemos. Por quê? Porque somos movidos não tanto pelo que sabemos intelectualmente, mas por aquilo que nosso sistema nervoso associa à dor e ao prazer."

Em poucas palavras
É o momento de aproveitar o dia e viver a vida que você sempre imaginou. Esse é o seu mecanismo de arranque.

Na mesma linha
Steve Andreas e Charles Faulker, *PNL* (p. 23)
Susan Jeffers, *Como superar o medo* (p. 227)

Anthony Robbins é a encarnação do guru de transformação pessoal. Nos Estados Unidos, pelo menos, seu nome é famoso e é difícil achar alguém que ainda não o tenha visto em seus comerciais de televisão. Robbins treinou pessoalmente presidentes, reis, desportivas famosos e líderes empresariais, e conquistou uma gigantesca quantidade de públicos novos por meio da combinação de uma lendária energia pessoal e talento para o marketing. Deepak Chopra e Wayne Dyer, outros titãs da autoajuda, são até discretos se comparados a Robbins. Muitas pessoas estão dispostas a pagar mais de mil dólares para participar de um seminário de fim de semana conduzido por Robbins, que oferece caminhadas sobre o carvão em brasas e a histeria normalmente vista em *shows* de música pop e encontros evangélicos.

Desperte o gigante interior começa com o autor em um helicóptero a caminho de um seminário já com todas as vagas esgotadas. Ele se lembra do edifício onde, uma década antes, estava trabalhando como zelador e também do Robbins daquela época: gordo, pobre e solitário. Agora magro e esbelto, casado, feliz e milionário, com uma mansão à beira-mar, ele percebe que está vivendo seu sonho.

Esses detalhes fazem parte do prazer em escrever *Desperte o gigante interior*, e Robbins sabe que a melhor propaganda de seus produtos é a sua própria vida. Mas voltando ao início...

Robbins e a programação neurolinguística

O primeiro livro de Robbins, escrito enquanto ainda não tinha sequer feito trinta anos, foi *Poder sem limite*. Também foi um sucesso de vendas e lançou as bases para o seu sucessor, revelando a fonte de muitos dos métodos de autor: a programação neurolinguística (PNL).

Como vimos anteriormente, a PNL, cujos pioneiros foram John Grinder e Richard Bandler, surgiu a partir do estudo de como a linguagem, verbal e não verbal, pode afetar o sistema nervoso. Sua premissa é a de que podemos controlar nosso sistema nervoso para que as nossas respostas e ações, ainda que pareçam "naturais", sejam na verdade programadas. Outra premissa fundamental é que, se nós "copiamos" as ações e o comportamento das pessoas de sucesso, poderemos alcançar, pelo menos, resultados iguais aos delas.

A habilidade de Robbins foi a de aperfeiçoar e comercializar a programação neurolinguística para um público geral. Seu lema "A mudança acontece em um instante", por exemplo, surgiu diretamente da PNL, assim como suas observações sobre como associar nossas motivações à dor e ao prazer.

Alguns pontos importantes da obra

Desperte o gigante interior capta a imaginação do leitor pelas perguntas que faz e pelas possibilidades que cria em sua mente. Mesmo tendo o cuidado de oferecer passos práticos e detalhes para a conquista de um objetivo, Robbins é o mestre do que é ilimitado. É um livro deliciosamente extenso, e a lista a seguir aborda alguns de seus temas, com todos os comentários apoiados em referências, histórias e fatos.

Dor e prazer

Essas são as forças fundamentais que dão forma à nossa vida. Podemos deixá-las nos controlar ou compreendê-las e usá-las a nosso favor. Tome cuidado com o que você associa ao prazer: algumas pessoas associam o prazer à heroína, outras à ação de ajudar as pessoas. Você quer ser como Jimi Hendrix (sem o talento) ou como Madre Teresa de Calcutá? Ao associar dor ou prazer intenso a uma atividade ou pensamento, podemos mudar quem somos.

O poder da crença

Dois homens estão acorrentados a uma parede dentro de uma prisão. Um deles comete suicídio, o outro fica para contar às pessoas sobre o poder do espírito humano. Não são os acontecimentos em nossa vida que nos moldam, mas a nossa crença sobre o que eles significam. As crenças globais (como vemos o mundo e as pessoas em geral), se modificadas, podem alterar praticamente tudo em nossa vida. Todos os grandes líderes criam uma sensação de certeza e parecem nunca acreditar que seus problemas são permanentes. A CIA possui técnicas para influenciar o modo de pensar das pessoas em um curtíssimo período de tempo. Você pode aplicar as mesmas técnicas às crenças que o limitam.

O poder das perguntas

Todo progresso humano ocorre por meio do questionamento das limitações atuais. Não precisamos ter uma resposta pronta; faça uma boa pergunta e obterá uma resposta relevante.

O poder das palavras

Use o poder das palavras e um vocabulário ampliado para transformar o pensamento e a ação. Entenda também que "os líderes são leitores" – ler nos permite fazer distinções cruciais com base na experiência dos outros.

Clareza é poder

Determine exatamente o que você quer conquistar e anote num papel, criando assim um futuro tão incrível que o estimulará a torná-lo realidade. Você deve "focar em aonde você quer ir, não naquilo de que tem medo". Crie um plano de dez anos que funcione retrospectivamente; a maioria das pessoas subestima o que consegue fazer em uma década.

Eleve seus padrões, mude suas regras

Decida quem você quer ser, em vez de apenas desejá-lo, e aja. Compreenda as regras ocultas pessoais que guiam a sua vida atualmente e crie novas regras que o ajudem a viver o seu destino.

Olhando mais de perto...

Desperte o gigante interior é a bíblia popular da psicotecnologia. Os convertidos por ela acreditam que se todo mundo lesse e aplicasse Robbins, o mundo seria um lugar imensamente mais poderoso, pleno e feliz. Para alguns leitores, porém, o mundo de Robbins pode parecer preto e branco demais, mas, mesmo assim, esse mundo nos mostra como escapar de qualquer negatividade, removendo o mau humor, a depressão e assim por diante. Outros escritores de autoajuda, Thomas Moore e Robert Bly, veem um grande valor na depressão e até mesmo no sofrimento, porque ensinam sobre nós mesmos, eles dizem, e porque fazem parte de uma existência espiritualmente plena.

Será que podemos realmente controlar nosso destino? Os objetivos de Robbins inspiram as pessoas a sonhar de forma singular? O fato de a própria vida do autor parecer uma fantasia viva significa que todos os nossos desejos também devem ser satisfeitos? Os instrumentos que Robbins nos oferece para conquistarmos tudo o que quisermos são realmente impressionantes, mas não há nenhuma ressalva sobre as razões para querê-los.

As pessoas podem desanimar com a aura de super-homem que rodeia o livro e sua convicção de que a fantasia que podemos ter a nosso respeito pode ser realizada. Para os mais críticos, tudo gira em torno de "alcançar os próprios objetivos". Eric Fromm escreveu sobre o "indivíduo mercantilizado", a pessoa que se transforma em mero reflexo da economia capitalista, buscando o autoaperfeiçoamento apenas na medida em que ele possa lhe proporcionar um *status* mais elevado.

Em defesa de Robbins

É verdade que, para lidar com essas críticas, algumas pessoas podem usar a tecnologia mental de Robbins para alcançar objetivos materialistas banais, mas o que ele de fato propõe desafia o próprio poder do materialismo em nossa vida. O núcleo de sua filosofia desafia a cultura que nos rodeia à medida que se recusa a ser apenas mais um, a se acomodar no trabalho de forma a poder manter o passo. Em seu mundo, todos devem ser incríveis. E o livro realmente nos faz questionar nossa ideia de sucesso: será que ela é um produto da nossa criatividade mais profunda e da nossa visão mais elevada? Sua filosofia sustenta que perseguir um sonho é a única maneira de nos mantermos verdadeiramente vivos e que o dinheiro é sempre algo secundário.

Robbins nos faz "pular a cerca", mudar nossas crenças sobre nós mesmos, identificar nossos valores essenciais, mudar de emprego ou do relacionamento que já não nos faz bem e descobrir que nossas limitações são, em grande parte, ilusórias.

Comentários finais

A mensagem de Robbins tem apelo de massa porque todos acreditamos que somos muito mais do que os outros conseguem perceber. O mundo ama colocar nossas ideias na categoria "pouco realista, irreal". Aprendemos que não podemos fazer o que nosso coração manda e depois de um tempo aceitamos essa restrição como um fato. Mas a pessoa verdadeiramente bem-sucedida, de acordo com Robbins, recusa-se a ser razoável.

Desperte o gigante interior já foi chamado de "cirurgia plástica da mente", ou seja, se você não está feliz com a própria identidade, mude-a. Embora essa ideia possa soar improvável ou até mesmo de mau gosto para algumas pessoas, pode ser uma tábua de salvação para outras. Não podemos esquecer que a reinvenção é a própria base da cultura norte-americana, motivo pelo qual o livro de Anthony Robbins não poderia ter vindo à tona em nenhum outro lugar. Veja-o como uma espécie de Estátua da Liberdade em palavras.

Anthony Robbins

Nascido em 1960, Robbins cresceu em um subúrbio pobre de Los Angeles e foi expulso de casa por sua mãe aos dezessete anos por ser "muito intenso". Ganhou fama de excelente vendedor ao trabalhar com a venda de entradas para eventos de palestrantes motivacionais. Alegando ter lido mais de setecentos livros sobre crescimento pessoal, conheceu a Programação Neurolinguística em 1983 e botou o pé na estrada para promover sua própria versão da PNL, que prometia curar pessoas com fobias em 15 minutos. Robbins já era milionário aos 24 anos, mas perdeu o dinheiro e recuperou-a em seguida. Esses e outros incidentes estão relatados em *The Life Story of Anthony Robbins* [A vida de Anthony Robbins], escrito por seu ex-sócio Michael Bolduc.

Robbins é atualmente mais conhecido nos Estados Unidos como "consultor de altíssima performance" e já trabalhou na IBM, AT&T, American Express e no Exército dos Estados Unidos, assim como com equipes esportivas profissionais e atletas olímpicos. Ele foi treinador particular de Bill Clinton (que, aparentemente, contou com o apoio de Robbins durante a crise relacionada ao caso de Monica Lewinsky), Andre Agassi, Mikhail Gorbachev, e teve até algumas sessões com a princesa Diana.

Suas empresas (dreamlife.com) promovem seminários e eventos em todo o mundo, incluindo cursos de aperfeiçoamentos (Mastery University) e sua fundação oferece programas para ajudar jovens, idosos, sem-teto e presidiários. Robbins mora na Califórnia com sua esposa e filhos.

45 | Florence Scovell Shinn

1925
O JOGO DA VIDA E COMO JOGÁ-LO

"Muitas pessoas veem a vida como uma batalha, mas ela não é uma batalha, é um jogo."

"A mente superconsciente é a mente de Deus dentro de cada homem, o reino das ideias perfeitas. Nele está o 'padrão perfeito' de que falava Platão, o desígnio divino para cada pessoa."

"Uma pessoa que conhece o poder do mundo se torna muito cuidadosa em seus diálogos. Ela só precisa observar as reações às suas palavras para saber que elas não 'caíram no vazio'. Por meio da palavra, o homem está sempre fazendo suas próprias leis."

"Os planos de Deus para cada homem transcende a limitação da mente racional e é sempre o quadrado da vida, que consiste em saúde, riqueza, amor e poder. Muitos homens constroem bangalôs imaginários para eles mesmos quando deveriam construir palácios."

Em poucas palavras
Se pensarmos na vida como um jogo, nos motivamos a aprender e a aplicar as regras à nossa felicidade.

Na mesma linha
Deepak Chopra, *As sete leis espirituais do sucesso* (p. 115)
Shakti Gawain, *Visualização criativa* (p. 195)
Joseph Murphy, *O poder do subconsciente* (p. 283)

Talvez você considere, pelo menos até o presente momento, a vida como uma batalha: sua força e desejo contra todo o resto do mundo ou, alternativamente, a dor causada pela luta constante em prol da vida. Mas, se você conseguisse enxergar a vida como um jogo, se preocuparia menos com os resultados e daria mais foco às regras e leis que podem levá-lo ao sucesso. Esse é o caminho menos complicado e que proporciona mais tempo para admirar o mundo. Ao adotá-lo, você opta pela fé, não pelo medo.

Para Florence Scovell Shinn, essas regras podem ser encontradas no Antigo e Novo Testamentos. Mas muito do que é apresentado em seu clássico de cem páginas, como as leis da não resistência, o *karma* e perdão, está nos livros sagrados orientais e, na verdade, o objetivo explícito de sua obra é universal: um indivíduo pode alcançar o "quadrado da vida" – os quatro pontos que representam a saúde, a riqueza, o amor e a autoexpressão perfeita – se ele conseguir entrar em sintonia com os princípios imutáveis que governam a vida. Esse bem-estar pleno era, segundo ela, o nosso "direito divino".

Veja a seguir alguns dos princípios do livro.

O propósito divino

Já passou alguma vez pela sua mente aquela sensação de inspiração ou uma imagem do que poderia conquistar ou da pessoa que poderia ser? É como se você estivesse recebendo do universo um *flash* do seu "propósito divino", mostrando que essa imagem já está, na verdade, dentro de você. Platão chamava esse desígnio de "padrão perfeito", o lugar que somente você pode preencher.

Não seja como a maioria das pessoas; busque coisas que realmente têm uma conexão com o seu verdadeiro eu e que só o deixarão insatisfeito se você não conseguir realizá-las. Peça um sinal ou uma mensagem que lhe revele ou dê a direção para o seu "propósito divino" e ele lhe será revelado. Não tenha medo se não for exatamente o que você quer, ele vai certamente atender ao seu anseio mais profundo.

Direito divino e seleção

Só devemos pedir alguma coisa se for por "direito divino". Uma mulher estava loucamente apaixonada por um homem que aparentemente não a tratava muito bem. Scovell Shinn a fez repetir para si mesma: "Se ele tiver sido divinamente selecionado para mim, será meu. Do contrário, não hei de querê-lo de maneira alguma". Com certeza, ela se apaixonou por alguém que condizia com todos os seus ideais e esqueceu rapidamente o primeiro homem.

Outra mulher desejava muito morar na casa de um conhecido. Assim que esse homem morreu, ela se mudou para a casa, só para ver seu marido falecer em seguida e a casa se transformar em um "elefante branco". Foi o efeito cármico de um desejo que não tinha sido primeiramente posto diante de Deus, ou da inteligência infinita. É bom sonhar, mas é melhor procurar o que é nosso "por direito divino", pois quando o recebermos não haverá nenhuma dúvida de que aquilo nos pertence.

Não resistência

Jogar o jogo da vida com sucesso envolve seguir o que funciona em vez de lutar contra as coisas de que não gostamos. O livro apresenta essa ideia de que nós, de forma intuitiva, podemos todos reconhecer que:

"Quanto mais o homem resiste a uma situação, mais a terá com ele. Se fugir, ela irá atrás."

A simples mudança de perspectiva, em termos de ter fé em resultados positivos em vez de esforço e luta em prol da vitória, vai transformar sua vida. Você terá tudo o que quiser e, provavelmente, muito rapidamente se não duvidar disso. E pode "desejar sem se preocupar", isto é, ter a certeza de que seus desejos estão sendo realizados. O medo representa o "pecado", vai contra a natureza, ao passo que a fé é real, sólida e é o que a inteligência infinita ou Deus exige de nós em troca de atender aos nossos desejos. A fé é o que o conecta ao universo: ela expande suas pegadas cósmicas, enquanto o medo pode apenas fazê-lo diminuir, encolher-se.

Envie continuamente mensagens de bênção e boa vontade aos seus entes queridos, aos seus colegas de trabalho, até mesmo à sua nação. Isso não só lhe proporcionará uma enorme sensação de paz como também o fará sentir-se "protegido" contra o mal e a ira.

A fé vence o medo

"Entregue seus problemas nas mãos de Deus". A *Bíblia* diz frequentemente que a batalha não é a da humanidade, mas a de Deus. Tudo o que temos de aprender a fazer é "ficarmos imóveis" e deixar que Deus, ou a mente superconsciente, faça o trabalho. Essa afirmação tem uma semelhança surpreendente com o provérbio de *Tao Te Ching*, que afirma que, se estamos em sintonia com o *tao* (ou Deus, ou a inteligência universal), não precisamos nos preocupar nem temer. Conseguimos ver, quando na tranquilidade, o que deve ser feito, se é que há algo a ser feito. No mundo de Scovell Shinn, "o homem infringe a lei se carrega um fardo". É realmente errado afligir-se e sofrer, pois viver assim significa viver uma falsa realidade e que pode atrair desastres e doenças. Uma vez que nos livramos do fardo, somos novamente, e de forma repentina, capazes de enxergar claramente. Conseguimos lembrar que devemos viver com fé, não com medo.

Amor verdadeiro

Uma mulher desesperada procurou Scovell Shinn para contar que o homem que amava a abandonara para ficar com outra mulher, dizendo que não tinha intenção de se casar com ela. Ela não gostou do conselho que a autora lhe deu: "Você não está amando esse homem, você o está odiando. Dê a esse homem o que você tem de melhor, ame-o incondicionalmente e o abençoe onde quer que ele esteja". Ela foi embora e, no começo, nada mudou, mas um dia ela começou a pensar nele de forma mais amorosa. Ele era capitão de voo e ela sempre o chamava de "Cap". Ela começou a dizer: "Deus abençoe Cap, onde quer que ele esteja". Algum tempo depois, Scovell recebeu uma carta: no momento em que o sofrimento da mulher cessara, o homem voltou para ela e os dois se casaram. A mulher havia aprendido o que proporciona o amor altruísta, uma característica que todos devemos adquirir se quisermos vencer no jogo da vida.

O poder das palavras

Quem não conhece o poder das palavras "parou no tempo", diz a autora. Todos nós temos um diálogo interno e nunca percebemos como isso afeta, para o bem ou para o mal, a nossa maneira de viver. Todas as palavras que proferimos são escritas na página em branco do nosso subconsciente como "fatos". Portanto, devemos tomar extremo cuidado com os nossos diálogos internos e externos.

As pessoas que procuram a ajuda de Scovell pedem para ela "dar a palavra". A autora, por sua vez, faz afirmações relacionadas a uma determinada situação e pede que elas repitam aquilo até que o "desejo" se manifeste sozinho. Ela também faz citações bíblicas, como Provérbios 18:21: "A morte e a vida estão no poder da palavra".

"Deus é meu provedor"

Muitos dos clientes de Scovell Shinn a procuram em momentos de desespero – um precisava de três mil dólares até o primeiro dia do mês para pagar uma dívida, outro precisava encontrar um apartamento do dia para a noite ou seria despejado. Ela sempre usava o ditado "Deus é meu provedor" e aconselhava todos eles a pararem de se afligir e de se preocupar e os fazia falar e repetir: "O espírito nunca está atrasado. Dou graças por ter recebido o dinheiro no plano invisível e por saber que ele se manifestará no devido tempo". Uma mulher que tinha uma dívida grande a pagar que vencia no dia seguinte acabou recebendo a visita de um primo que perguntou ao se despedir: "A propósito, como você está de dinheiro?". O pagamento foi feito no outro dia.

Mas não basta apenas dizer as palavras certas e ter fé, é preciso demonstrar ao nosso subconsciente que queremos seriamente receber algo. "As pessoas devem se preparar para receber aquilo que pediram, mesmo quando não há qualquer sinal do pedido à vista". Abra uma conta bancária, compre os móveis, pegue o guarda-chuva mesmo que não haja nenhuma nuvem no céu – portanto, aja "como se" estivesse abrindo o caminho para o momento do ganho. Ter ciência de que "o sentimento de opulência deve preceder sua manifestação" reforçará a ideia de que Deus é seu provedor.

Comentários finais

Embora escrito em Nova York da década de 1920 e repleto de referências religiosas, esse pequeno livro tem o *status* de culto. As anedotas podem ser datadas, mas a sabedoria é atemporal e o livro exerce um efeito calmante que nos faz lembrar dos princípios corretos.

Ao usar uma das frases da autora, *O jogo da vida e como jogá-lo* "louva a divindade" que há em cada um de nós e tem o dom de devolver o senso de direção e de confiança que tanto procuramos. Mantenha a mente aberta ao lê-lo, e as percepções e as afirmações que lhe serão apresentadas podem causar um efeito surpreendente.

Florence Scovell Shinn

Artista plástica e ilustradora de livros, Florence Scovell Shinn também ensinou metafísica em Nova York durante muitos anos. Seu estilo e humor realistas eram admirados por muitas pessoas que poderiam, do contrário, nunca ter lido ou ouvido seus conselhos espirituais. A autora escreveu diversos livros, mas *O jogo da vida e como jogá-lo* é sua obra-prima.

46 | Martin Seligman

1991
APRENDA A SER OTIMISTA

"A visão tradicional de conquista, assim como a visão tradicional de depressão, precisa ser examinada. Nossas empresas e escolas funcionam com base na suposição convencional de que o sucesso provém de uma combinação de talento e desejo. Os fracassos acontecem por causa da falta de talento ou de desejo. Mas o fracasso também pode ocorrer quando o talento e o desejo estão abundantemente presentes, mas falta otimismo."

"O fato de ser comum nos deixarmos abater pelos problemas não significa que isso seja aceitável ou que a vida tenha de ser assim. Usar um estilo explanatório diferente fará que você esteja mais bem equipado para lidar com os momentos difíceis e evitar que eles o levem à depressão."

"O que queremos não é otimismo cego, mas otimismo flexível e de olhos abertos. Temos de ser capazes de usar o senso agudo, e usar a realidade do pessimismo quando precisarmos dele, mas sem sermos obrigados a nos perder em suas sombras."

Em poucas palavras
Cultivar um estado de espírito otimista aumenta significativamente nossas chances de obter saúde, riqueza e felicidade.

Na mesma linha
David D. Burns, *Sentindo-se bem* (p. 83)
Mihaly Csikszentmihalyi, *A psicologia da felicidade* (p. 137)
Daniel Goleman, *Inteligência emocional* (p. 201)

Martin Seligman é um especialista em Psicologia cognitiva que passou muitos anos testando clinicamente a ideia de "vitimação aprendida". Seus experimentos com eletrochoques leves em cães provaram que os animais desistiam de tentar escapar se acreditassem que, não importa o que fizessem, continuariam levando choques. Outro pesquisador testou o mesmo princípio em pessoas, usando ruídos em vez de choques, e descobriu que o sentimento de vitimação aprendida pode ser construído na mente humana com a mesma facilidade. Havia, no entanto, uma anomalia nesses experimentos: assim como nos experimentos com os cães, um em cada três seres humanos não "desistia" e continuava tentando apertar os botões em um painel na tentativa de fazer o ruído parar. O que tornava esses voluntários diferentes dos outros?

Seligman aplicou essa questão às situações da vida real: o que faz uma pessoa manter uma atitude positiva após ser rejeitada por um amante e outra a seguir em frente quando o trabalho de toda uma vida não resultou em nada? O autor descobriu que a capacidade que algumas pessoas têm de se recuperar de uma derrota ou fracasso aparente não é, como costumamos dizer sentimentalmente, um "triunfo da vontade humana". Em vez de ter uma característica inata de grandeza, essas pessoas desenvolveram uma forma de explicar acontecimentos que não veem a derrota como algo permanente ou que afetem seus valores básicos. E essa capacidade não é algo que "temos ou não temos" – o otimismo envolve um conjunto de aptidões que podem ser aprendidas.

O estilo explanatório positivo

Pessoas pessimistas tendem a se culpar por qualquer infortúnio. Eles acreditam que a causa de um infortúnio específico ou generalizado é permanente – estupidez, falta de talento, feiúra, entre outros – e por isso elas não se preocupam em tentar mudar. Poucas são as pessoas totalmente pessimistas, mas a maioria delas já deixou que o pessimismo as dominassem em reação a determinados acontecimentos passados. Nos livros didáticos de Psicologia, essas reações são consideradas "normais", mas Seligman diz que não precisa ser assim, que uma forma diferente de explicar os nossos reveses (o "estilo explanatório") irá nos proteger das crises que podem nos levar à depressão. Mesmo tendo um pessimismo que poderia ser chamado de médio ou pequeno, diz Seligman, você não conseguirá ter sucesso em nenhuma área da vida: trabalho, relacionamentos, saúde etc.

O autor realizou um trabalho pioneiro para a MetLife, uma companhia de seguros de vida – considerado um dos mais difíceis segmentos de vendas, um verdadeiro destruidor de ânimos. A empresa estava gastando milhões de dólares por ano com treinamento de formação para seus agentes só para vê-los ir para os concorrentes. Seligman sugeriu que os candidatos fossem contratados se obtivessem sucesso no estilo explanatório e otimista, em vez dos critérios normais que a MetLife utilizava para contratação (experiência profissional etc.). O resultado: os vendedores contratados com base no modelo sugerido pelo autor apresentaram, no primeiro ano, resultados 20% melhores do que os resultados dos contratados da forma tradicional utilizada pela empresa, e 57% de resultados melhores no segundo ano. Os vendedores tinham formas claramente melhores de lidar com o alto índice de rejeição (nove em cada dez) que fazia que os outros desistissem.

Otimismo e sucesso

O pensamento convencional é que o sucesso cria o otimismo, mas as evidências estabelecidas por Seligman mostram exatamente o contrário. Quando fazemos uso repetido do otimismo, ele tende a nos proporcionar sucesso, como a experiência vivida pelos vendedores de seguro de vida. No exato ponto onde um pessimista desanima, um otimista persevera e derruba uma barreira invisível.

Não superar essa barreira é muitas vezes mal interpretado como preguiça ou falta de talento. Seligman descobriu que as pessoas que desistem facilmente nunca contestam sua própria interpretação de falha ou desmerecimento. Aqueles que regularmente "pulam o muro" dão ouvidos ao seu diálogo interno e debatem com seus próprios pensamentos limitantes, encontrando, portanto, – e de forma bastante rápida – razões positivas para a rejeição.

O valor do pessimismo

Aprenda a ser otimista admite, entretanto, que há uma área em que os pessimistas são insuperáveis: a capacidade de ver uma situação com mais precisão. Algumas profissões (contabilidade ou engenharia de segurança, por exemplo) e todas as empresas podem aproveitar alguns pessimistas realistas.

No livro *Business @ the Speed of Thought* (1999) [A empresa na velocidade do pensamento], Bill Gates discute exatamente essa característica, elogiando os funcionários da Microsoft que conseguem dizer a ele exata e rapidamente o que está errado.

Mas não devemos esquecer que Gates também é um sonhador por excelência, que já muito jovem imaginou um mundo no qual todas as casas e escritórios estariam utilizando o Windows. Seligman deixa claro que o sucesso na vida profissional e pessoal acontece no momento em que conseguimos perceber com precisão a realidade presente ao mesmo tempo em que visualizamos um futuro interessante. Muitas pessoas são ótimas em perceber a realidade presente, mas não conseguem visualizar o futuro mencionado, e vice-versa. Quem quiser aprender a ser otimista deve conservar a capacidade de perceber a realidade e, ao mesmo tempo, tornar-se um melhor sonhador. Essa combinação é imbatível.

Muitas das depressões provêm de pensar errado

É um tanto irônico que *Aprenda a ser otimista* tenha obtido muito de seus dados dos estudos da depressão. Antes da terapia cognitiva, pensava-se que a depressão sempre decorrera de ter uma "raiva que se volta contra a própria pessoa" (Freud) ou de uma disfunção química no cérebro. Mas os pioneiros na pesquisa sobre cognição Albert Ellis e Aaron T. Beck (ver *Feeling Good*) provaram que os pensamentos negativos não são um sintoma de depressão, eles a causam. Embora a maioria saiba disso no nível do senso comum, a psicoterapia nos faz acreditar que estamos lidando com algo além do nosso controle.

Seligman é uma das maiores autoridades nos estudos da depressão relacionada às diferenças de gênero. Ele diz que as mulheres têm duas vezes mais chances de sofrer com a depressão porque, embora a taxa de depressão leve seja igual para homens e mulheres, a forma como as mulheres pensam nos problemas tende a ampliá-los. Ruminar um problema ligando-o sempre a algum aspecto "imutável" de nós mesmos é uma receita infalível de melancolia. Milhões de dólares já foram gastos pelo Instituto Nacional de Saúde Mental dos Estados Unidos para comprovar a ideia de que a depressão (ou seja, o estado depressivo de variedade padrão, não bipolar nem o maníaco) resulta de hábitos de pensamento. Seligman expõe sua concordância com o resultado dessas pesquisas em duas palavras: "É verdade". Além disso, desenvolver os músculos mentais do otimismo reduz significativamente a probabilidade de ficarmos deprimidos.

Otimismo habitual

Isso nos leva a uma questão maior: por que existe tanta depressão no mundo? Seligman argumenta que a nossa preocupação recente com o individualismo cria sua própria forma de prisão mental. Ao sermos convidados a acreditar em nossas infinitas possibilidades, qualquer forma de fracasso se torna devastadora. Combinar isso com a desintegração de suportes psicológicos já tradicionalmente sólidos – a nação, Deus, a família –, teremos uma epidemia de depressão.

No entanto, mesmo que drogas como o Prozac possam ser eficazes no combate ao estado depressivo, existe uma lacuna entre a depressão tratada com êxito e o otimismo habitual. No estilo explanatório positivo recomendado por Seligman, os problemas são vistos como temporários, específicos e externos, em vez de expressões inevitáveis de nosso fracasso como pessoa. A terapia cognitiva muda a forma básica de como uma pessoa vê o mundo, percepção essa que tende a se tornar permanente.

Comentários finais

Aprenda a ser otimista é um produto da mudança radical ocorrida na Psicologia em meados da década de 1960. Até então, o comportamento de uma pessoa era considerado como "pressionado" pelas necessidades internas (freudismo) ou "puxado" pelas recompensas ou punições da sociedade (behaviorismo). A terapia cognitiva, em contraste, mostrou que as pessoas poderiam de fato mudar a maneira como pensam a despeito das propensões inconscientes ou condicionamento social. Como observa Seligman no final do livro, os acontecimentos da era moderna, como as migrações em massa, tornaram necessária a mudança pessoal rápida; hoje em dia ela é desejável. Todavia, fazemos parte de uma cultura que valoriza o autoaperfeiçoamento porque sabemos que ele é possível – não só a experiência como também a ciência psicológica comprova isso.

O livro de Seligman é uma obra importante no campo da autoajuda, pois fornece um fundamento científico para muitas afirmações. Tornou-se um sucesso em vendas porque atraiu leitores que normalmente considerariam as ideias de desenvolvimento pessoal como, nas palavras do autor, "ufanismo metafísico". O livro trata, contudo, não apenas do otimismo (embora possa muito bem transformá-lo em uma pessoa otimista) como também da validade da própria mudança pessoal e da natureza dinâmica da condição humana. Seu livro mais recente, *Felicidade autêntica*, incorpora muitas das descobertas e ideias de *Aprenda a ser otimista*, mas aprofunda a ideia de "psicologia positiva". Recomendo fortemente a leitura das duas obras.

Martin Seligman

Seligman foi criado em Albany, Nova York. Especializou-se em Filosofia Moderna na Universidade de Princeton e, depois, em Psicologia. Licenciado em Psicologia em 1973, dirigiu por quatorze anos o programa de treinamento clínico do Departamento de Psicologia da Universidade da Pensilvânia.

A bibliografia de Seligman inclui quatorze livros e 140 artigos. Além de *Aprenda a ser otimista*, suas outras obras mais populares são: *O que você pode e não pode mudar* (1994) e *The Optimistic Child* [A criança otimista] (com Reivich; Jaycox e Gillham, 1995). Dentre seus trabalhos acadêmicos estão *Helplessness* [Vitimação] (1975) e *Abnormal Psychology* [Psicologia anormal] (1982).

Seligman é ex-presidente da American Psychological Association, da qual recebeu dois prêmios por notável contribuição científica. É atualmente professor de Psicologia da Universidade da Pensilvânia e está à frente do movimento conhecido como "Psicologia positiva".

47 | Samuel Smiles

1859
AUTOAJUDA

"E assim a vida corajosa e inspiradora de um homem acende uma chama na mente de outros de igual ímpeto e faculdades; e onde há um esforço igualmente vigoroso, distinção e sucesso similares se seguirão com quase toda a certeza. Desse modo, a cadeia de exemplos é transmitida através do tempo em uma sucessão eterna de vínculos – admiração que incita a imitação e perpetua a verdadeira aristocracia do gênio."

"Há muitas falsidades no caráter, mas o caráter autêntico dificilmente pode ser confundido. Alguns, sabendo de seu valor monetário, tratam de disfarçá-lo com a finalidade de se impor aos incautos. O coronel Charteris disse a um homem notável por sua honestidade: 'Eu daria mil libras pelo seu bom nome.' 'Por quê?' 'Porque eu poderia ganhar dez mil com ele', foi a resposta do tratante."

"Nenhuma lei, por mais rigorosa que seja, pode tornar diligente o preguiçoso, prudente o perdulário, sóbrio o bêbado. Essas reformas só podem ser feitas por meio da ação individual, da parcimônia e da autonegação; por meio de hábitos melhores, não de direitos maiores."

Em poucas palavras
A história está repleta de pessoas que realizaram grandes coisas por meio da vontade e da persistência.

Na mesma linha
Stephen Covey, *Os 7 hábitos das pessoas altamente eficazes* (p. 129)
Benjamin Franklin, *Autobiografia* (p. 187)

Self-Help [Autoajuda] foi publicado no mesmo ano de *A origem das espécies*, de Darwin, e *Sobre a liberdade*, de John Stuart Mill. Enquanto Darwin traçou um retrato de como a adaptação minuciosa ao meio ambiente aperfeiçoa a vida, Mill esboçou uma sociedade baseada na liberdade e Smiles deu ao mundo uma obra que ainda inspira com suas cenas de indivíduos que construíram sua vida a partir da força de vontade. *Self-Help* pode não ter a profundidade acadêmica ou filosófica das outras duas obras, mas foi fundamental para a literatura de autoajuda e sua ética de responsabilidade pessoal.

Em muitos lares vitorianos, o livro só tinha menos *status* que a *Bíblia* e embora seja considerado hoje um clássico sobre os valores da época (diligência, parcimônia, progresso e assim por diante), a abordagem antiquada e sua moral absoluta representam uma capa pela qual o livro não deve ser julgado. Trata-se de uma obra que faz parte de uma tradição literária mais ampla, na qual estão *Autobiografia*, de Benjamin Franklin, e os romances de Horatio Alger, em que os seres humanos avançam apesar das dificuldades.

A ética da autoajuda ganha vida por meio da biografia. Smiles sabia disso e encheu o livro de figuras notáveis, muitas delas hoje esquecidas. Ele menciona:

- Sir William Herschel (1738–1822) se interessou por astronomia enquanto trabalhava como oboísta numa orquestra itinerante. Construiu seu próprio telescópio, descobriu Urano e outros corpos celestes e tornou-se astrônomo oficial do rei da Inglaterra.
- Bernard Palissy (c.1510–89) era um oleiro pobre que atirou na fornalha seus próprios móveis e madeiras das cercas que possuía para criar a famosa técnica na esmaltação. Essa tenacidade veio a ser recompensada com o cargo de oleiro do trono francês.
- Granville Sharp (1735–1813) era padre, mas no seu tempo livre deu início ao movimento abolicionista na Inglaterra e acabou conseguindo alterar uma lei que garantia que todo escravo que pisasse no país seria livre.

Contudo, essas vidas não desfilam diante de nós só para que possamos admirá-las, mas para nos dar uma ideia da ampla gama de modelos possíveis que podemos utilizar como espelho em nossa vida. Smiles as escolheu de acordo com a forma como elas iluminam qualidades excepcionais como tenacidade, diligência e resignação, que formam os capítulos do livro.

Trabalho árduo e habilidade

Smiles acreditava que, por tratar da natureza humana, *Self-Help* permaneceria para sempre válido. Todavia, para aceitar isso, teríamos de acreditar que a perseverança e o trabalho incansável ainda são elementos básicos do sucesso – será que são mesmo?

O mito do artista é a pessoa de gênio rebelde que produz obras-primas em explosões criativas, enquanto que o denominador comum da "vida dos artistas" descrita por Smiles é a singular diligência e a aplicação incessante à tarefa, quase igual ao talento artístico delas. Ao mostrar que muitos dos métodos pioneiros por eles criados foram resultados de anos de tentativas e erros, Smiles revela a crença de que os artistas mais famosos e bem-sucedidos têm mais "talento". Na verdade, o talento não é algo cuidadosamente disseminado; o que é raro é a vontade de trabalhar arduamente para realizar uma visão artística.

Michelangelo não teria pintado o teto da Capela Sistina, se ele não se dispusesse a trabalhar deitado sobre um andaime meses a fio. Ticiano levou sete anos para criar sua Última Ceia para o rei Charles V, embora muitas pessoas suponham que ela tenha sido criada em uma "explosão de gênio". Smiles observou que o lema do pintor Sir Joshua Reynolds e do escultor David Wilkie era "Trabalho! Trabalho! Trabalho!". E Johann Sebastian Bach refletiu: "Eu era diligente; quem for igualmente aplicado será igualmente bem-sucedido". A história tem a tendência de transformar o compromisso inabalável e o trabalho árduo em palavras grandiosas como gênio, quando os súditos que as aplicam pensam de outra maneira. Smiles escreveu:

"O talento eminente não é necessário para assegurar o sucesso em qualquer busca, mas sim o propósito – não apenas o poder de realizar, mas a vontade de trabalhar com energia e perseverança. Daí a energia da vontade pode ser definida como sendo o poder central do caráter de um homem – em uma palavra, é o próprio Homem."

Smiles nos conta sobre George-Louis Buffon (1707-1788), autor do famoso *Histoire Naturelle*, obra de 44 volumes que reuniu tudo o que se sabia sobre a história natural em sua época e que prenunciou a teoria da evolução. A enorme autodisciplina necessária para completar um projeto como esse levou Buffon a concluir que "gênio é paciência". Smiles passou a citar De Maistre, que acreditava que "saber esperar era o grande segredo do sucesso". Smiles também observou o entendimento de Isaac Newton sobre o que produzia o gênio: o pensamento constante sobre a solução de um problema.

Paciência, organização da mente e absorção na tarefa que se tem à mão são os elementos-chave citados por Smiles em todos os grandes avanços, nenhum dos quais podem ser supridos por recursos do governo ou pela educação. São talentos criados.

Caráter

Atualmente, a expressão "formação do caráter" costuma ser pronunciada com um sorriso a alguém contemplando um banho frio ou fazendo uma caminhada de dez dias pelo Himalaia. Conforme advertido por Smiles já na década de 1850, educação, riqueza ou família nobre não chega nem perto de substituir o caráter. Vivemos hoje na tão conhecida sociedade do conhecimento, na qual o valor mais alto é considerado o emprego criativo de dados e informações, mas Smiles afirmava que "caráter, mais do que conhecimento, é poder".

Self-Help pode ser um livro simplório para uma época mais simplória ainda, mas sua obstinada reiteração da necessidade de cultivar qualidades pessoais que proporcionam a liberdade de espírito revela uma verdade atemporal: o caráter é algo que é formado a despeito das forças hercúleas do instinto e do condicionamento cultural. Smiles incluiu uma declaração de Sir Humphry Davy, que disse: "O que sou, fiz eu mesmo: digo isso sem vaidade e com a simplicidade pura que vem do coração". Davy afirma que coragem não é como um episódio de bravura visto em contos excitantes, mas as pequenas decisões diárias que reafirmam a nossa independência. Esse é o ingrediente essencial das "pessoas altamente eficazes" de Stephen Covey.

Mas onde adquiro o caráter? Como ele proverá minha vida? Embora no século XIX os negócios não eram vistos como tendem a ser vistos hoje em dia – uma arena para as mentes mais brilhantes e criativas –, Smiles foi mesmo assim capaz de antever essa mudança. Ele não perdeu tempo em identificar o elemento central de tudo isso: integridade de palavras e atos. Como a confiança é a cola que mantém unidas as sociedades livres, segue-se que o sucesso duradouro será atraído para aqueles em que se pode confiar. Como disse Max Weber, esse atributo era tão raro que os primeiros mercadores protestantes fizeram fortunas na base da confiança absoluta.

Nada entorpece a mente e destrói o caráter mais que as drogas e o álcool, o que fez Smiles não perder a chance de elogiar a qualidade que mais aprecia: a temperança. Rimos quando vemos nos filmes antigos os pregadores censurando o "caminho para a ruína". O pavor do álcool nos diverte porque somos "sensíveis" quando temos que falar dele, mas ninguém admite suas consequências menos dramáticas que são somadas ao longo da vida: as coisas que deixamos de fazer no dia seguinte por causa da noite anterior, o beber "socialmente" que só encobre a aceitação da mediocridade. Smiles cita Sir Walter Scott, que disse que "de todos os vícios, beber é o mais incompatível com a grandeza".

Comentários finais

Samuel Smiles viveu na época em que o Império Britânico dominava cerca de um quarto do planeta. Como qualquer império, a Inglaterra espalhou sua parcela de miséria entre aqueles que eram forçados a manter o *show* no ar. Suas boas qualidades – reforma social, alguns princípios políticos, energia e inventividade – eram unidas por uma enorme crença no "progresso". Um dos efeitos de *Sobre a liberdade*, de Mill, foi nos ensinar a enxergar esses valores em termos relativos. Ao ser uma simples carta contra a opressão política, ela também abriu involuntariamente caminho para o socialismo, que elevou o ideal de comunidade a um nível tal que os indivíduos eram protegidos da expansão de suas próprias fronteiras. Smiles ainda nos recorda que Mill disse que "o valor do Estado, em longo prazo, é o valor dos indivíduos que o compõem".

Se o ideal de progresso ressurgir no século XXI, é menos provável que seja como propriedade dos governos do que como a fé dos indivíduos. Enquanto o princípio da liberdade política de Mill é a condição básica para o progresso pessoal, é a ética de autoajuda que pode, na verdade, ensinar-nos o que fazer com a nossa liberdade. É curioso o fato de que Smiles foi, no começo de sua vida, um reformador político radical, mas desistiu quando percebeu que a reforma mais urgente era a pessoal.

Self-Help é monumentalmente sexista: não há uma única mulher entre as biografias expostas na obra. Uma pequena defesa que se pode fazer é que o livro foi desenvolvido a partir de palestras ministradas a trabalhadores do sexo masculino e que, naquela época, os modelos femininos provavelmente não teriam sido aceitos. Se ele contivesse mais algumas histórias tendo mulheres como protagonistas seria talvez uma obra menos obscura para os dias atuais, mas o leitor que conseguir relevar ou perdoar a omissão feita por Smiles será muito bem recompensado. Esse Titanic da literatura de autoajuda merece emergir novamente.

Samuel Smiles

O mais velho de onze irmãos, Smiles nasceu em 1812, em Haddington, na Escócia, filho de um fabricante de papel. Aos quatorze anos deixou a escola e trabalhou durante três anos antes de ingressar na Universidade de Edimburgo para estudar Medicina. Depois de algum tempo como médico, seu interesse mudou para a política, o que o levou a se tornar, em 1838, editor do jornal radical *Leeds Times*, onde permaneceu até 1842. Influenciado pelos utilitaristas Jeremy Bentham e James Mill (pai de John Stuart), suas causas incluíam livre comércio, extensão do sufrágio e melhores condições para os trabalhadores fabris. Depois de se desiludir com a reforma política, Smiles passou a defender cada vez mais o desenvolvimento pessoal. No mesmo ano em que iniciou sua carreira como administrador de ferrovias, ministrou o ciclo de palestras que mais tarde viria a ser o livro *Self-Help*. Traduzido para diversos idiomas, foi um dos poucos títulos ingleses a circular no Japão após a restauração Meiji, tornando-se a bíblia dos homens de negócios do Ocidente. O empresário milionário Lord Leverhume e Orison Swett Marden, escritor norte-americano e fundador da revista *Success*, estão entre os muitos que disseram que deviam suas conquistas a *Self-Help*.

Outras obras de Smiles incluem uma biografia de George Stephenson, pioneiro das estradas de ferro (1857), um texto de história econômica em três volumes intitulado *Lives of the Engineers* [As vidas dos engenheiros] (1874), os livros *Character* [Caráter] (1871), *Thrift* [Parcimônia] (1875), *Duty* [Dever] (1880) e a biografia do oleiro Josiah Wedgwood (1894). Uma autobiografia foi publicada depois da sua morte, em 1904.

48 | Pierre Teilhard de Chardin

1955
O FENÔMENO HUMANO

"O homem moderno não sabe mais o que fazer com as potencialidades que desencadeou[...] Às vezes somos tentados a devolver essa superabundância à matéria da qual ela veio, sem parar para pensar que isso seria um ato monstruoso contra a natureza."

"Dissemos que a vida, por sua própria estrutura, depois de elevada ao estágio do pensamento, não pode prosseguir sem ter a necessidade de ir ainda mais alto. Isso é suficiente para nos assegurar duas coisas de que nossa ação tem necessidade imediata. A primeira é que há para nós, no futuro, de uma forma ou de outra, coletivo pelo menos, não só a sobrevivência, mas sobrevida. A segunda é que para imaginar, descobrir e alcançar essa forma superior de existência só precisamos pensar e caminhar sempre mais adiante, na direção em que os traços transmitidos pela evolução assumem a sua máxima coerência."

"Nessa visão, o homem não é visto como o centro estático do mundo – o que ele por muito tempo acreditou ser –, mas como o eixo e principal disparo da evolução, o que é algo muito mais elevado."

Em poucas palavras
Ao valorizar e apreciar a sua singularidade, você literalmente propicia a evolução do mundo.

Na mesma linha
Abraham Maslow, *Motivation and Personality* (p. 259)

Pierre Teilhard de Chardin escreveu as palavras finais de *O fenômeno humano* em 1938, mas sua obra só repercutiria dezessete anos após sua morte. Além de famoso paleontólogo, foi um padre jesuíta que a própria Igreja acreditava ter ido além da ortodoxia em seus escritos filosóficos, motivo pelo qual a publicação de seu livro foi consistentemente desautorizada. Qualquer um teria abandonado o sacerdócio, ou pelo menos ficado amargurado, mas Teilhard não demonstrou nenhuma das duas reações; mesmo que soe como algo muito estranho para uma mente livre, ele manteve seu voto de obediência.

O efeito do seu isolamento intelectual e físico (ele foi "banido" para a China para desenvolver trabalhos científicos) foi a fermentação das ideias incrivelmente abrangentes e radicais, algumas das quais, mesmo depois de tanto tempo, estão apenas começando a fazer sentido. Sabemos que o valor dos visionários só fica provado com o passar do tempo, mas agora, no início do século XXI, vemos que há poucos que nos dão uma visão mais convincente e fascinante da raça humana.

O fenômeno humano não é um livro de autoajuda no sentido convencional e muitos leitores o acharão demasiadamente "cristão", mas sua influência sobre os autores dos campos de potencial humano e desenvolvimento pessoal é significativa. Embora abstratas, suas ideias acerca da evolução mental e espiritual desfrutam da sua renascença porque se conectam perfeitamente com as perguntas que muitos estamos começando a fazer sobre nós mesmos e sobre como podemos nos ajustar ao esquema mais amplo das coisas.

A nossa evolução

A teoria evolucionária de Teilhard trata da mente e também do mundo físico. Ele acreditava não ser suficiente a descoberta de que evoluímos dos macacos – nossa tarefa é chegar ao ponto de saber por que evoluímos. Os cientistas evolucionistas de hoje têm amplas evidências de que o cérebro humano não mudou em milhares de anos, mas o fato de termos a mesma estrutura cerebral não significa que somos os mesmos seres. Teilhard acreditava que, no momento em que a humanidade passasse a viver no estado reflexivo, o progresso seria inevitável; desfrutaríamos "não apenas da sobrevivência, mas da sobrevida".

Teilhard era, talvez, singularmente apto para realizar a tarefa de aplicar a ciência evolutiva às questões mais gerais do destino humano. Os cientistas comuns tinham medo de fazer especulações e poucos sacerdotes tinham a sua formação científica e, ou o seu intelecto. Como paleontólogo e antropólogo, Teilhard tinha a intenção de descobrir as origens do homem, embora parecesse óbvio para ele que, quanto mais soubéssemos sobre o passado, mais longe poderíamos enxergar no futuro.

A humanidade como fenômeno

Embora considerasse *O fenômeno humano* um tratado científico, o autor estava impaciente com a superespecialização e assumiu a posição paradoxal de que a ciência só poderia atingir a maioridade quando ultrapassasse a visão do homem baseada apenas em seu corpo físico:

> *"A física verdadeira é aquela que um dia realizará a inclusão do homem como um todo em uma imagem coerente do mundo."*

O ser humano, de acordo com Teilhard, é um fenômeno que ainda não foi devidamente explicado tanto nas ciências naturais quanto nas humanas, e as buscas, as realizações e os acontecimentos da história da humanidade precisam ser analisados como um movimento só e inteiro. Estamos atualmente tão acostumados com a palavra "humanidade" que ela quase deixou de ser uma ideia, ainda se trata de um conceito bastante novo, baseado no reconhecimento da unidade apesar de todas as guerras, divisões territoriais e diferenciação cultural.

Para Teilhard, a humanidade não é o centro do mundo, mas o "eixo e principal disparo da evolução". Não significa que nos elevamos acima da natureza, mas que nossa busca intelectual e espiritual aumenta drasticamente nossa complexidade e inteligência. Quanto mais complexos e inteligentes nos tornamos, menos domínio o universo físico tem sobre nós. Da mesma forma como o espaço, as estrelas e as galáxias se expandem cada vez mais, o universo é submetido a uma "involução" natural do simples para o mais complexo; a psique humana também se desenvolve de acordo com essa lei. "Humanização" é como Teilhard chamava o processo pelo qual a humanidade se torna mais humana ou como chamava a realização de potencial humano.

Personalidade = evolução

Embora tenha mergulhado na física do cosmos e nos subterrâneos da Terra, Teilhard sempre retornou à personalidade humana. Em uma palestra proferida na Unesco, em 1947, em que discutiu a possibilidade de uma nova Declaração dos Direitos do Homem, ele pediu nenhuma provisão à autonomia dos indivíduos, mas à "incomunicável singularidade da existência que cada um de nós possui". Soa nobre, mas significa que a raça humana nunca progredirá pela busca da transcendência, ou por meio do individualismo, mas que evoluirá como uma raça abrindo espaço para que todos expressem plenamente suas personalidades.

Conforme se torna tecnologicamente mais avançada, a humanidade também fica mais interessada em sua dimensão espiritual (Teilhard chamava isso de "interiorização"). No entanto, a evolução não funciona de forma impessoal e numa velocidade uniforme; ela se dá por saltos e sempre retorna para *alguém*.

A noosfera e o ponto Ômega

Em 1925, Teilhard cunhou o termo "noosfera". Assim como a biosfera é a concha viva em torno do planeta Terra, a noosfera é seu homólogo mental, uma camada invisível de pensamento ao redor do planeta que é a soma total dos estados mental e espiritual da humanidade – todas as culturas, todo o amor e todo o conhecimento. Ele previu que todas as pessoas precisariam, eventualmente, de recursos de todo o planeta para nutri-las material e psicologicamente.

Isso também funcionaria reciprocamente, porque a influência de cada pessoa desafiaria o tempo e o espaço quando seu impacto teria sido restringido por sua localidade física. À medida que o mundo se contraísse, nós o cobriríamos com nossos pensamentos e relacionamentos.

O conceito de noosfera atingiu claramente a maioridade na sociedade conectada pela *internet*. Ele tem exercido enorme influência sobre os teóricos da computação e da *internet*, que reconhecem que Teilhard enxergou a *internet* 50 anos antes de ela aparecer. O conceito também precedeu a ideia de "Gaia" de James Lovelock, pela qual entendemos o planeta como um organismo vivo. Teilhard disse que, conforme a humanidade se tornasse mais autorreflexiva, capaz de perceber seu lugar no tempo e no espaço, sua evolução realmente começaria a ocorrer em grandes saltos, não mais por uma lenta ascensão. No lugar do ritmo glacial da seleção natural, haveria um aperfeiçoamento poderoso de ideias que acabaria por nos libertar completamente do mundo físico. Haveria um movimento irresistível em direção a um novo tipo de existência, no qual todo o nosso potencial seria atingido. Teilhard o chamava de "ponto Ômega".

Comentários finais

O fenômeno humano não é um livro fácil de ler. Algumas palavras podem ser impenetráveis, mas é válido lembrar que Teilhard nunca teve um público adequado para testar suas ideias e comentar ou criticar sua escrita. (Aqueles que procuram algo menor podem ler *[The Future of man]* ou *O meio divino*.) *O fenômeno humano* é, no entanto, seu livro mais importante e conhecido, e a influência dessa obra parece crescer continuamente.

A ideia de sobrevida defendida por Teilhard pode parecer um castelo no ar, mas ele tinha a opinião de que uma verdade vista apenas por uma única pessoa era assim mesmo uma verdade e acabaria sendo aceita por todos. Apesar de seu livro só ter sido um sucesso em vendas após sua morte, as terríveis realidades da vida no século XX minaram natural e compreensivelmente a ideia de que estávamos nos movendo constantemente em direção a um maravilhoso "ponto Ômega" no nosso destino.

O progresso espiritual e o avanço intelectual podem, todavia, coexistir com o mal, e Teilhard enxergou coisas como o totalitarismo como uma parte natural da evolução social, que seria suplantada por formas melhores de organização e comunidade.

O fenômeno humano é um livro de autoajuda da mais alta qualidade. Ele fornece um conjunto de ideias que pode nos levantar além do tempo e lugar de nossa vida individual. Ao pensar grande sobre toda a espécie humana, podemos encarar nossa tarefa pessoal com mais força e clareza. Ao fitar o cosmo, as pessoas costumam dizer o clichê: "Percebemos quão insignificante somos". Teilhard não teria compartilhado esse sentimento. Em sua filosofia, toda alma tem um papel vital a desempenhar na evolução do mundo e, conscientes de nossa própria humanidade, sabemos que isso não significa necessariamente ter um grande ego. Pelo contrário, isso exige a máxima expressão de nossa personalidade e habilidades.

Pierre Teilhard de Chardin

Nascido em 1881, na região de Auvergne, França, Teilhard era o quarto de onze irmãos. Pensionista em um colégio jesuíta, entrou aos dezoito anos para a ordem jesuíta, onde permaneceu por seis anos. Aos 24 anos de idade foi enviado à cidade do Cairo para ensinar Física e Química em uma faculdade local. Permaneceu no local e cargo por três anos. Nos quatro anos seguintes, estudou Teologia em Sussex, Inglaterra.

Durante essa época, Teilhard se tornou um competente geólogo e paleontólogo e foi finalmente ordenado padre em 1912. Seu retorno a Paris para dar continuidade aos estudos geológicos no Museu de História Natural foi frustrado pela eclosão da Primeira Guerra Mundial. Ele recebeu uma medalha militar e a Legião de Honra por seus serviços como padioleiro.

Em 1923, depois de concluir seu doutorado na Sorbonne, Teilhard foi enviado à China para passar um ano estudando no Museu de História Natural. Passou 20 anos no país, a partir de 1926, praticamente exilado pela Igreja por seus ensinamentos sobre o pecado original e a evolução. O autor fez contribuições significativas para o conhecimento paleontológico e geológico da China e estava no grupo que encontrou o Homem de Pequim.

Após a Segunda Guerra Mundial, ele foi autorizado a retornar a Paris, onde desfrutou de sua vida intelectual até ser acometido por ataque cardíaco em 1947, que o obrigou a uma convalescença forçada no país. Seus escritos foram deixados com um amigo para serem publicados após sua morte.

49 | Henry David Thoreau

1854
Walden ou A vida nos bosques

"Fui para os bosques porque queria viver deliberadamente, defrontar-me somente com os fatos essenciais da vida, ver se eu era capaz de aprender o que ela tinha a me ensinar, mas não, quando morri, acabei descobrindo que não tinha vivido."

"É bom ser capaz de pintar um quadro específico, de esculpir uma estátua e criar objetos bonitos, mas é muito mais glorioso esculpir e pintar a própria atmosfera e o meio pelo qual olhamos o que pode ser feito moralmente. Influenciar a qualidade do dia, esta é a mais sublime das artes."

"Se você construiu seus castelos no ar, o trabalho não se perderá; é lá que eles deveriam estar. Agora, coloque as fundações embaixo deles."

"Quando não temos pressa e somos prudentes, percebemos que só o que é grandioso e digno tem existência permanente e absoluta – que os pequenos temores e pequenos prazeres são apenas a sombra da realidade. Isso é sempre sublime e estimulante."

Em poucas palavras
Garanta sempre algum tempo em sua vida para apenas pensar.

Na mesma linha
Ralph Waldo Emerson, *Autoconfiança* (p. 167)
Thomas Moore, *Cuide de sua alma* (p. 275)

Embora seja um relato acerca de uma experiência real – dois anos numa cabana de madeira nos bosques –, *Walden ou A vida nos bosques*, de Thoreau, costuma ser lido atualmente como um diário de liberdade e consciência pessoal. O livro é um tesouro em ambos os níveis. Thoreau entrou nos bosques em 4 de julho de 1845. Não precisou ir muito longe nem demorou muito para chegar lá, pois o lugar onde viveu grande parte de sua vida ficava a pouco mais de três quilômetros do centro de Concord, Massachusetts. Mas mesmo assim, ainda se podia ter solidão e foi ali que Thoreau reduziu sua vida à essência, longe das mentiras e fofocas da sociedade. Depois de construir uma pequena cabana de 3 x 4,5 metros, teve muito tempo livre. Ele fez então uma horta onde plantava feijão, que era vendido no mercado local para cobrir suas modestas despesas. Thoreau viveu uma existência idílica: caminhar, ler, observar os pássaros, escrever e apenas ser.

A vida e a atitude de *Walden*

Esse é um conceito tão estranho para a maioria das pessoas que ainda hoje parece perda de tempo ou subversão. Mas Thoreau se considerava mais rico do que qualquer outra pessoa, tendo tudo de que precisava materialmente e o tempo para apreciar isso. As pessoas normais, com todas as suas coisas, precisavam trabalhar o tempo todo para pagá-las, mas ao fazer isso elas negligenciavam e deixavam de viver a beleza da natureza e o doce cultivo da alma propiciado pela solidão.

Thoreau viveu na época da escravidão. Certa vez, passou a noite na prisão por não pagar seus impostos ao governo. Ele era abolicionista e sua objeção não era voltada apenas à escravidão dos negros, mas também à escravidão de todas as pessoas. Como observou Michael Meyer em *Walden ou A vida nos bosques e a desobediência civil*, a obra poderia ser vista como uma narrativa de emancipação, uma crônica sobre a fuga da ilusão. Para Thoreau, o sul profundo metafórico ficava a três quilômetros de distância de Concord, lugar onde estavam seus amigos e familiares e que configurava uma espécie de prisão para aqueles que não sabiam que estavam escravizados pelo materialismo e pelo conformismo. É famosa a declaração feita pelo autor de que "A imensa maioria dos homens leva uma via de silencioso desespero".

Seu retiro no lago Walden foi um exercício consciente do que o desenvolvimento pessoal moderno viria a chamar de "desroteirização". Ele queria recuperar a liberdade plena de espírito que tinha ao nascer, mas que, suspeitava ele, apesar de sua educação, tinha sido deformado pelo "saber convencional" e pelos preconceitos da sua criação. Thoreau se afastou com o objetivo de deixar de ser um reflexo da sociedade, para descobrir o que significa ser um indivíduo livre. Ao falar dos grandes exploradores de sua época, ele refletiu a respeito de John Franklin, inglês que desapareceu em uma expedição, e Grinnell, norte-americano que foi procurá-lo:

> *"Será Franklin o único homem perdido cuja esposa está empenhada em encontrá-lo? Será que o próprio sr. Grinnell sabe onde está? Sejamos os Mungo Park, os Lewis, os Clarke e os Frobisher de nossas próprias correntes e oceanos; exploremos nossas próprias grandes latitudes."*

O impacto de *Walden ou A vida nos bosques*

Ao lado de seu amigo Ralph Waldo Emerson, Thoreau é hoje considerado um dos pilares do que poderia ser intitulado ética do individualismo norte-americano. A ironia é que ambos condenaram muito do que os Estados Unidos e outros países ocidentais parecem, sem dúvida, ter se tornado: parques de diversão de consumidores ricos, mas empobrecidos pela falta de significado pessoal. Mas *Walden*, assim como os escritos de Emerson que tanto o influenciaram, é mais atraente do que nunca para aqueles que buscam algo mais. Embora muitos dos pensamentos e ideias expostos na obra tenham passado a fazer parte do senso comum e da consciência pública, ela tem sido uma das inspirações fundamentais para a geração moderna de escritores de desenvolvimento pessoal. Entre, por exemplo, as descrições da natureza e das pessoas, o leitor encontra:

"A pessoa que avançar confiante em direção aos seus próprios sonhos, e que se esforçar para viver a vida que imaginou, se deparará com um sucesso inesperado nos momentos mais comuns."

E:

"Não conheço fato mais encorajador do que a capacidade inquestionável que o homem tem de elevar sua vida por meio do esforço consciente."

Esta poderia ter sido escrita por Norman Vincent Peale ou Deepak Chopra:

"O universo responde constante e obedientemente às nossas concepções; independente de nos movermos rápido ou lentamente, a estrada está lançada para nós. Gastemos, pois, nossa vida imaginando."

Walden ou A vida nos bosques também estava à frente de seu tempo na questão da sensibilidade ambiental. Ele vive praticamente de acordo com cada estação. Thoreau apreciou o inverno (construiu uma lareira e uma chaminé), mas ansiava particularmente pelo poder e graça da renovação trazida pela primavera. Para o autor, a natureza deveria ser poupada e poucas coisas eram mais instrutivas para a vida do que as árvores, a água e os animais. Numa confissão que se tornou clássica ele comentou: "Encontrei, finalmente, um par para mim: apaixonei-me por um carvalho".

Em uma de suas passagens mais poéticas, Thoreau disseminou seu sentimento de singularidade com o ambiente:

"É uma noite deliciosa quando meu corpo inteiro é um só sentido e absorve o êxtase por todos os poros. Eu perambulo pela natureza como uma estranha liberdade, sou parte dela."

O que o autor via na natureza sempre tinha uma conexão com o que ele percebia na humanidade:

> *"Ficaria feliz se todos os prados da Terra fossem deixados em seu estado natural, se isso significasse que o homem começaria a se redimir."*

Progresso e prosperidade

As movimentadas idas e vindas de uma via férrea que passava no lado oposto do lago Walden divertia e fascinava Thoreau. O progresso tecnológico refletia a glória da nação – será que isso era verdade?

> *"Os homens acham essencial que a nação comercie, exporte gelo, fale pelo telégrafo e viaje a 50 km/h... mas a dúvida quanto a se devemos viver como homens ou macacos ainda não foi sanada."*

Esse golpe contra a obsessão pela inovação e pela novidade também é importante para a cultura atual.

Não surpreende que Thoreau tenha rejeitado o estilo de Benjamin Franklin – heroísmo que trabalha arduamente para alcançar o sucesso. Para o autor, a posição social não tinha nenhuma importância e a prosperidade não deveria ser tanto algo a ser alcançado, mas a ser testemunhado na generosidade da natureza. Thoreau não "trabalhou muito". Para ele, o trabalho era apenas necessário para ganhar tempo para ler, escrever e apreciar a natureza.

Contudo, isso não significa que devemos morar em uma cabana de madeira e plantar feijão para sobreviver. Os bosques de Thoreau são uma metáfora para a abundância da natureza em geral, que oferece tudo de que precisamos quando tomamos a decisão de agir de forma verdadeira em relação a nós mesmos. Ao permanecermos presos na "aldeia" de nossas mentes, com medo do que os outros vão dizer a nosso respeito, só veremos carência, mesquinhez e horizontes limitados. Thoreau diz o seguinte sobre permanecer singular:

"Se um homem não acerta o passo com seus companheiros, talvez seja porque está escutando uma batida diferente. Deixe que ele marche ao som que ouve, por mais cadenciado ou distante que esteja."

Comentários finais

Walden ou A vida nos bosques são as reflexões de um espírito livre, com profundo conhecimento dos clássicos, da religião oriental, da sabedoria de seus ancestrais norte-americanos e da própria natureza, esboçado em um contexto de grande beleza física e serenidade. Será que existe um descanso melhor para a mente do leitor que esse? O livro o convida a se tornar companheiro de Thoreau, a desfrutar os bosques e o lago Walden e a deliciar-se com seus comentários sobre as pessoas e a sociedade.

Quase no final do livro há a história de um besouro que saiu da velha mesa depois de hibernar por sessenta anos, graças ao calor de um vaso que fora posto sobre ela. Essa história resume a filosofia de Thoreau, no sentido de que ele considerava que todos temos o potencial para emergir do "sepulcro" da sociedade, como o besouro, e desfrutar o verão de vida.

Henry David Thoreau

Thoreau nasceu em Concord, Massachusetts, em 1817. Depois de se formar em Harvard, em 1837, assumiu o cargo de professor, mas, por se opor à utilização obrigatória de punição corporal, foi trabalhar na fábrica de lápis de seu pai. Em 1839, começou a se interessar pela natureza depois de ter viajado pelos rios Concord e Merrimack, relatado em um livro dez anos mais tarde. Thoreau passou dois anos (1841-1843) como membro de família de Ralph Waldo Emerson, e era amado pelos filhos de Emerson.

O lago Walden ficava em terras de propriedade de Emerson. Nos anos seguintes à sua experiência, Thoreau trabalhou como agrimensor, pintor e jardineiro, além de palestrante e redator de revistas, incluindo o periódico transcendentalista *Dial*. Em 1849, Thoreau escreveu *Desobediência civil*, um ensaio criado em oposição à guerra mexicana, que viria a influenciar Martin Luther King e Mahatma Gandhi. Outro ensaio, *A escravidão em Massachusetts*, foi publicado em 1854, mesmo ano da publicação de *Walden ou A vida nos bosques*. *Cape Cod* (1865) e *A Yankee in Canada* (1866) foram lançados após sua morte, em 1862.

O ensaio *Thoreau*, escrito por Emerson, expressa o quanto o autor admirava o fenomenal conhecimento da natureza e das habilidades práticas que o amigo possuía.

50 | Marianne Williamson

1994

Um retorno ao amor

"Um pouco de desespero é em geral necessário para estarmos prontos para Deus. Em se tratando de rendição espiritual, eu não me rendi, não de verdade, até estar totalmente de joelhos. A confusão ficou tão grande que nem todos os cavalos e peões do rei reunidos conseguiram fazer Marianne funcionar novamente. A mulher histérica dentro de mim estava numa fúria maníaca e a criança inocente pregada na parede. Eu desmoronei."

"A amor levado a sério é uma perspectiva radical, um gigantesco distanciamento da orientação psicológica que governa o mundo. Ele é ameaçador não por ser uma ideia menor, mas por ser imenso."

"Relacionamentos são designações. São parte de um vasto plano para o nosso esclarecimento, modelos pelos quais o Espírito Santo conduz a alma de cada pessoa a elevar sua consciência e a expandir seu amor."

Em outras palavras

Os milagres começam a acontecer quando decidimos depender totalmente de Deus e amar a nós mesmos.

Na mesma linha

Wayne Dyer, *A verdadeira magia* (p. 159)
M. Scott Peck, *A trilha menos percorrida* (p. 303)
Florence Scovell Shinn, *O jogo da vida e como jogá-lo* (p. 323)

Marianne Williamson tinha vinte anos, um produto autodestrutivo da "geração eu", quando fez uma descoberta que mudou sua vida. Em 1965, Helen Schucman, professora de Psicologia médica da Universidade de Columbia, havia começado a psicografar uma "voz". O resultado foi o volumoso *Um curso de milagres*, um autoestudo de Filosofia psicoespiritual baseado no amor e no perdão que deram origem a grupos de discussão em todo o mundo. A total adoção das ideias do livro levou Williamson a dar palestras e conferências sobre ele, que acabou resultando na publicação de *Um retorno ao amor*.

Embora seja mais que válido ler *Um retorno ao amor* como uma brilhante e honrosa síntese do livro de Schucman, é o apaixonado desnudar da alma e o despertar espiritual da autora que cativam e incentivam os leitores. Inicialmente, foi a projeção dada por Oprah Winfrey, que também admira a obra, que o ajudou a chegar no topo da lista dos livros mais vendidos do *New York Times*, onde ficou por mais de seis meses.

Doce rendição

No primeiro capítulo, Williamson fala do colapso nervoso que a levou a uma reorientação total de sua vida. Ela sempre se considerou uma lutadora – em prol de causas ou contra a injustiça – e até mesmo uma libertação de seus demônios era visto como uma verdadeira "libertação". No entanto, conforme o colapso progredia e, em seguida, lentamente cessava, ela descobriu que a liberdade é como fundir-se à sua verdadeira natureza e personalidade. Essa parte da história é cativante por seu ceticismo anterior e pela sua relutância em desistir de qualquer parte de si mesma. Como qualquer pessoa normal, ela estava receosa em desistir de qualquer poder que tinha. Contudo, essa luta entre o ego e o eu mais puro e verdadeiro é o que torna o livro incrível. Foi só chegando ao fundo do poço que a autora começou a se dispor a tentar algo – no seu caso, a rendição espiritual.

O ego adora estar no topo, diz Williamson, mas também fabrica calamidades, e aprendemos a esperar que os acontecimentos e as circunstâncias possam criar ou destruir o nosso senso de bem-estar. A pessoa iluminada percebe, contudo, que seu estado interior determina a sua visão das coisas externas. Os acontecimentos também acometem essa visão, mas sem o medo e a gravidade associados a eles. Quando temos segurança interior, as emoções transbordam, mas emoções diferentes, aquelas que percebem o mundo de forma clara, sem a nossa bagagem emocional normal. Dramas e crises continuam existindo, mas todos contribuem para o crescimento pessoal: deixamos para trás o "drama barato" de uma vida não espiritual.

Relacionamentos

Uma grande parte de *Um retorno ao amor* é dedicada aos relacionamentos. Você pode se sentir tentado a reler essa parte repetidamente só para se lembrar da pessoa que você poderia ser. É algo que deve mexer com os sentimentos de qualquer um principalmente as incríveis distinções entre relacionamentos "especiais", ou de ego, e "sagrados". O ego é caracterizado como "o grande descobridor de falhas e defeitos". Mas a crítica só aumenta a insegurança da outra pessoa, reduzindo as chances de ela mudar. A atenção que damos às falhas e aos defeitos nos impede de ver todas as partes boas do outro. O amor incondicional pode ser algo extremamente difícil ser cultivado, mas traz recompensas e é a única maneira de ficarmos em paz com nós mesmos.

De acordo com a filosofia psicoespiritual de *Um curso de milagres*, os relacionamentos são designações, que nos fornecem o máximo de oportunidades para o crescimento. Isso significa que a ideia romântica de que temos uma alma gêmea é incorreta, porque nossa verdadeira alma gêmea é quem nos ajuda a crescer aprendendo e a ser paciente e humilde, e a amar mais. As pessoas que nos irritam podem muitas vezes ser os nossos professores mais importantes. O ego, por outro lado, nos colocará na direção das pessoas que nos proporcionam menos problemas e mais prazer imediato, afastando-nos de forma incrivelmente sedutora da possibilidade de relacionamentos profundos.

Williamson fala com alegria de seus próprios relacionamentos. Conseguimos nos identificar facilmente com suas histórias de sofrimento e angústia, de ânsia por aquela pessoa especial que fará tudo dar certo. Continuamos a leitura porque parece que a autora está falando da nossa vida, fazendo as perguntas que nós fazemos. As respostas, no entanto, muitas vezes não são as que esperamos.

Trabalho e realização

Um retorno ao amor é igualmente interessante ao tratar do trabalho. Costumamos falar sempre sobre a nossa carreira profissional, nosso trabalho, nossos salários. Construímos, por meio de nossos próprios esforços, uma vida profissional de acordo com o que nos interessa ou de acordo com quanto gostaríamos de ganhar. O livro diz que esse não é o caminho para o verdadeiro sucesso. Se oferecermos nossa vida profissional a Deus, Ele nos revelará o que melhor servirá aos nossos talentos e temperamento e a forma como podemos ajudar mais o mundo. O que criamos por vontade própria pode ser bom, mas o genial só acontece quando nos tornamos claros instrumentos da expressão divina. Não é tanto o fracasso que tememos, mas o talento que pode brilhar em nós se o permitirmos. Com essa mentalidade, deixamos de ser escravos do dinheiro.

Não há problemas se estabelecermos objetivos e metas, mas esse é o melhor exemplo do ego tentando moldar o mundo como ele bem quer. Nossas mentes são tão poderosas que geralmente conseguimos realizar todos os objetivos que estabelecemos, mesmo sem sabermos se obteremos felicidade disso. Com a obra divina não ficamos apenas em êxtase ao atingir os objetivos estabelecidos, sentimo-nos felizes com o simples fato de apreciar a jornada. A Filosofia psicoespiritual diz que "conforme espalhamos o amor, nos elevamos naturalmente". Isso não será ensinado em nenhum MBA, mas tenha coragem suficiente para testá-lo em si mesmo. Williamson garante que não há como dar errado porque confiar em Deus é como "confiar na gravidade".

Milagres

O desenvolvimento pessoal trata geralmente de como podemos melhorar nossas maneiras de agir e pensar – o que parece envolver muita responsabilidade. Mas, se nos rendermos à beneficência do universo, ou a Deus, não será assim tão difícil. Williamson diz que costumava colocar os milagres na categoria "lixo pseudomístico-religioso". Mais tarde, ela percebeu que é de fato sensato recorrer a eles.

Um milagre significa necessariamente transformar água em vinho. É simplesmente a ocorrência de qualquer coisa que considerávamos impossível. Quando nos permitimos ficar mentalmente abertos e comprometidos com a mudança, qualquer coisa que pareça estar além de nós pode ser usada no processo de transformação. Se não for uma necessidade do ego, mas uma parte genuína dessa disposição de transformação da mente, o milagre acontecerá. Onde uma vez víamos nosso parceiro como culpado por vários pecados, vemos hoje sua inocência e o tratamos adequadamente. Onde antes havia um vício alimentado pelo medo e pelo ódio a nós mesmos, hoje esse vazio está preenchido.

O título de *Um curso de milagres* é cativante porque é contraditório, combinando algo mundano (um curso) com algo divino. Ele promete uma parceria de cocriadora em vez da costumeira relação humano-divino. Lembre-se do momento em que Jesus operou seus milagres e disse aos incrédulos que se reuniram ao seu redor que eles também podiam fazer o que ele fez – e até melhor que ele. A Igreja pode definir o milagre como um acontecimento físico que não ser explicado pelas vias normais, mas essa definição nos impede de saber que os milagres podem acontecer por nosso intermédio. Williamson lamenta que tenhamos abandonado esse poder tão facilmente.

Comentários finais

Tendo em vista a forte influência oriental na literatura de autoajuda, a postura cristã de *Um retorno ao amor* se sobressai, embora ela seja melhor vista como uma obra espiritual baseada na Filosofia psicoespiritual criada pela professora Schuman. Williamson admite claramente que todas as ideias sobre Deus são expressões de uma única realidade (ela mesma teve formação judaico) e que as pessoas não precisam ter um relacionamento pessoal com "Deus" para prosseguir com seu autoconhecimento. Isso vai depender de como elas se relacionam e tratam os outros.

Embora à primeira vista possa parecer uma busca indulgente pelo eu, *Um retorno ao amor* é em grande parte um belo resumo de *Um curso de milagres*, conduzindo em suas páginas autoridade e atemporalidade dessa teoria. A obra de Williamson é um clássico de autoajuda espiritual de grande valor prático.

Marianne Williamson

Williamson cresceu em Houston, Texas, filha de um casal de advogados de esquerda. Aos treze anos de idade, seu pai a levou ao Vietnã para ver o "complexo industrial militar" em ação. Williamson passou dois anos no Pomona College, na Califórnia, especializando-se em Filosofia e teatro, vivendo de forma descontraída por vários anos. Ela começou a dar aulas sobre psicoespiritualidade em 1983, que se tornaram cada vez mais populares. Entre 1987 e 1989, Williamson fundou o Centers for Living de Los Angeles e Manhattan, organizações sem fins lucrativos e de apoio a pessoas com doenças graves, incluindo a Aids.

Um retorno ao amor foi seu primeiro livro e sucesso de vendas. *A Woman's Worth* [O valor feminino] (1994) também foi um sucesso de vendas, seguido por *Iluminata: pensamentos, preces e ritos de passagem*, livro de orações e meditações. *Amor encantado: o poder místico dos relacionamentos íntimos* é uma exploração dos "relacionamentos sagrados" mesclados ao cristianismo, ao mito e estudos deusa e ao feminismo. *The Healing of America* [A cura da América] é um modelo para o rejuvenescimento político dos Estados Unidos por meio de uma cidadania sintonizada espiritualmente. Para promover esse propósito Williamson fundou com Neale Donald Walsch, autor de *Conversations with God* [Conversas com Deus], a Global Renaissance Alliance (www.renaissancealliance.org).

Créditos

As edições a seguir se referem a cada um dos cinquenta títulos comentados no livro. As datas originais de publicação estão expressas em cada um dos cinquenta comentários.

Allen, J. *O homem é aquilo que ele pensa*. Tradução Gulnara Lobato de Morais Pereira. 6. ed. São Paulo: Pensamento, 2000. Título original: *As a man thinketh*. Novato, CA: New World Library, 1998.

Andreas, S.; Faulkner, C. *PNL: a nova tecnologia do sucesso.* Tradução Talita Macedo Rodrigues. 6. ed. Rio de Janeiro: Campus, 2001. [Ed. original: *NLP: the new tecnology of achievement*. London: Nicholas Brealey Publishing, 1996.]

Aurélio, M. Meditações. Tradução William Li. São Paulo: Iluminuras, 1995.

Beck, M. *Finding Your Own North Star.* Londres: Piatkus, 2001.

O Bhagavad-Gita. São Paulo: Editora Três, 1973.

Bly, R. *João de Ferro: um livro sobre homens*. Tradução Waldensir Dutra. 6. ed. Rio de Janeiro: Campus, 2001.

Boécio. *A consolação da filosofia*. São Paulo: Martins Fontes, 1998.

de Botton, A. *Como Proust pode mudar sua vida.* Tradução Luciano Trigo. Rio de Janeiro: Rocco, 1999. [Ed. original: *How Proust Can Change Your Life*. Londres: Picador, 1998.]

Bridges, W. *Transitions: Making Sense of Life's Changes.* London: Nicholas Brealey Publishing, 1996.

Burns, D. *Feeling Good: The New Mood Therapy.* New York: Avon Books, 1992.

Campbell, J.; Moyers, B. *O poder do mito.* Tradução Carlos Felipe Moisés. 14. ed. São Paulo: Palas Athena, 1996. [Ed. original: *The Power of Myth.* Nova York, Anchor Books, 1991.]

Carlson, R. *Não faça tempestade em copo d'água.* Tradução Pedro Ribeiro. São Paulo: Rocco, 1999. [Ed. original: *Don't Sweat The Small Stuff... And It's All Small Stuff.* Londres: Hodder & Stoughton, 1997.]

Carnegie, D. *Como fazer amigos e influenciar pessoas.* Tradução Fernando Tude de Souza. 45. ed. São Paulo: Editora Nacional, 1981. [Ed. original: *How to Win Friends and Influence People.* Nova York: Pocket Books, 1994.]

Chopra, D. *As sete leis espirituais do sucesso.* Tradução Vera Caputo. Rio de Janeiro: Best Seller, 2008. [Ed. original. *The Seven Spiritual Laws of Success.* Londres: Bantam Press, 1996.]

Coelho, P. *O alquimista.* Rio de Janeiro: Rocco, 1995.

Covey, S. *Os 7 hábitos das pessoas altamente eficazes.* Tradução Alberto Cabral Fusaro e Márcia do Carmo Felismino Fusaro. São Paulo: Best Seller, 1999. [Ed. original: *The 7 Habits of Highly Effective People.* Nova York: Simon & Schuster, 1990].

Csikszentmihalyi, M. *A psicologia da felicidade.* Tradução Denise Maria Bolanho. São Paulo: Saraiva, 1992. [Ed. original: *Flow: The Psychology of Optimal Experience.* Nova York: Harper Perennial, 1991.]

Lama, Dalai; Cutler, Howard C.. *A arte da felicidade: um manual para a vida.* Tradução Waldéa Barcellos. São Paulo: Martins Fontes, 2000. [Ed. original: *The Art of Happiness: A Handbook for Living.* Nova York: Hodder & Stoughton, 1999.]

Dhammapada: The Path of Perfection . Tradução para o inglês. J. Mascaró. Londres: Penguin Classics, 1973.

Dhammapada. São Paulo: Pensamento, 1998.

Dyer, W. *A verdadeira magia: criando milagres na vida cotidiana*. Tradução Roberto Raposo. 3. ed. São Paulo: Nova Era, 2008. [Ed. original: *Real Magic: Creating Miracles in Everyday Life*. Nova York: HarperCollins, 1993.]

Emerson, R.W. *Self-Reliance and Other Essays*. Dover Publications, 1993.

Estés, C. P. *Mulheres que correm com os lobos*. Tradução Waldea Barcellos. Rio de Janeiro: Rocco, 1994. [Ed. original: *Women Who Run with the Wolves*. Londres: Rider, 1993.]

Frankl, V. *Em busca de sentido*. Tradução Walter O. Schlupp e Carlos C. Aveline. 10. ed. Rio de Janeiro: Vozes, 1999. [Ed. original: *Man's Search for Meaning*. Nova York: Simon & Schuster, 1984.]

Franklin, B. *Autobiografia*. São Paulo: Martin Claret, 2005. [Ed. original: *Autobiography and Other Writings*. Oxford: Oxford University Press, 1993.]

Gawain, G. *Visualização criativa*. Tradução César de Oliveira. 7. ed. São Paulo: Pensamento, 1997. [Ed. original: *Creative Visualization*. Nova York: Bantam Books, 1985.]

Goleman, D. *Inteligência emocional: a teoria revolucionária que redefine o que é ser inteligente*. Tradução Marcos Santarrita. 39. ed. Rio de Janeiro: Objetiva, [1997?]. [Ed. original: *Emotional Intelligence: Why It Can Matter More than IQ*. Nova York: Bantam Books, 1997.]

Gray, J. *Homens são de Marte, mulheres são de Vênus – livro dos dias: 365 inspirações para enriquecer seus relacionamentos*. Tradução Aulyde Soares Rodrigues. Rio de Janeiro: Rocco, 2001. [Ed. original: *Men Are from Mars, Women Are from Venus: A Practical Guide for Improving Communication and Getting What You Want in Your Relationships*. Londres: HarperCollins, 1992.]

Hay, L. *Você pode curar sua vida*. São Paulo: Best Seller, 2001. [Ed. original: *You Can Heal Your Life*. Carlsbad CA: Hay House, 1999.]

Hillman, J. *O código do ser: uma busca do caráter e da vocação pessoal*. Tradução Adalgisa Campos da Silva. Rio de Janeiro: Objetiva, 2001. [Ed. original: *The soul's code: in search of character and calling*. Nova York: Warner Books, 1997.]

Jeffers, S. *Como superar o medo*. Tradução Daniel Camarinha da Silva e Dulce Helena Pimentel da Silva. 3. ed. Rio de Janeiro: Cultrix, 1997. [Ed. original: *Feel the Fear and Do It Anyway*. Londres: Arrow Books, 1991.]

Koch, R. *O princípio 80/20: o segredo de se realizar mais com menos*. Tradução Nivaldo Montingelli Jr. Rio de Janeiro: Rocco, 2000. [Ed. original: *The 80/20 Principle: The Secret of Achieving More with Less*. Londres: Nicholas Brealey Publishing, 1998.]

Langer, E. *Mindfulness: Choice and Control in Everyday Life*. Cambridge, MA: Perseus Publishing, 1990.

Lao Tse. *Tao te ching: o livro do caminho da virtude*. Tradução Wu Jyh Cherng. 3. ed. Rio de Janeiro: Mauad, 1999.

Maltz, M. *Psicocibernética*. Tradução Nadile Werneck. 3. ed. Rio de Janeiro: Record, [1983?]. [Ed. original: *Psycho-Cybernetics*. Los Angeles: Wilshire Book Company, 1960.]

Maslow, A. *Motivation and Personality*. Ed. R. Frager. Nova York: Addison Wesley., 1987.

McGraw, P. *Estratégias de vida: fazendo o que importa, fazendo o que dá certo*. São Paulo: Negócio, [s.d.]. [Ed. original: *Life Strategies: Doing What Works, Doing What Matters*. Londres: Vermillion, 2001.]

Moore, T. *Cuide de sua alma*. 2. ed. São Paulo: Siciliano, [s.d.]. [Ed. original: *Care of the Soul*. Nova York: HarperCollins, 1992.]

Murphy, J. *O poder do subconsciente*. Tradução Pinheiro de Lemos. 43. ed. Rio de Janeiro: Record, 1999. [Ed. original: *The Power of Your Subconscious Mind*. Londres: Pocket Books, 1995.]

Peale, N.V. *O poder do pensamento positivo*. Tradução Octavio Mendes Cajado. Rio de Janeiro: Cultrix, 2002. [Ed. original: *The Power of Positive Thinking*. Nova York: Ballantine Books, 1996.]

Pearson, C. *O herói interior: seis arquétipos que orientam a nossa vida*. Rio de Janeiro: Cultrix, 1994. [Ed. original: *The Hero Within*. São Francisco: Harper-Collins, 1998.]

Peck, M. S. *A trilha menos percorrida: uma nova psicologia do amor, dos valores tradicionais e do crescimento espiritual*. Tradução Maria Clara de B. W. Fernandes. Rio de Janeiro: Nova Era, 2004. [Ed. original: *The Road Less Travelled: A New Psychology of Love, Traditional Values and Spiritual Growth*. Londres: Arrow Books, 1990.]

Rand, A. *Quem é John Galt?* Tradução Paulo Henriques Britto. 2. ed. Rio de Janeiro: Expressão e Cultura, 1999. [Ed. original: *Atlas Shrugged*. Nova York: Signet Books, 1996.]

Robbins, A. *Desperte o gigante interior*. Tradução Haroldo Netto e Pinheiro de Lemos. 12. ed. Rio de Janeiro: Record, 2000. [Ed. original: *Awaken The Giant Whitin*. Nova York: Simon & Schuster, 1993.]

Scovell Shinn, F. *O jogo da vida e como jogá-lo*. São Paulo: Ediouro, 1996. [Ed. original: *The Game of Life and How to Play It*. Saffron Waldeden: C.W. Daniel, 1998.]

Seligman, M. *Aprenda a ser otimista*. Tradução Alberto Lopes. 2. ed. Rio de Janeiro: Nova Era, 2005. Título original: *Learned Optimism*. Nova York: Simon & Schuster, 1998.]

Smiles, S. *Self-Help: With Illustrations of Conduct and Perseverance*. Londres: Institute of Economic Affairs, 1996. Também Ed. P.W. Sinnema. Oxford: Oxford University Press, 2002.

Chardin, P. T. *O fenômeno humano*. Tradução José Luiz Archanjo. Rio de Janeiro: Cultrix. [Ed. original: *The phenomenon of Man*. Londres: Collins Fontana, 1970.]

Thoreau, H. D. *Walden ou A vida nos bosques*; *e A desobediência civil*. Tradução Astrid Cabral. 6. ed. São Paulo: Aquariana, 2001. [Ed. original: *Walden and Civil Disobedience*. Nova York: Penguin, 1986.]

Williamson, M. *Um retorno ao amor*. Tradução Laura Knapp; Beth Vieira e Ana Carolina de Carvalho Mesquita. São Paulo: Novo Paradigma, 2002. [Ed. original: *A Return to Love: Reflections on the Principles of A Course in Miracles*. Nova York: HarperCollins, 1993.]

Mais 50 clássicos

1 **Alfred Adler, *What Life Could Mean to You* (1931)**

Adler criou um ramo totalmente novo da Psicologia (individual), mas com esse livro fez suas ideias atingirem um público popular. O livro trata de adolescência, sentimentos de superioridade e inferioridade, da importância da cooperação, do trabalho, da amizade, do amor e do casamento.

2 **Horatio Alger, *Ragged Dick* (1867)**

Provavelmente um das famosas histórias de superação de pessoas pobres escritas por Alger que deram vida ao sonho americano a milhões de pessoas. Situado na paisagem urbana dos Estados Unidos do século XIX, o livro carrega uma mensagem de esforço ético em prol do sucesso. É uma leitura ótima e divertida.

3 **Muhummad Al-Ghazali, *The Alchemy of Happiness* (século XI)**

Al-Ghazali foi um filósofo respeitado na Pérsia medieval que se tornou um errante místico sufi. *The Alchemy of Happiness* é uma expressão soberba da ética de autoajuda no Islã e um resumo de sua obra-prima *The Revival of Religious Sciences*, a qual tem encantado leitores por séculos. Sua premissa básica é a de que o autoconhecimento provém do conhecimento divino.

4 **Roberto Assagioli, *Psicossíntese: manual de princípios e técnicas* (1965)**

Assagioli, psicólogo humanista italiano, acredita que o enfoque dado por Freud à libido, aos complexos e aos instintos estava incompleto. Em *Psicossíntese: manual de princípios e técnicas,* ele começou a integrar a alma e imaginação à Psicologia. Uma leitura um tanto pesada, mas influente.

5 **Eric Berne, *Os jogos da vida* (1964)**

Este livro foi escrito para um público acadêmico, mas se tornou um sucesso em vendas. A maior influência do livro *Eu estou Ok, você está Ok* de Harris, *Os jogos da vida* apresentou a ideia de que todos temos "roteiros de vida" que determinam nossas ações. A boa notícia é que podemos mudá-los.

6 **Frank Bettger, *Do fracasso ao sucesso na arte de vender* (1950)**
Bettger foi um vendedor norte-americano na década de 1920 e de 1930 e amigo de Dale Carnegie. Seu livro continua popular porque todo mundo precisa adquirir habilidades de vendas – e a obra conta uma ótima história.

7 **John Bradshaw, *Volta ao lar: como resgatar e defender sua criança interior* (1992)**
O conceito de "criança interior" tem sido ridicularizado como a expressão frágil de uma cultura vitimista. O sucesso de vendas de Bradshaw é de fato um trabalho sério que mostra por que o conhecimento e a aceitação do passado são essenciais na criação de adultos responsáveis.

8 **Nathaniel Branden, *O poder da autoestima* (1969)**
Apóstolo e amante de Ayn Rand, Branden ajudou a lançar o movimento de autoestima com este livro.

9 **Claude M. Bristol, *A força mágica da vontade* (1948)**
Suas referências já são meio ultrapassadas, ele pode ser um pouco repetitivo e suas ideias sobre visualização e afirmação também podem parecer fora de moda, mas muitas pessoas nos últimos 50 anos provaram que o poder desse livro pode nos fazer mudar.

10 **Leo Buscaglia, *Amor: um livro maravilhoso sobre a maior experiência da vida* (1972)**
Buscaglia é uma figura popular na literatura de autoajuda. Este é um dos seus primeiros trabalhos sobre um assunto que achamos que sabemos e é provavelmente seu livro mais apreciado.

11 **Jack Canfield e Mark Victor Hansen, *Histórias para aquecer o coração* (1993)**

Essa obra não configura uma filosofia de autoajuda, mas uma coletânea de histórias sinceras e inspiradoras que já vendeu muito. A fórmula repetida interminavelmente nos livros com histórias para a alma adolescente, a alma animal, a alma global etc.

12 **Chin-ning Chu, *Thick Face, Black Heart* (1994)**

Promovendo uma filosofia guerreira com traços orientais, esse livro é um sucesso tanto com os leitores que buscam assuntos relacionados aos negócios quanto àqueles que buscam temas relacionados ao desenvolvimento pessoal e que, por sua vez, consideram os textos de autoajuda como "fracos".

13 **Confúcio, *Os analectos* (século VI a.C.)**

Essa coletânea de 2.500 aforismos, anedotas e diálogos foi criada por um dos sábios mais influentes da história. Publicada após a morte do autor, *Os analectos* guiou a civilização chinesa por dois mil anos e ainda pode ter um profundo impacto sobre os leitores.

14 **Russell H. Conwell, *Uma fortuna ao seu alcance* (1921)**

Originalmente uma palestra inspiradora, este livro vendeu tanto que os lucros gerados foram utilizados para fundar uma universidade. As histórias e anedotas ilustram a ideia de que as pessoas procuram suas fortunas em outros lugares quando as "fortunas" podem ser encontradas no seu próprio quintal (literal e metaforicamente).

15 **Emile Coué, *O domínio de si mesmo pela autossugestão consciente* (1922)**

Contém o famoso mantra da autossugestão, "Todos os dias, de todas as formas, estou me tornando cada vez melhor", que deu início às afirmações voltadas para o sucesso pessoal. Influente, mas não muito lido atualmente.

16 **Edward de Bono, *O pensamento lateral* (1967)**

De Bono não inventou o pensamento lateral, mas o termo só entrou no vocabulário público com este livro. Ao oferecer uma alternativa à engomada lógica do pensamento "vertical" convencional, este e os livros posteriores do autor nos ensinaram a pensar sobre o próprio pensamento.

17 **Stephanie Dowrick, *Intimacy and Solitude* (1996)**

Uma obra que mostra como estão relacionadas as habilidades de ser íntimo e feliz sozinho. Dowrick é um psicoterapeuta que mora na Austrália. Seu livro intitulado *Forgiveness* também é bastante popular.

18 **Albert Ellis, *A Guide to Rational Living* (1975)**

A abordagem "emotiva racional" de Ellis mostrou como ter controle de nossa vida emocional por meio da alteração de nossas crenças. Este livro continua encontrando leitores novos e devotos que apreciam o efeito transformador nos relacionamentos.

19 **Marsilio Ficino, *The Book of Life* (século XV)**

Um guia de vida renascentista que aplica ideias espirituais aos assuntos cotidianos. Mais difícil de ler do que um clássico moderno, mas fortemente influenciado por *Cuide de sua alma*, de Thomas Moore.

20 **Eric Fromm, *To Have or to Be* (1976)**

Grande filósofo social, Fromm apresentou a distinção entre a abordagem "ter" da vida (escassez e miséria materialista e ironicamente fomentada) e "ser" (a base de satisfação e paz). A crítica ainda vê a obra como um tratado societário e de autoajuda.

21 **Les Giblin, *Como ter segurança e poder nas relações com as pessoas* (1956)**

Um manual duradouro das habilidades pessoais de um vendedor que já alcançou o topo. Ao se concentrar em como as pessoas realmente respondem e no motivo para tanto, seu objetivo é a redução de atrito e criação de um bom relacionamento.

22 **Kahlil Gibran, *O profeta* (1923)**

Gibran foi um sírio que emigrou para os Estados Unidos. Embora seja artista em diversos meios de comunicação, foram os vinte milhões de exemplares vendidos de sua obra que o tornaram famoso. Versos belos e profundos sobre amor, perda, casamento etc.

23 **William Glasser, *Reality Therapy* (1965)**

Esse sucesso de vendas surpreendente apresenta a ideia de que a doença mental provém da falta de vontade de uma pessoa em enfrentar a realidade e se comprometer. O livro foi desenvolvido com base em pesquisa clínica.

24 **Thomas A. Harris, *Eu estou Ok, você está Ok* (1967)**

Esse livro representa a ideia que muitas pessoas têm de um clássico de autoajuda. Popularizou o modelo de análise transacional pelo qual enxergamos nossas ações e palavras conforme expressamos a mentalidade de pai, adulto ou criança.

25 **Brian Hopkins, *Official Guide to Success* (1982)**

Um livro modesto, mas poderoso. Escrito por um dos palestrantes e autores de desenvolvimento pessoal mais respeitado dos Estados Unidos.

26 **Elbert Hubbard, *Mensagem a Garcia* (1899)**

Em 1895, Hubbard fundou, no estado de Nova York, uma comunidade com base na autossuficiência e no pensamento positivo. Publicou *Mensagem a Garcia*, um panfleto (impressão estimada de quarenta milhões de cópias) narrando um conto de heroísmo durante a guerra hispano-americana. A mensagem de "terminar o trabalho" independente do que aconteça ainda faz sucesso entre oficiais do exército e empregadores.

27 ***O I-Ching***

O "livro das mutações" chinês tem circulado por aproximadamente três mil anos, mas ainda é uma ferramenta envolvente de autoentendimento. Sua capacidade de chamar a atenção do leitor para outras possibilidades em épocas de grandes mudanças o torna relevante no século XXI.

28 **Harold Kushner, *Quando coisas ruins acontecem às pessoas boas* (1984)**

Kushner é um rabino e escreveu este livro em resposta à doença fatal de seu filho. O livro aborda as coisas sobre as quais não temos controle e como lidar com elas. É popular e intelectualmente sensato e prático.

29 **Muriel James e Dorothy Jongeward, *Nascido para vencer: análise transacional com experiências Gestalt* (1971)**

Um *best-seller* de análise transacional (quatro milhões de exemplares vendidos), a obra analisa estilos de comunicação e fornece exercícios Gestalt, a fim de revelar os estados do ego que bloqueiam o caminho da saúde mental plena.

30 **William James, *The Will to Believe* (1907)**

James pode ser o "pai da Psicologia norte-americana", mas como filósofo prático ele exerceu grande influência na autoajuda. *The Will to Believe* atinge o cerne de perguntas pessoais sobre motivação e crença, e ensaios como "Vale a pena viver?" fornece alguns dos seus melhores e mais amplos pensamentos.

31 **Orison Swett Marden, *Pushing to the Front* (1894)**

Considerado o fundador do movimento de sucesso nos Estados Unidos, Marden (1850-1924) publicou diversos livros inspirados pelo caráter e pela ética profissional de Samuel Smiles. Esse foi seu enorme sucesso de vendas.

32 **Rollo May, *Liberdade e destino* (1981)**
May argumenta que nos conectarmos a um objetivo específico (destino), em vez de nos restringirmos, proporciona a quantidade certa de liberdade para criar e prosperar. O tema da responsabilidade pessoal influenciou Stephen Covey e muitos outros autores.

33 **Og Mandino, *O maior sucesso do mundo* (1981)**
Temas familiares de autoajuda voltados para o estabelecimento de metas e para a realização pessoal moldados na forma de uma história ambientada na época do Novo Testamento. Mandino era amigo de Norman Vincent Peale e tenta passar uma mensagem de "tenha em fé em si próprio" semelhante à do amigo.

34 **Earl Nightingale, *The Strangest Secret* (1955)**
Earl Nightingale ficou conhecido como o "decano do desenvolvimento pessoal". Esse livro é o registro de sua inspiração clássica que vendeu mais de um milhão de exemplares e tornou a fita de áudio essencial para a indústria da motivação.

35 **Robin Norwood, *Mulheres que amam demais* (1988)**
Um livro sucesso de vendas que relata histórias e entrevistas e que ainda cativa muitos leitores com suas distinções úteis sobre amor próprio e dependência, e sobre as armadilhas em que as pessoas caem ao escolher parceiros.

36 **Fritz Perls, *Terapia Gestalt* (1951)**
Perls foi uma figura-chave no movimento do potencial humano da década de 1960 e esta foi sua obra mais importante. Influenciada pela psicanálise e pelo existencialismo, a terapia Gestalt enfatizou a necessidade de as pessoas enxergarem "fora da caixa", com foco no momento presente.

37 **Robert J. Ringer, *Looking Out for Nº. 1* (1977)**

Um sucesso de vendas dos anos 1970. Não é tão ruim quanto parece, o livro mostra aos leitores como evitar o sacrifício desnecessário e perseguir o que querem, sem culpa.

38 **Carl Rogers, *Tornar-se pessoa* (1961)**

Rogers ajudou a revolucionar a psicoterapia, substituindo "interpretação" psicanalítica pela escuta empática por parte do terapeuta. Apesar de ser uma obra emblemática da ética da autodescoberta da década de 1960, *Tornar-se pessoa* ainda é popular.

39 **Bertrand Russell, *A conquista da felicidade* (1930)**

O empreendimento de um famoso filósofo de Oxford no território da autoajuda. Embora ultrapassado, a sagacidade e as ideias de Russell ainda proporcionam uma leitura agradável. A primeira parte discute o que torna as pessoas infelizes; a segunda, o que as torna felizes.

40 **Robert H. Schuller, *Tough Times Never Last, But Tough People Do!* (1984)**

Uma ferramenta para a criação de uma autoimagem dura do pastor da Catedral de Cristal, na Califórnia. Schuller cunhou a expressão "pensamento de possibilidade".

41 **Gail Sheehy, *Passagens* (1976)**

Enorme sucesso de vendas da década de 1970, a obra conduz o leitor por estágios da vida adulta. Traduzido para 28 idiomas, figurou a lista da Livraria do Congresso como um dos livros mais influentes de todos os tempos.

42 **José Silva e Joseph Miele, *O método Silva de controle mental* (1977)**

Ex-reparador de áudio, Silva se interessou pelas técnicas de controle da mente e desenvolveu um famoso curso envolvendo ondas cerebrais teta. Foi o sucesso de vendas sobre esse método.

43 **W. Clement Stone e Napoleon Hill, *Success Through a Positive Mental Attitude* (1960)**

Stone foi mentor e sócio de Hill, e este livro foi uma combinação de *Science of Success* de Hill e o otimismo norte-americano no estilo de Horatio Alger adotado por Stone. Um livro que ainda vende bastante mesmo depois de quarenta anos.

44 **Deborah Tannen, *You Just Don't Understand* (1991)**

Um exame dos estilos de comunicação dos homens e das mulheres que surgiu do trabalho de Tannen como linguista. Uma alternativa a John Gray.

45 **Brian Tracy, *Realização máxima* (1995)**

Muitos apreciadores da literatura de autoajuda colocam Tracy no topo de suas listas. Uma boa síntese das ideias e técnicas de gênero, mas no estilo de Tracy.

46 **Kevin Trudeau, *Mega Memory* (1995)**

Passos simples para impressionar os amigos e a si mesmo pelo poder da memória. Trudeau é um dos reis originais dos comerciais televisivos, mas suas técnicas estão relacionadas na verdade ao século XVII.

47 **Theodore Zeldin, *Uma história íntima da humanidade* (1994)**

Uma visão panorâmica sobre a condição humana exposta por um historiador de Oxford, entrelaçada com perfis fascinantes de mulheres contemporâneas. O livro fala que a qualidade da vida fica muito melhor se ela for valorizada dentro do contexto de toda a história humana.

48 **Zig Ziglar, *See You at the Top* (1975)**

Trabalho motivacional mais tradicional feito com base na crença de que "Podemos obter tudo o que quisermos se ajudarmos os outros a conseguirem o que querem". Agradável, mas seus valores cristãos podem não atrair a todos.

49 **Danah Zohar, *O ser quântico* (1990)**
Uma aplicação da física quântica à forma como nos enxergamos e como vemos a nossa conexão com o universo. À frente de seu tempo, é uma obra que continuará exercendo influência.

50 **Gary Zukav, *A morada da alma* (1990)**
Talvez mais estilo *New Age* que autoajuda, esse livro apresenta um esquema para a compreensão da evolução humana em termos de mudança da consciência sensual para a consciência da alma. Milhões comprovam que o livro apresenta ideias que podem mudar nossa vida.

Este livro foi composto nas fontes Amplitude Cond, Calibri
e impresso em papel *Norbrite* 66,6 g/m² na Imprensa da Fé.